Nadia Lakhdari King

Éléonore

3. La fin des reproches

Les Éditions
Goélette

Graphisme :
Marjolaine Pageau

Révision, correction :
Geneviève Rouleau, Patricia Juste, Élaine Parisien

Photographies de la couverture :
ShutterStock
iStockphoto
Portrait de l'auteure : Karine Patry

Dépôt légal : 2e trimestre 2011
Bibliothèque et Archives nationales du Québec
Bibliothèque nationale du Canada

Les Éditions Goélette bénéficient du soutien financier de la SODEC pour son programme d'aide à l'édition et à la promotion.

Nous remercions le gouvernement du Québec de l'aide financière accordée par l'entremise du Programme de crédit d'impôt pour l'édition de livres, administré par la SODEC.

 Membre de l'Association nationale des éditeurs de livres

Imprimé au Canada

ISBN : 978-2-89638-911-7

À Sheridan

Chapitre un

– Dans trois, deux, un, action !

Le son de la claquette retentit. Allegra inspire profondément et esquisse un sourire aguicheur. La caméra glisse lentement vers elle. Elle est assise dans un salon bourgeois, les jambes croisées aux chevilles, et elle tient une cigarette d'une main nonchalante. Elle aspire une bouffée, la laisse s'échapper entre ses lèvres, puis se retourne vers Émile Saint-Germain, debout près d'elle, pour lui susurrer avec assurance :

– Ta femme, mon cher, tu ne la garderas jamais en cage.

Émile la regarde avec froideur et débite d'un ton assassin :

– Elle est déjà dans sa cage, ma colombe, et toi avec elle.

Puis il sort de la scène à grands pas.

– Coupez !

La voix de Jacques Martel fend le silence qui s'était installé sur le plateau. Aussitôt, la fourmilière s'ébranle. Une maquilleuse accourt vers Allegra et Émile pour leur ajouter du fond de teint, le premier assistant à la réalisation confère avec son patron, un technicien déplace la caméra mobile.

Malgré les années passées dans l'univers du cinéma, Éléonore demeure émerveillée par cette activité soudaine qui secoue un plateau jusque-là immobile, accroché à chaque souffle des acteurs. Elle est vite requise par le régisseur, qui lui demande de régler une querelle au sujet de la disposition des voitures pour une scène d'extérieur devant être tournée deux jours plus tard. Elle règle le litige en quelques instants, puis reporte son attention vers le décor où s'affairent les éclaireurs, Jacques Martel ayant demandé que le visage d'Allegra soit mieux mis en valeur afin qu'on y lise plus clairement l'expression mutine de son regard.

Allegra demeure immobile, laissant les techniciens faire leur travail. Pas pour elle les exigences de star, les requêtes pour aller aux toilettes ou boire un verre d'eau en plein milieu d'une scène. Tous les gens qui l'entourent triment extrêmement dur, elle en est consciente, et elle fait tout ce qu'elle peut pour leur faciliter la tâche. Ce n'est pas le cas de tous les acteurs, et l'équipe lui en est reconnaissante. Émile, de son côté, a des fourmis dans les jambes et contient une envie furieuse de quitter la scène pour aller voir de quoi a l'air l'image aux côtés du réalisateur. Mais il sait d'expérience que cette ingérence ne serait pas bien accueillie. Jacques Martel est un homme affable, éminemment sympathique ; mais lorsqu'il s'agit de son travail, il est intraitable. Lui et lui seul a droit de regard sur le produit fini de ses films, et c'est ce perfectionnisme qui fait sa réputation. Émile le sait bien, mais tout de même, il rue dans les brancards et voudrait avoir un droit de regard sur ce qu'il persiste à voir comme *son* film, puisqu'il en a écrit le scénario. Éléonore a souvent dû lui répéter qu'un film était toujours une création d'équipe.

Enfin, Jacques se déclare satisfait des ajustements apportés à l'éclairage. Il lance un regard à François, un homme mince et énergique, aux cheveux grisonnants coupés court, qui est le premier assistant à la réalisation sur tous ses films. François s'avance avec sa claquette et la scène est rejouée depuis le début. La répétition ne lasse pas Allegra, qui y voit chaque fois une occasion de raffiner son jeu. Elle est prise tout entière par son personnage, avec qui elle vit en osmose depuis le début du tournage. Elle n'a qu'un rôle de soutien, elle ne tourne donc pas tous les jours, mais elle révise sans arrêt ses scènes et observe soigneusement le jeu de ses collègues afin que le sien s'harmonise avec la vision d'ensemble du réalisateur.

La scène terminée, elle s'esquive et se dirige vers la table de collations, où elle saisit une bouteille d'eau et un muffin aux carottes. Elle essaie de dénicher un coin tranquille dans le studio, mais sait que cela ne sera pas facile. L'endroit est une vraie ruche, sauf quand la caméra tourne. Allegra voit une table de bois sur trépieds appuyée contre un mur et elle s'installe dessus, les jambes ballantes. Elle boit une gorgée d'eau, mord dans son muffin et relit le texte de sa prochaine scène. Comme il est court, elle ne craint pas d'oublier le dialogue, mais elle se sent néanmoins très nerveuse.

Il s'agit de LA scène, celle sur laquelle repose une bonne partie de l'intrigue du film. Le personnage d'Allegra, Catherine Legrand, est une jeune femme de bonne famille qui se rebelle contre les diktats de son milieu et de son époque, la période de grande noirceur des années Duplessis, entraînant avec elle le personnage principal du film, Alice Grandbois, qui est interprété avec justesse par Ariane Montredeux, star reconnue et actrice fétiche de Jacques Martel. Dans une scène pivot du scénario, Catherine séduit Alice et l'amène à rejeter la mante de respectabilité qui lui pèse tant.

Allegra, malgré son passé plutôt débridé, n'a jamais embrassé de femme et ça la gêne que sa première tentative se fasse devant une caméra et la foule de badauds qui s'assemblent immanquablement sur le plateau. Elle essaie de faire le vide en elle, de se concentrer sur la scène à venir, mais c'est peine perdue. À ce moment-là, Éléonore traverse la pièce d'un pas décidé. Elle salue Allegra d'un hochement de tête et s'apprête à poursuivre son chemin, mais l'air piteux de son amie l'en dissuade.

– Ça va, Allegra?

– Oui, oui. Tu as l'air pressée.

– Je m'en vais régler une querelle de traiteur, peux-tu croire? Il paraît que le pâtissier a mis des amandes dans un dessert, et tu sais qu'Ariane est allergique aux noix. Son gérant menace de le renvoyer, mais c'est le pâtissier préféré de Jacques, il travaille toujours sur ses films. Je te jure qu'il y a des jours où ça ne vole pas haut! Toi? C'est quoi la mine basse?

– C'est rien, c'est rien. Je veux pas te retenir.

– Ils attendront bien un peu! Allez, crache, Montalcini! Je suis pas née de la dernière pluie, je sais bien que quelque chose te chicote.

– OK, mais tu vas rire de moi. C'est la scène avec Ariane, je suis franchement gênée.

– Oui, je te comprends. Moi, je serais jamais capable. Mais vous jouez, Allegra, c'est pas pour vrai! C'est ton métier, non?

– Oui, mais quand même, avec tout ce monde-là qui nous regarde…

– Ben, c'est simple alors, demande à Jacques de fermer le *set*.

– Ça se fait, ça?

– Souvent, pour les scènes intimes. Personnel essentiel seulement. Ça te laisse Jacques, son premier assistant réal, et peut-être deux caméramans et un technicien. C'est quand même moins pire. De toute manière, inquiète-toi pas, ces gars-là ont tout vu.

– Je sais ! Mais quand même, une scène d'amour avec une femme…

– Oui, pauvre toi, fallait que tu tombes sur un rôle de lesbienne, tu es prise à frencher Ariane au lieu du beau Émile !

– Mouin. Il est beau, mais pas mon genre.

– *Come on*, il y a des flammèches entre vous, même à ton audition, tu te rappelles, on en avait tous été soufflés.

– Euh… non merci. J'ai bien vu la manière dont il te regarde.

– De quoi tu parles ?

– Éléonore, c'est bien simple, on ne va pas passer toute notre vie à tripper sur les mêmes gars. Celui-là, je te le laisse, OK ?

– Mais voyons, qu'est-ce que tu racontes ?

– Je m'en vais parler à Jacques. Bye ! lance Allegra, qui s'éloigne en soufflant une bise à son amie estomaquée.

Éléonore reprend ses esprits et se dirige au pas de course vers les cuisines.

Le lendemain matin, Allegra s'éveille aux aurores. Elle reste longtemps allongée sur son lit, visualisant la journée qui s'annonce. C'est une technique de relaxation qui lui plaît. Elle se voit se lever, prendre sa douche, boire un grand verre d'eau chaude agrémentée de citron pressé, et manger des rôties et un œuf sur le plat, son déjeuner protéiné des grosses journées. Elle passe mentalement en revue les étapes qui la mèneront au studio, le trajet en voiture vers le Technoparc, le CD de Renaud qu'elle écoutera en chantonnant. Elle songe à son arrivée dans l'immense studio, à son passage dans la loge des maquilleuses, au costume qu'elle enfilera, fidèle à la mode des années quarante jusque dans le choix du soutien-gorge à armature et de la gaine portée sous la jupe étroite. Puis, elle imagine le moment où elle sera appelée devant les caméras, le regard impérieux qu'Ariane Montredeux daignera lui jeter, le fauteuil recouvert de velours rouge où elle devra s'étendre, exposant sa gorge dans une invitation qui ne sera pas difficile à comprendre. Ariane s'approchera, posera un doigt délicat sur sa poitrine, se penchera et… l'embrassera pendant de longues minutes. C'est à ce moment précis que le film précautionneusement construit dans la tête d'Allegra se fige ; elle n'arrive pas à aller plus loin, à se figurer calmement en train de se relever, d'ajuster sa robe, de recommencer la scène encore et encore, jusqu'à ce que le cinéaste toujours pointilleux se déclare satisfait.

Elle décide enfin de se lever, ouvre ses stores pour laisser entrer le soleil du matin et déroule son tapis de yoga, qu'elle place face à la fenêtre. Elle débute par une salutation au soleil, puis elle entreprend une série de postures renversées et de torsions afin de regagner le calme intérieur qui lui échappe. Ensuite, elle s'assoit en position du lotus et entonne un mantra pour centrer ses pensées pendant sa séance de méditation. Dix minutes plus tard, son cellulaire fait entendre un doux son de cloche et Allegra se lève, se sentant mieux préparée à affronter la journée qui l'attend. Elle s'habille et descend les escaliers, prenant le temps de flatter le chat d'Agnès, sa voisine. Le gros matou traîne toujours sur la dernière marche, quêtant les caresses. Allegra lui chatouille le menton et l'écoute ronronner, jalouse un instant de la simplicité de sa vie de chat. Elle regarde l'heure, se secoue et marche vers sa voiture.

Elle s'engage dans le stationnement du studio et remarque une activité inhabituelle. Dans la lumière grise du petit matin, des techniciens courent du studio vers une rangée de camions, transportant de l'équipement. Allegra voit Éléonore qui dirige tout ce petit monde, un casque d'écoute posé sur les oreilles. Son amie lance des directives à la ronde, répond à des appels, griffonne des notes sur le calepin qui ne la quitte jamais. Allegra gare sa voiture et s'approche, intriguée. La première semaine de tournage touche à sa fin et c'est la première fois qu'Allegra est accueillie par autre chose qu'une équipe endormie qui enfile les cafés en discutant des prises de la veille.

Elle n'ose pas aller voir Éléonore, qui semble débordée. Elle aperçoit Candice, une maquilleuse britannique avec qui elle aime bien rigoler, et s'empresse de lui demander ce qui se passe.

– *They're forecasting a week's worth of rain starting tomorrow, so we're shooting outdoor scenes today*[1].

– Zut ! Mais je m'étais tellement préparée !

– *It happens, honey. Better get used to it*[2].

Allegra sait que ses services ne seront pas requis ; elle n'a aucune scène d'extérieur, son personnage n'apparaissant que dans les salons et les soirées mondaines. Elle se résout donc à passer la journée à réviser son texte et à préparer les scènes de la semaine suivante. Elle choisit d'aller marcher dans le Vieux-Montréal pour s'aérer les idées et s'assoit chez Olive+Gourmando avec un bol de café au lait et un biscuit. Elle feuillette distraitement une copie élimée du scénario, quand son téléphone cellulaire sonne. Surprise, elle voit s'afficher le numéro de François, le premier assistant à la réalisation.

– Allo ?

– Allegra, t'es où ?

– Dans un café, pourquoi ? Je pensais que vous n'aviez pas besoin de moi aujourd'hui ?

---

1. On annonce une semaine de pluie à partir de demain, alors nous allons tourner des scènes d'extérieur aujourd'hui.
2. Ça arrive, ma chérie. Vaut mieux t'y habituer.

– Regarde dehors, nos plans ont changé. On a besoin de toi au studio dans genre trente secondes.

En effet, quand elle sort, Allegra voit des nuages sombres qui s'agglutinent. Une pluie diluvienne s'abat sur la ville alors qu'elle regagne sa voiture. Elle retourne au studio en trombe et parcourt au pas de course les quelques mètres qui séparent le stationnement de l'entrée. C'est peine perdue, elle est mouillée jusqu'aux os à son arrivée. En la voyant, Candice laisse échapper un « *bollocks* ! » bien senti et elle va vite chercher un sèche-cheveux. Elle tend une robe de chambre à Allegra, qui s'empresse de retirer ses vêtements mouillés. Candice lui sèche rapidement les cheveux, amplifiant ses boucles naturelles pour leur donner l'allure laquée de l'époque. Elle la maquille soigneusement, soulignant ses lèvres pulpeuses d'un rouge écarlate. Allegra enfile son costume à toute vitesse, ne prenant pas le temps, comme elle a l'habitude de le faire, d'entrer mentalement dans la peau de son personnage au fur et à mesure qu'elle en revêt les habits. La jarretelle ajustée, les talons hauts chaussés, le chemisier boutonné, elle se dirige à vive allure vers le décor du boudoir de la famille Legrand, là où la fameuse scène de séduction doit avoir lieu.

Ariane Montredeux est déjà installée dans son fauteuil. Elle toise Allegra, les narines pincées, exprimant clairement son indignation d'avoir dû attendre. Ariane est une jeune femme à la beauté froide et élégante. Ses cheveux noirs de jais et son teint de porcelaine siéent parfaitement aux rôles d'époque. C'est une comédienne accomplie, qui a acquis une réputation enviable depuis qu'elles étaient à Brébeuf ensemble. À l'époque, Ariane avait époustouflé les critiques dans son rôle de jeune prostituée en fuite dans l'un des premiers films de Jacques Martel, et le cinéaste était demeuré fidèle à sa muse au fil des années.

Ce statut de star avérée donne une certaine arrogance à la jeune femme, surtout envers Allegra. Celle-ci tenait un rôle dans un téléroman quétaine du temps où elles se côtoyaient à Brébeuf et Ariane ne la juge pas digne de lui donner la réplique. Allegra refuse d'entrer dans son jeu et tente de demeurer professionnelle, mais il y a des moments où ça lui coûte.

Comme ce jour-là. En prenant place sur le fauteuil à côté d'Ariane, elle présente ses excuses mais voit tout de même Kathia, l'assistante personnelle d'Ariane, lever les yeux au plafond. L'équipe s'agite autour d'elles, apportant les derniers changements à l'éclairage et disposant l'équipement de prise de son au-dessus de leurs têtes. Enfin, Jacques est en place et François s'avance, muni de la claquette. Allegra s'étonne à voix haute :

— Jacques m'avait dit qu'il allait fermer le *set* ?

— Ah oui, zut, répond François. J'allais t'en parler, mais on était trop sur le rush. Ariane a demandé à Jacques de garder le *set* ouvert, elle dit qu'elle a besoin de l'énergie de l'équipe pour bien performer. J'espère que ça ne te dérange pas trop ?

Allegra demeure coite. Elle est certaine qu'Ariane n'en a rien à cirer, de l'énergie de l'équipe, elle qui est individualiste à outrance, et qu'elle a fait cette requête uniquement pour déstabiliser sa partenaire.

La vache ! ne peut s'empêcher de penser Allegra. Qu'à cela ne tienne, son orgueil ne lui permet pas de laisser paraître sa déconvenue. S'il faut qu'elle joue cette scène sans s'y être préparée, et devant public en plus, eh bien, soit, elle le fera. Elle ne s'est pas tant battue pour se rendre jusque-là, devant la caméra de l'un des cinéastes les plus primés du Québec, simplement pour abdiquer à la première difficulté. Elle adresse donc un sourire mielleux à Ariane et se déclare prête à commencer.

– Action !

On entend la claquette. Ariane et Allegra sont assises face à face, prenant le thé. Par souci d'authenticité, les délicates tasses de porcelaine contiennent de l'eau chaude, afin que les actrices prennent réellement de petites gorgées. Allegra souffle un peu sur sa tasse et trempe les lèvres dans le liquide brûlant. Ariane se met à discourir gaiement, son personnage discutant de la mode parisienne du printemps.

À ce flot de paroles frivoles, le personnage d'Allegra contribue peu, se contentant de hocher la tête et de sourire de manière angélique. Elle se lève pour resservir du thé à sa compagne, se déclare prise d'un étourdissement et s'allonge sur la causeuse de velours rouge, dégageant légèrement son chemisier pendant qu'Ariane se penche au-dessus d'elle, inquiète. Allegra respire profondément, l'échancrure de son chemisier laissant entrapercevoir sa poitrine généreuse qui se soulève à chaque inspiration. On entend presque le sang battre dans ses tempes alors qu'elle tourne des lèvres affolées vers Ariane. Celle-ci repousse tendrement une mèche de ses cheveux, trace la ligne de son menton d'un doigt fin, semblant se retenir de toutes ses forces afin de maintenir un certain décorum.

L'équipe sur le plateau, toujours silencieuse pour les besoins du tournage, retient littéralement son souffle, tous les yeux dévorant avidement le tableau de ces deux superbes jeunes femmes, les visages à quelques centimètres l'un de l'autre, respirant de manière audible au cœur de cette scène dont l'intensité les prend par surprise. Dans le silence qui s'installe, Allegra pousse un petit gémissement. Ariane se penche enfin vers elle et pose ses lèvres sur les siennes. Leur baiser est d'abord hésitant, puis se fait plus profond, une mèche des cheveux d'Ariane retombant délicatement sur la joue d'Allegra. La main d'Ariane se pose sur le cou d'Allegra, redescend lentement vers sa poitrine offerte, quand elle pousse un cri strident et se redresse d'un bond.

– Kathia ! Kathia ! hurle-t-elle.

L'assistante accourt. Ariane pointe son visage du doigt. Allegra remarque que sa collègue a les lèvres un peu enflées, sans doute sous l'effet de leur baiser prolongé. Elle est donc surprise de voir Kathia saisir le sac de cuir qu'elle porte constamment en bandoulière, en extirper un long tube de plastique qu'elle décapsule en exposant une aiguille qu'elle plante sans plus de cérémonie dans la cuisse de sa patronne. Maintenant plus calme, Ariane lance un regard de haine à Allegra pendant que Kathia compose le 911 sur son téléphone cellulaire. Éléonore, qui a compris de quoi il retourne, accourt et propose d'emmener l'actrice à l'hôpital dans sa voiture, ce qui sera certainement plus rapide que d'attendre l'arrivée d'une ambulance, devenue inutile maintenant qu'une dose d'adrénaline a été injectée. Ariane acquiesce et elles partent toutes les deux à la course, accompagnée de Kathia qui vocifère des ordres dans son téléphone cellulaire. Éléonore n'a que le temps de jeter à Allegra un regard qui se veut rassurant avant de s'en aller.

L'équipe semble en état de choc, ceux qui étaient placés un peu plus loin de la scène peinant à comprendre ce qui s'est passé. Jacques Martel calme ses troupes du mieux qu'il peut, demandant aux techniciens d'installer le décor du bureau de la maison des Grandbois, où il pourra tourner une scène mettant en vedette Émile et un personnage secondaire. En attendant, il invite le reste de l'équipe à profiter de cette pause imprévue pour manger leur repas de bonne heure, ce qui évitera un arrêt plus tard dans la journée. Un machiniste grommelle que ce n'est pas prévu dans l'entente, que le syndicat ne verra pas ça d'un bon œil, mais ses collègues le font vite taire étant donné les circonstances exceptionnelles de cette journée et le respect que Jacques Martel leur inspire.

Pendant ce temps, le réalisateur s'approche de la scène où Allegra demeure prostrée. Il l'interpelle gentiment :

– Allegra ? Je dois vérifier avant que ça se rende plus loin. Est-ce que tu as mangé des noix, aujourd'hui ?

– Non, bien sûr que non… Enfin, je ne pense pas… J'essaie de me souvenir… Ah, merde !

– Quoi ?

– Tantôt, quand je pensais que ma journée était annulée… je suis allée prendre un café, j'ai mangé un biscuit et j'ai choisi celui au chocolat blanc et pacanes. J'ai juste pas pensé… Je suis vraiment désolée.

– C'est une erreur qui peut arriver à tout le monde. Tant que je perds pas ma journée de tournage avec ça, tu devrais être correcte, dit-il avec un sourire dans la voix.

– Et Ariane, elle ?

– Éléonore s'en occupe, ne t'en fais pas pour ça. Pourquoi tu ne prendrais pas la journée de congé ?

– Vous êtes sûr que vous aurez pas besoin de moi ?

– Repose-toi, on reprendra la scène demain matin.

Allegra rentre chez elle, la mine basse. *Zut, zut et re-zut !* se répète-t-elle inlassablement. Elle s'en veut d'avoir commis une erreur aussi idiote qui a retardé le tournage et gâché une scène clé du long métrage. Elle se demande ce que Jacques Martel pense d'elle, et surtout de son manque de professionnalisme. Énervée, elle n'arrive pas à trouver quoi faire pour s'occuper, attendant impatiemment qu'Éléonore l'appelle pour lui donner des nouvelles. Elle n'ose pas essayer le cellulaire de son amie, craignant que celle-ci ne soit encore en compagnie d'Ariane. Allegra tente de se distraire, elle feuillette un magazine, allume la télévision, mais doit vite abandonner devant l'offre insipide des émissions de fin de matinée. Elle tourne en rond dans son appartement comme dans sa tête et elle décide de sortir prendre l'air. En marchant sur l'avenue du Mont-Royal, elle a l'idée de génie d'appeler sa sœur, qui est toujours prête à délaisser son travail pour faire l'école buissonnière avec elle. Chiara la rejoint chez Première Moisson, où elles prennent un café au lait et partagent une brioche à l'érable. Chiara est toujours un excellent public pour sa petite sœur, écoutant ses lamentations et se réjouissant d'haïr avec elle ceux qui sont la source de son malheur. Les deux sœurs ne se gênent donc pas pour casser du sucre sur le dos d'Ariane Montredeux, qu'elles qualifient tour à tour de diva et de reine des emmerdeuses avant de lui trouver d'autres surnoms plus grossiers encore. Cette montée de lait fait le plus grand bien à Allegra, qui évacue en quelques insultes bien placées des semaines de tension sur le plateau.

Pourtant, en rentrant chez elle, elle sent encore une fois la panique l'envahir. S'est-elle discréditée auprès de l'équipe? Et surtout, sera-t-elle capable d'affronter Ariane le lendemain, de donner autant à la scène, de jouer avec justesse, à la hauteur de ce qu'on attend d'elle? Ce film, c'est une chance inouïe qui lui a été donnée. La chance de faire ses preuves, dans un petit rôle, certes, mais un rôle crucial dans le déroulement de l'histoire, d'abord et avant tout grâce à la scène qu'ils vont tenter de reprendre le jour suivant.

Après avoir obtenu le rôle de Catherine Legrand, grâce à Éléonore qui lui avait décroché une audition, Allegra a attendu impatiemment de savoir si le film obtiendrait les subventions et le financement nécessaires pour être produit. Huit longs mois ont passé, durant lesquels elle a trouvé insupportable son quotidien fait de photos publicitaires et de son boulot de serveuse dans un restaurant, puisqu'elle rêvait désormais de mieux. Enfin, le tournage a été annoncé, et le bonheur que ressent Allegra à jouer la convainc chaque jour davantage qu'elle a enfin trouvé sa voie.

En attendant qu'Éléonore l'appelle, elle se surprend à se ronger les ongles, puis s'arrête tout de suite, son personnage devant avoir une manucure impeccable.

Pendant ce temps, Éléonore est convoquée à son bureau par l'agente d'Ariane, une femme de métier qui n'a pas froid aux yeux. Jacques Martel est également présent. L'agente d'Ariane tonne et vocifère, criant à la tentative de meurtre, puis ne demande pas moins que le renvoi d'Allegra. Jacques essaie de se montrer conciliant, pendant qu'Éléonore tempête au nom d'Allegra qui n'a toujours pas d'agent personnel.

– Écoutez, madame Saint-Cyr, l'allergie aux noix de votre cliente est clairement indiquée dans son contrat; en conséquence, nous interdisons la présence de noix sur le plateau de tournage, et je peux vous assurer que cette consigne est respectée scrupuleusement, je m'en occupe moi-même. À partir de ce moment-là, si votre cliente a des scènes de nature intime et que son médecin juge que cela présente un risque, c'est à vous de nous en informer. Nous avons pris toutes les mesures raisonnables pour empêcher ce genre d'incident. Mais venir nous dicter les décisions quant au renvoi ou à l'embauche de nos comédiens, là, je m'oppose. En toute honnêteté, ce n'est tout simplement pas de vos affaires.

Jacques interrompt ce flot de paroles qui menace de s'éterniser.

– Madame Saint-Cyr, je regrette très sincèrement que cet incident se soit produit et je suis heureux d'apprendre qu'Ariane va bien. Je vous promets qu'on va faire un grand film, et vous pourrez dire à Ariane de ma part que cette production sera cent fois meilleure avec Allegra que sans elle. La chimie qu'elles ont à l'écran, ces deux-là, ça va faire des vagues. Tant pis si c'est à cause d'une discorde et non d'une grande complicité. Si son médecin m'assure qu'elle est remise, je reprends la scène demain matin.

– Un instant, pas si vite. Ariane est d'accord pour reprendre la scène, mais Allegra Montalcini doit subir un nettoyage dentaire complet et prendre l'engagement contractuel de ne plus manger de noix jusqu'à la fin du tournage.

– Mais c'est complètement abusif! objecte Éléonore.

– C'est à prendre ou à laisser. Bonne journée, lance madame Saint-Cyr en sortant du bureau.

Jacques et Éléonore se regardent, retenant une soudaine envie de pouffer de rire, tant la scène qui s'est déroulée sous leurs yeux était absurde.

– Ça se peut-tu! Un dentiste! s'écrie finalement Éléonore, cédant aux gloussements qui secouent son corps, contente d'enfin laisser une petite place à l'humour dans cette journée rocambolesque.

Jacques se joint à elle de son rire franc et ils doivent vite essuyer les petites larmes qui pointent au bord de leurs yeux.

– C'est pour ça que j'aime autant mon métier, finit par dire Jacques. Vraiment, on sait jamais, jamais à quoi s'attendre.

– Un nettoyage dentaire avant une scène de becs, elle est bonne, celle-là. Va falloir qu'on fasse attention, ça va finir par se ramasser dans tous nos contrats !

Appréciant la détente physique qui suit toujours un fou rire, Éléonore prend son téléphone et appelle Allegra. Elle lui demande de se rendre tout de suite chez le dentiste, ajoutant que Louise va se charger de lui prendre un rendez-vous d'urgence et que la note sera envoyée directement au studio.

– Le dentiste ?

– Pose pas de questions, pouffe Éléonore.

Le matin suivant, Allegra est prise par une sensation de *Groundhog Day*[3] à laquelle s'ajoute la terreur de devoir recommencer la scène avec Ariane. Elle visualise de nouveau sa journée et boit son citron pressé. Elle prépare son œuf et sa rôtie, après avoir pris soin de lire tous les ingrédients énumérés sur le sac de pain. Avant de prendre la première bouchée, elle hésite. Ça dit : « Peut contenir des traces de noix. » Par mesure de précaution, elle décide de manger son œuf sans pain, en grognant un peu. Elle fait ses exercices de respiration et de yoga, médite quelques minutes, puis se rend au studio, où elle est maquillée, coiffée et habillée exactement comme la veille. Elle se dirige vers la scène, constatant avec exaspération qu'encore une fois Ariane y est installée avant elle. Pourtant, elle ne croyait pas être en retard. Elle remarque aussi que la salle est presque vide, hormis Jacques et quelques techniciens. François lui explique qu'étant donné la curiosité suscitée par les événements de la veille, il a préféré fermer le *set* pour la journée. Allegra s'assoit à côté d'Ariane, qui refuse obstinément de croiser son regard.

---

3. *Le jour de la marmotte* (1993), avec Bill Murray.

Mais lorsqu'on entend crier: «Action!» et que le bruit de la claquette retentit, Ariane se métamorphose complètement. Elle devient son personnage: enjouée et charmeuse, babillant avec naturel. Allegra boit sa gorgée d'eau chaude et s'efforce de tout oublier; tout, hormis les émotions qui s'emparent de son personnage alors qu'elle prend le thé en compagnie d'une femme qui la fait trembler de désir.

Allegra se lève pour resservir du thé, se déclare prise d'un étourdissement et s'allonge sur la causeuse de velours rouge. La scène se déroule exactement comme la veille. Allegra ne peut s'empêcher de se crisper légèrement quand Ariane s'approche d'elle. Les mouvements légers que fait celle-ci sur son cou, son visage et sa poitrine, lui semblent froids malgré la douceur avec laquelle ils sont exécutés. Allegra arque le dos, tend sa poitrine vers Ariane qui y dépose quelques baisers avant de l'embrasser sur la bouche, précautionneusement d'abord, puis de plus en plus goulûment. Leur baiser s'éternise, se prolongeant jusqu'à ce qu'Ariane pousse un murmure apaisé et pose de nouveau sa tête sur la poitrine d'Allegra.

Dans le silence qui suit, on entend Jacques Martel qui crie: «Coupez!», semblant sortir les deux actrices de la torpeur dans laquelle elles se trouvaient. Il ajoute:

– C'est parfait! Du premier coup!

Dès lors, Ariane se lève d'un mouvement sec et quitte la scène, sans daigner regarder Allegra. Celle-ci reprend lentement ses esprits, tandis que le réalisateur la félicite chaudement:

– Je sais pas comment tu as fait, Allegra, mais tu étais tout simplement sensationnelle. J'ai jamais vu autant d'émotion dans un regard. Chapeau.

Allegra quitte le studio et rentre chez elle sans réfléchir, comme dans un rêve. Elle s'écroule dans le fauteuil de son salon, hébétée. Le téléphone sonne.

– Allegra ? C'est moi, dit Éléonore. Pis, ma chère, il paraît que tu as soufflé tout le monde aujourd'hui ? Je suis vraiment fière de toi.

Les deux amies se donnent rendez-vous le lendemain puis raccrochent. Les mots d'Éléonore font lentement leur chemin dans la tête d'Allegra, encore sonnée. « Je suis vraiment fière de toi… »

– Tu sais quoi ? s'exclame-t-elle à voix haute dans le silence de son appartement. Moi aussi, je suis vraiment fière de moi.

Chapitre deux

Yasmina déambule dans les rues du Marais. Elle emprunte la rue de Turenne et débouche sur la place des Vosges qu'elle parcourt tranquillement. Elle regarde tour à tour les maisons de Victor Hugo, de Bossuet, de Simenon. Des années après son arrivée à Paris, elle est toujours aussi émerveillée par la Ville lumière, son histoire et ses grands penseurs. L'idée de faire aujourd'hui un peu partie de cette communauté de théoriciens d'envergure la remplit de joie, elle qui rédige la thèse de doctorat qu'elle soutiendra dans un an à l'auguste Sorbonne. En accord avec son directeur de thèse, le professeur Bourilly, elle l'intitulera *Littérature identitaire : la contestation à travers la révolution*. Ses recherches traceront des parallèles entre les courants littéraires marquants de la Révolution tranquille au Québec et ceux de la Révolution française de 1789. Yasmina aurait bien voulu aussi explorer la révolution communiste en Chine, y ajouter des références à mai 68 en France, mais son directeur de thèse lui a recommandé de ne pas s'éparpiller et de privilégier un sujet pointu qu'elle pourra vraiment approfondir. Son travail la fascine et elle se perd chaque jour de plus en plus longtemps dans les dédales des bibliothèques qu'elle affectionne.

Rêveuse, elle continue à marcher en levant le nez vers les façades qui l'entourent, s'engageant au hasard du chemin dans les petites rues hétéroclites du Marais, contente de retrouver ici une ambiance légèrement moyenâgeuse ayant échappé aux grandes visions haussmanniennes qui ont transformé Paris au XIXe siècle. Yasmina bifurque soudain à droite, reconnaissant l'auvent d'un restaurant juif où elle a dégusté d'excellentes keftas en compagnie de Loïc, de Fabien et d'Amélie. Elle s'attable Chez Marianne, commande un thé, ouvre un livre et se plonge dans la lecture d'*Une saison dans la vie d'Emmanuel*, de Marie-Claire Blais. Absorbée, elle n'entend tout d'abord pas son téléphone cellulaire sonner. Elle esquisse un sourire en voyant le numéro sur l'afficheur.

– Allo ?

– La plus belle Québécoise de Paris ! Ça va ?

– Oui, et toi ?

– Super. Je termine mes cours, où es-tu ?

– Chez Marianne, près de chez toi.

– Tu me prends la salade d'artichauts ? J'arrive.

Yasmina rayonne en reposant son téléphone dans son sac. Elle fait signe à la patronne, lui demande la salade et tente de se replonger dans sa lecture, mais c'est peine perdue. Pour la première fois de sa vie, ce qui lui arrive lui semble plus fascinant que les épopées de ses chers romans. Pour la première fois, c'est elle l'héroïne d'une histoire digne des *Cœur à cœur* élimés de son enfance.

Yasmina a toujours été une grande romantique. Dès le secondaire, elle cherchait des histoires d'amour dans tous les regards, malgré les règles strictes de son père qui l'empêchait de fréquenter les garçons autant qu'elle l'aurait voulu. Elle avait attendu impatiemment son entrée au cégep, après cinq années passées entre filles aux Marcellines. Là, elle était tombée amoureuse d'un beau garçon de cégep 2, grand, populaire, gentil. Elle s'était jetée à corps perdu dans une histoire d'amour avec Nicolas Sansregret et n'en regrettait pas une minute, même s'il avait fini par lui briser le cœur en rompant avec elle afin de mieux profiter de la vie universitaire. Pour Yasmina, l'amour, avec ses élans, ses passions, était une fin en soi. Elle vivait pour cette flamme qui l'envahissait quand elle plongeait ses yeux dans ceux de l'être aimé. À l'époque, elle chantonnait souvent les paroles d'Édith Piaf: «À chaque fois j'y crois, et j'y croirai toujours, ça sert à ça, l'amour.» Elle a longtemps gardé la nostalgie de ce premier amour avec Nicolas, de son côté pur, innocent. Elle a passé ses années d'université à essayer de le recréer, allant de déception en déception en fréquentant des gars imbus d'eux-mêmes, torturés, mesquins. En arrivant à Paris, elle a décidé de se consacrer à ses études et de mettre de côté ce rêve vain de trouver l'âme sœur.

Puis elle a rencontré Loïc, le dragueur invétéré dont sa copine Amélie était amoureuse. Quand Loïc lui a fait de l'œil, Yasmina s'est empressée de se draper de grands sentiments nobles pour l'enjoindre de l'oublier. Ensuite, elle a refusé toutes les invitations pouvant l'amener à se trouver face à face avec lui, se complaisant dans son rôle d'ermite qui se sacrifie pour une amie. Quand Loïc a quitté Paris pour un stage de médecine d'un an, Yasmina a réalisé que le béguin d'Amélie était au mieux léger et davantage un prétexte à blagues et à railleries. Elle s'est sentie éminemment idiote d'avoir fait tout un plat de cette histoire et s'est juré qu'on ne l'y reprendrait plus. Elle s'est donc lancée dans les sorties et les soirées, s'amusant au gré de quelques aventures, déterminée à demeurer légère, à ne pas tout prendre autant au sérieux. Ainsi, quand le fameux Loïc a réapparu, elle a décidé de le séduire, afin que ce soit chose faite et qu'elle puisse vivre sans regret. Elle l'a approché la tête haute, sans gêne et sans retenue. L'intensité de leur nuit l'a laissée pantoise, mais elle a tenu à ne pas en faire une montagne, à continuer à vivre sa vie un jour à la fois, sans perdre son temps en rêvasseries vaines.

C'était sans compter la complicité inouïe qui les unissait. Le week-end suivant, elle a croisé Loïc de nouveau dans une fête, et a engagé avec lui une discussion qui a duré jusqu'aux petites heures du matin, débattant fiévreusement des qualités vocales des chanteuses québécoises qui faisaient fureur à Paris à cette époque. Yasmina s'est vite rendu compte qu'elle n'avait aucune opinion réelle sur la question, mais cela ne l'a pas empêchée de contrer tous les arguments de Loïc, pour le simple plaisir de le voir s'enflammer. Le lendemain, ils se sont donné rendez-vous pour aller au cinéma, puis ont bu un café près de l'Odéon, où Loïc a entrepris d'imiter l'accent québécois de Yasmina, exercice qui la vexait énormément d'habitude, mais qui cette fois l'a fait rire aux larmes alors qu'elle l'entendait, de son accent pointu, tenter de répéter les « enweye dans boîte à bois » et autres « ayoye ! » qu'elle lui débitait. Ce jour-là, il l'a raccompagnée chez elle et s'est retrouvé tout naturellement dans son lit. Le lendemain, ils ont recommencé leur manège. Ils s'amusaient comme des gamins, ne faisant que se taquiner et se chamailler, courant ensemble les sorties, les spectacles et les expositions, avant de finir la soirée chez elle ou chez lui. Jamais un mot sérieux n'avait été prononcé, aucune étiquette n'avait été apposée à leur relation. Et cela plaisait à Yasmina comme ça.

D'une certaine façon, elle avait l'impression que le fait de ne pas trop se prendre au sérieux les protégeait du mauvais œil. Elle n'avait pas envie de tenter le sort en se déclarant amoureuse, ou en prononçant des mots épeurants comme « âme sœur » ou « l'homme de ma vie ». Pourtant, elle admettait de temps à autre que c'était bien ce qu'elle ressentait, au fond d'elle-même. Elle continuait néanmoins d'affirmer à ses amies que ce n'était qu'une fréquentation, sans plus. Lorsqu'elle se perdait dans les yeux de Loïc, effleurait de la main le duvet qui ornait son crâne rasé ou s'allongeait sur lui et cachait son visage dans le creux de son épaule, elle devait se retenir à pleines mains pour ne pas crier ce qu'elle éprouvait. Elle déguisait cette envie en le chatouillant ou en faisant une blague. Elle ne voulait pas tenter le destin mais, surtout, elle ne voulait pas se déclarer la première.

Les mois ont passé. Yasmina, Loïc et Amélie continuent tous les trois d'étudier assidûment, pendant que Fabien, le seul du quatuor à avoir un emploi, rit de leur statut d'éternels étudiants fauchés et aime régler l'addition de manière grandiose quand ils sortent tous les quatre. Durant un week-end en groupe à Londres, ils ont fait la tournée des pubs et des bars de musique underground. Ils se sont tous réunis, aussi, à la villa que possèdent les parents de Yasmina à Santa Margherita, sur la riviera italienne. Leur prochain séjour est prévu dans les îles grecques, le week-end suivant. Ils s'octroient dix jours de vacances cette fois-ci et Fabien bougonne de devoir encore voyager aux dates de grande affluence à cause de ses trois amis toujours coincés dans les restrictions imposées par le calendrier scolaire.

Perdue dans ses pensées et dans les volutes de son thé qui refroidit, Yasmina n'entend pas Loïc approcher jusqu'à ce qu'il pose une main caressante sur ses cheveux. Elle sursaute et lui sourit. Il s'assoit et attaque avec appétit la salade aux artichauts que la patronne vient de poser devant lui, accompagnée d'une demi-carafe de vin rouge.

– J'ai une mauvaise nouvelle, lui dit-il entre une gorgée et deux bouchées. Fabien ne pourra pas nous accompagner, il est retenu au boulot.

– Mais voyons ! Il ne peut pas s'arranger ?

– Non, rien à faire, sa société vient de décrocher un contrat monstre. Il sera submergé de boulot toute la semaine. On lui enverra une carte postale, tiens !

– Le pauvre. Je vais envoyer un SMS à Amélie pour l'aviser.

Quand elle sort son téléphone cellulaire de son sac, Yasmina s'aperçoit qu'elle a déjà un message de son amie, qui lui demande de l'appeler de toute urgence. Inquiète, elle compose le numéro d'Amélie, qui répond à la première sonnerie mais qui est difficile à comprendre.

– Amélie ? Ça va ?

– Non ! Pas du tout !

Dans un flot de sanglots, Yasmina réussit à comprendre que le père d'Amélie a fait un infarctus et souhaite la présence de sa fille à son chevet. Amélie part le soir même par le premier train.

– Tu veux que je vienne avec toi ? offre tout de suite Yasmina. Demain, j'ai une rencontre avec mon directeur de thèse, mais je pourrais venir te rejoindre après.

– Merci, t'es trop chouette. Je t'appelle une fois arrivée.

Yasmina et Loïc se regardent, dépités. Voilà leur voyage aux îles grecques qui tombe à l'eau. Loïc appelle tout de suite l'agence où ils ont acheté leurs billets. L'agent de voyages est formel : ils n'ont droit à aucun remboursement. *Quel gâchis !* songe Yasmina, se sentant tout de suite coupable de regretter ses vacances à la mer quand son amie craint de perdre son père. Elle embrasse Loïc et rentre chez elle pour préparer sa rencontre du lendemain. Tard ce soir-là, alors qu'elle épluche ses notes de recherche et prépare les questions à poser à son directeur de thèse, elle reçoit un appel d'Amélie. Celle-ci est plus calme. Elle raconte à Yasmina les heures d'angoisse dans le train, son incertitude quant à l'état de son père, sa peur d'arriver trop tard. Mais toutes ces inquiétudes se sont envolées dès son arrivée, quand sa mère lui a expliqué que l'infarctus dont avait souffert son père était très léger, qu'il s'agissait somme toute d'une mise en garde et d'une incitation à vivre de manière plus saine.

– Fini, le saucisson, le pâté et les rillettes ! C'est bien qu'il doive renoncer au foie gras qui a failli l'achever, ce gourmand !

Yasmina est soulagée d'entendre cette note de gaieté dans la voix de son amie.

– Tu as besoin de moi ? lui demande-t-elle. J'arrive demain, si tu veux.

– Non, non, tu es gentille, mais ça va. Je vais rester ici quand même, hein, question de dorloter mon papa un peu. Ça ne te gêne pas ? C'est plutôt Fabien qui sera déçu, il ne s'amusera pas trop, en chaperon.

– Ne t'inquiète pas pour lui, il est retenu au travail.

– Ah ! Vous partez en amoureux, alors. Allez, bises, et bon voyage !

Yasmina raccroche et s'empresse d'appeler Loïc, folle de joie.

Le vendredi suivant, ils se mêlent avec bonne humeur au troupeau de vacanciers qui s'empilent dans un vol Easy Jet vers Athènes, puis vers Santorin. Là, la mer les attend, turquoise et marine à perte de vue par-delà les maisons blanches construites à flanc de colline. Leur hôtel surplombe la mer. Dès leur réveil, ils empruntent un escalier raide qui les mène jusqu'à un promontoire d'où ils peuvent plonger dans l'eau fraîche. Loïc nage jusqu'à la bouée qu'on voit au large, encourageant chaque fois Yasmina à l'accompagner. Craintive, celle-ci préfère faire des longueurs devant la plage puis aller se faire sécher au soleil. De retour à l'hôtel, ils dégustent un café frappé et un *koulouri* aux graines de sésame accompagné d'un généreux plateau de fruits. Le soleil, la mer et la baignade délient les muscles de Yasmina, normalement trop peu sollicités par les heures passées à la bibliothèque, et elle se sent revivre.

Le troisième soir, ils décident d'essayer un minuscule restaurant chaudement recommandé par le propriétaire de leur hôtel. Les quelques tables sont disposées en plein air, avec vue sur le célèbre coucher de soleil de Santorin. Ils choisissent un plateau de fruits de mer grillés avec un vin blanc grec dont l'excellence les surprend. Yasmina est déjà hâlée et a revêtu une robe blanche achetée dans un village de pêcheurs la veille. Loïc porte un toast à leur soirée, à leurs vacances et à eux. La chaleur les enveloppe comme une mante, leur faisant oublier qu'il existe un monde au-delà de cette île de charme. Eux qui normalement aiment discuter de tout et de rien, se taquiner et se pro-voquer, ce soir-là ils sont étrangement sereins, presque silencieux, heureux de laisser leurs regards se croiser à la lueur des chandelles. Au dessert, alors qu'ils dévorent un plateau de pâtisseries grecques, Loïc prend la main de Yasmina dans la sienne, arborant soudain un air sérieux.

– Yasmina…

– Oui ?

– Tu sais, il faudrait qu'on se parle…

– De quoi ?

– Normalement, si j'ai mes examens, je termine ma spécialité en décembre.

– Oui, je sais.

– Mais après… Après je n'obtiendrai pas nécessaire-ment un poste sur Paris.

Yasmina se fige.

– Qu'est-ce que tu veux dire ?

– Eh bien, qu'il est fort possible, probable même, que je parte en janvier.

– Tu irais où ?

– J'en sais rien… À vrai dire, l'an dernier j'ai été un peu dégoûté, dans les Alpes… Des villages de luxe, du m'as-tu-vu, des crâneurs qui se mettent dans des situations pas possibles. Je n'ai pas envie de ça. Je rêve de changer le monde. Pas de panser les bobos des gens riches et célèbres.

– À quoi tu penses, alors ?

– J'en sais rien encore, mais je cherche. Je préférais te mettre au courant.

– OK…

Yasmina ne sait pas comment enchaîner. Loïc lui apprend son départ imminent, elle ne peut trop s'y opposer, puisqu'ils ne se sont jamais rien promis. Elle sourit donc bravement et lui demande s'il veut un café. Pour le reste, elle s'impose de ne pas y penser, pas encore, pas maintenant. Après le repas, ils se rendent sur la plage, s'assoient dans un bar sous les étoiles et écoutent un guitariste tzigane à la voix envoûtante. Loïc tape le rythme avec son pied, se met à bouger et entraîne Yasmina dans une danse spontanée. D'autres clients se joignent bientôt à eux. Le guitariste hausse la cadence. Une jeune femme entraîne Yasmina dans une ronde dont elle ressort étourdie et essoufflée avant de tomber dans les bras de Loïc. La musique devient très douce, mélancolique, et Loïc serre très fort Yasmina dans ses bras alors qu'ils tanguent au son des vagues qui se brisent sur la rive.

Ils rentrent à l'hôtel à pas lents, enlacés. La pleine lune éclaire leur chambre, rendant toute lumière inutile. Ils se déshabillent lentement, profitant de cette nuit comme si elle devait être leur dernière. Yasmina ne saurait expliquer cette angoisse qui l'étreint, cette impression de fin de vacances alors que leur séjour ne fait que commencer. C'est sans doute la perspective du départ de Loïc qui l'inquiète, mais pourtant elle savait bien que leur histoire n'était pas faite pour durer. Leur étreinte ce soir-là est empreinte de tendresse. Ils font l'amour lentement, les yeux dans les yeux, s'accrochant l'un à l'autre sans un mot.

Ils sont couchés côte à côte dans la pénombre. Loïc embrasse doucement le cou de Yasmina, la faisant frissonner, puis murmure dans le noir, les lèvres perdues dans ses cheveux : « Je t'aime… »

Yasmina demeure longtemps éveillée dans la nuit, un énorme sourire éclairant son visage, pendant que Loïc dort paisiblement à ses côtés.

Chapitre trois

La porte claque. Mathilde éclate en sanglots. Éléonore rouvre avec rage la porte d'entrée et crie à la silhouette de Malik qui disparaît au bout de la rue :

– Heille ! Tu ne claques plus jamais ma porte, c'est-tu clair ?

Malik entend et rebrousse chemin, se plantant en bas des escaliers pour hurler à Éléonore :

-*Ta* porte ? *Tu* porte ? Inquiète-toi pas, je la claquerai plus jamais, *ta* porte.

Puis il repart vers sa voiture. Furieuse, Éléonore claque la porte à son tour, ce qui a pour effet de doubler l'intensité des pleurs de Mathilde. Elle se sent tout de suite rongée par la culpabilité.

– Ma pauvre cocotte, ma belle chouette, c'est pas grave, maman est là. Maman est là.

Mathilde se calme tranquillement et ses gros sanglots font place à des reniflements pendant que sa mère la berce. C'est devenu si rare que sa fille se laisse prendre comme ça qu'Éléonore en profite. Puis la petite lui demande :

– Parti où, papa ?

La question à laquelle aucune mère ne veut devoir répondre.

Parti où ? Voyons voir. Parti évacuer sa colère de se sentir toujours invité chez elle, jamais chez lui. Parti rêver d'une blonde qui se prosternerait à ses pieds, le traiterait en grand maître et boirait chacune de ses paroles. Parti ruminer son envie d'une existence jet-set, sans soucis et sans obligations autres que celles de son travail à lui.

La liste des doléances d'Éléonore est longue et elle est consciente que celle de Malik l'est tout autant. Elle ne saurait même plus par où commencer pour expliquer ce qui ne va pas, entre eux. Leurs conflits se sont tellement emberlificotés qu'elle ne sait même plus où l'un finit et où l'autre commence, ni lequel de leurs problèmes en attise un autre. Tout ce qu'elle sait, c'est que le mois et demi de tournage qui s'achève n'a en rien aidé la chose. En tant que productrice d'un long métrage, Éléonore doit se trouver sur le plateau quatorze heures par jour, minimum. Être là avant tout le monde, partir après tout le monde, régler mille et un problèmes, étirer miraculeusement un budget extrêmement serré, courir à droite et à gauche et penser à tout, sauf à elle-même. À la maison, elle a à peine le temps de prendre une douche qu'elle saute de nouveau sur son ordinateur pour répondre aux courriels qui ont été négligés toute la journée. Elle peine à s'accorder cinq ou six heures de sommeil, choisissant de se lever aux aurores afin de préparer sa journée et de pouvoir passer une heure avec Mathilde à son réveil. Quand elle rentre le soir, la petite est depuis longtemps couchée. Ça lui brise le cœur de passer si peu de temps avec sa fille, mais elle se dit que ce n'est que pour six semaines, sept tout au plus, et que son horaire retrouvera par la suite un semblant de normalité. Madame Gaston a accepté de faire des heures supplémentaires, dormant même à la maison les soirs de semaine afin de permettre à Éléonore de rentrer à l'heure qu'elle veut. Jacqueline Saadi, toujours la mamie dévouée, passe donner son bain à Mathilde tous les soirs pour que la vieille nounou puisse respirer un peu et que la petite puisse profiter de la présence d'un adulte plus énergique.

Mais, la fin de semaine, il n'y a qu'Éléonore… et Malik, qui rechigne à aider davantage. Il argue que ce sont ses jours de congé à lui aussi, qu'il travaille avec une intensité folle toute la semaine, jongle avec des montants d'argent dont elle ne peut avoir idée, vit un stress intense au quotidien et vient à Montréal pour profiter de sa fille, oui, mais pas pour être père monoparental et faire la vaisselle et le lavage pendant qu'Éléonore travaille. Celle-ci rue dans les brancards, objectant qu'elle est mère monoparentale cinq jours sur sept toute l'année, qu'elle ne lui demande de l'aide que pour six maigres semaines, qu'il s'agit du projet qui établira toute sa carrière, qu'elle ne peut pas le mettre sur la glace du vendredi au dimanche parce que monsieur doit se reposer.

Ce débat houleux n'a fait qu'empirer avec les semaines, amenant Malik à décider ce jour-là d'aller passer le week-end avec Mathilde au chalet de ses parents, à Mont-Tremblant. Il revient avec sa voiture, qu'il gare en double file devant la porte pour venir chercher la petite. Éléonore fait un dernier bisou à sa fille, qu'elle laisse partir à contrecœur. En soi, c'est une solution parfaite, que Malik amène Mathilde dans le nord pour permettre à Éléonore de travailler. Mais elle sait bien que ce n'est pas dans une optique généreuse qu'il le fait, qu'il s'agit plutôt d'un énième point marqué contre elle dans la bataille sans issue qui les oppose.

Le dimanche soir, Malik s'arrête brièvement, le temps de monter la valise de Mathilde, puis il annonce qu'il continue vers Dorval, voulant rentrer chez lui en raison d'un rendez-vous très tôt le matin suivant. Il fait la bise à Éléonore pour la forme, serre très fort sa fille dans ses bras, puis se dirige vers la porte. La tension est palpable et Éléonore sait bien que c'est uniquement la présence de Mathilde qui leur impose un minimum de courtoisie. Cette froideur et cette atmosphère conflictuelle lui pèsent beaucoup. Éléonore referme la porte, s'efforçant de sourire gaiement lorsqu'elle invite Mathilde à sauter dans le bain, mais le cœur n'y est pas. Elle se sent étouffer chez elle et en veut énormément à Malik d'être aussi désagréable, même si elle sait bien qu'elle est aussi fermée que lui.

Elle est soulagée de repartir vers le studio le lendemain matin, laissant loin derrière elle ces considérations domestiques. L'activité bourdonnante du plateau est comme une bouffée d'air frais et Éléonore s'épanouit au contact de cet univers professionnel où elle est valorisée et appréciée. Elle doit s'avouer qu'il y a aussi le sourire d'Émile, le regard d'Émile qui lui font du bien après deux jours où elle s'est sentie constamment critiquée, jamais désirée. Elle se sert un café, répond aux questions urgentes de son assistante de production, puis s'enferme avec Jacques et Émile dans la pièce qui lui sert de bureau temporaire, désirant réviser les plans de tournage pour la semaine ainsi que les quelques modifications qu'Émile devait apporter au scénario pendant le week-end. Une fois ces détails réglés, Jacques se retire pour aller superviser la disposition des caméras, pendant qu'Émile et Éléonore continuent de discuter de la fin du tournage qui approche, ainsi que de la fête qu'ils organisent pour souligner l'occasion.

– Les gens ne s'attendent pas à une fête grandiose, dit Éléonore. On n'a pas de gros moyens, ici, on les traitera pas comme des vedettes. Ce qu'ils veulent, c'est s'amuser entre eux, boire un coup.

– Ah oui ? Pis est-ce que ça dérape, d'habitude ?

– Ça dépend ce que tu veux dire par déraper. Les gens lâchent leur fou, c'est sûr.

– Et toi, miss Castel, tu lâches ton fou aussi ?

– Ça m'arrive, pourquoi?

– Ça m'intéresserait de voir ça.

– T'espères que je vais faire une folle de moi, c'est ça?

– Moi? Jamais! répond Émile avec un sourire en coin. Madame vient d'Outremont, on sait bien qu'elle fait toujours tout avec classe.

– Pfft! Tu sauras que je suis capable de faire le party comme tout le monde.

– On va voir. T'es mieux d'ajouter des *shooters* à ta liste de bar.

– Des *shooters*? Tu veux que je perde mes moyens, ou quoi?

– Ben…, répond Émile, taquin.

– C'est supposé vouloir dire quoi, ça?

Il la regarde soudain sérieusement.

– Tout simplement que tu es craquante, Éléonore.

À ce moment, Allegra fait irruption dans la pièce. Aux pommettes rouges d'Éléonore, elle voit bien qu'elle interrompt quelque chose, mais elle ne peut s'esquiver sans ajouter au malaise qui semble s'être installé dans le bureau de fortune. Elle salue donc gaiement Éléonore et Émile et s'enquiert de leur fin de semaine. Émile répond par des banalités, puis il file vers la loge des maquilleuses où il est attendu. Dès que la porte se referme sur lui, Allegra tourne un regard pénétrant vers Éléonore, qui voudrait bien éviter la question qui s'annonce.

– Pis? demande Allegra sans ambages.

– Pis quoi?

– Éléonore Castel!

– Je sais pas quoi te dire. Il me fait de l'effet.

– Et tu le trouves beau.

– Tellement! Mais ça, c'est un fait objectif, c'est pas juste moi.

– Donc, il est beau, il te fait de l'effet… Le trouves-tu gentil et intelligent, en plus?

– Oui ! Je sais pas comment t'expliquer, Allegra, mais ce gars-là, c'est comme… c'est comme mon pendant masculin. On s'intéresse aux mêmes choses, on a le même sens de l'humour.

– *Shit*. T'es dans le trouble.

– Peut-être…

– Élé, tu penses pas que c'est juste la fébrilité du tournage qui te fait tripper comme ça ? Il y a une espèce d'effervescence, un *thrill*, et vous passez douze heures par jour ensemble. C'est sûr qu'il peut y avoir un petit flirt qui se développe. En plus, avec l'autre bozo à la maison qui fait juste t'engueuler, ça en prend pas gros pour que tu préfères passer du temps avec Émile. Je pense que cette attirance est un symptôme de tes problèmes de couple plus qu'autre chose.

– OK, ben c'est pas grave, alors… Je peux bien profiter de mon flirt, non ?

– Je veux juste pas que tu partes sur une balloune et que tu fasses quelque chose que tu regretterais. Malik, c'est le père de ta fille. Ça veut pas dire quelque chose, ça ?

Sans doute, se dit Éléonore. *Mais est-ce assez ?* Voilà la question qu'elle se pose malgré elle depuis quelques semaines.

Jacqueline Saadi se pose la même question. Elle a bien remarqué qu'elle ne voit plus jamais Malik et Éléonore ensemble, le week-end. Celle-ci plaide un surcroît de travail, et Jacqueline est bien placée pour savoir à quel point elle travaille fort, mais cela ne peut pas tout expliquer. Malik est taciturne, peinant à s'émerveiller devant les mille trouvailles de sa fille, semblant affligé d'une inquiétude qui ne le quitte pas. Jacqueline voudrait tant l'aider, mais elle ne sait pas comment. Le week-end, elle n'arrive jamais à lui parler devant Mathilde qui, à presque trois ans, comprend tout ce que racontent les grands et dont la sensibilité particulière lui permet de tout ressentir très fort. Elle résout donc de l'appeler la semaine, chez lui. Comme il ne répond pas, elle essaie son téléphone cellulaire, puis son numéro au bureau.

– Malik Saadi.

– Malik ? C'est ta mère.

– Salut, maman !

– Qu'est-ce que tu fais encore au bureau ? Il est 22 heures passées !

– Je travaille ! Je ne viens pas à New York toutes les semaines pour m'amuser, tu sais.

– Je sais bien, mais quand même, il est tard, il faut que tu te reposes !

– Je me repose la fin de semaine à Montréal.

– Justement, mon grand, je voulais t'en parler.

– Quoi ?

Jacqueline a du mal à trouver les mots justes. Elle déteste s'immiscer dans la vie de son fils, mais a l'impression qu'elle n'a pas le choix.

– Tu vas peut-être m'en vouloir, mais je voulais te parler d'Éléonore. De toi et d'Éléonore.

– Qu'est-ce qu'il y a ? demande Malik d'un ton bourru.

– Je n'ai pas l'impression que ça va pour le mieux, entre vous.

– C'est vrai.

– Et qu'est-ce que tu vas faire ?

– Je sais pas, il n'y a rien à faire. Elle est tellement entêtée.

– Mais de ton côté, toi, est-ce que tu lui montres combien tu tiens à elle ? C'est facile, dans les conflits de couple, de ne penser qu'à soi, à la manière dont on se sent lésé. Mets-toi un peu à sa place. Qu'est-ce que tu penses que tu pourrais faire, toi, pour la rendre heureuse ?

– Ah, parce qu'en plus, c'est à moi de penser à ça ?

– Bien sûr que oui! C'est ça, un couple. Et puis, de toute manière, même si ça ne marche pas, n'aimes-tu pas mieux te dire que tu as tout essayé?

– Peut-être…

– Penses-y, mon grand. Et je suis là si tu veux en parler, d'accord?

Jacqueline lui souhaite une bonne soirée et raccroche, satisfaite. *Voilà une bonne chose de faite*, se dit-elle. Son fils prendra le temps d'être plus présent, plus patient, plus attentionné. Plus à l'écoute.

Pourtant, si elle pouvait suivre le fil des pensées de Malik lorsqu'il raccroche, elle se rendrait compte que les perceptions féminine et masculine de ce qui peut rendre une femme heureuse sont deux choses bien différentes. Plutôt que les petites attentions que s'imagine sa mère, Malik, en homme d'action habitué à obtenir des résultats rapides, planifie plutôt un gros coup d'éclat, qui indiquera une fois pour toutes à Éléonore le sérieux de ses intentions et saura la faire fléchir.

La semaine suivante annonce la fin du tournage. Éléonore et Allegra, profitant d'une scène d'intérieur entre Émile et Ariane à laquelle elles n'ont ni l'une ni l'autre besoin d'assister, s'échappent pour aller prendre un café matinal au bar du Holder. Éléonore, qui a toujours bon appétit et s'est négligée depuis le début du tournage, se laisse tenter par une omelette aux lardons accompagnée d'un jus d'orange fraîchement pressé. Allegra se contente d'un café au lait écrémé et d'une salade de fruits.

– Ne viens pas me dire que tu surveilles ta ligne, Allegra Montalcini! s'exclame Éléonore.

– Non, pas du tout, tu sais bien. Mais j'ai déjà déjeuné, ce matin, et si je mange trop, ça m'endort. Je dois être au meilleur de ma forme, tu sais! C'est intense, jouer. Des fois je me sens comme une athlète olympique.

Éléonore pouffe de rire.

– Il faudrait pas que Yasmina t'entende dire ça! Elle trouve déjà que les acteurs se prennent pour d'autres et que le vrai talent, c'est celui des scénaristes qui créent les histoires, comme les écrivains de ses chers romans.

– Tu sais ce que je veux dire…

– Sincèrement, oui. Et tout aussi sincèrement, depuis le début du tournage, tu m'impressionnes. Tu es bien préparée, à ton affaire. Jacques l'a remarqué aussi.

Allegra rougit de plaisir.

– Merci! Finalement, ça s'est quand même bien passé. J'étais pas sûre, après l'histoire avec Ariane.

– Crois-en mon expérience, c'est toujours comme ça! Au début d'une production, les gens sont hyper enthousiastes, convaincus qu'ils vont faire le plus grand film de tous les temps. Vers le milieu, c'est la catastrophe et tout le monde se déteste. Puis, vers la fin, on trouve tous que finalement c'était pas si pire, qu'on va réussir à en faire un film dont on sera fier.

– Ha! Ha! Oui, c'est exactement ça.

– Mais toi, surtout, Allegra. Je te le dirai pas assez, tu nous as impressionnés. T'as vraiment du talent, ma vieille.

– Si c'est toi qui le dis… faut que ça soit vrai!

– Je suis quand même pas si *tough* que ça?

– Tu nous terrorises tous, Éléonore Castel! dit Allegra en riant.

Éléonore décide d'amener Mathilde avec elle au studio la dernière journée du tournage. Il ne reste qu'une scène d'intérieur à tourner, dans laquelle Catherine Legrand et Alice Grandbois se disent adieu, séparées par le mari jaloux de cette dernière. Une scène simple, courte, qui devrait être bouclée en une demi-journée. Mathilde ouvre de grands yeux devant la cohue du studio. Bien perchée dans les bras de sa mère, elle épie les gros musclés qui transportent perches, éclairages et autres équipements lourds. Elle salue timidement tous ceux à qui Éléonore a affaire, réservant ses seuls sourires à Allegra qui l'emporte prestement dans ses bras jusque sur la scène. Mathilde est émerveillée par le costume d'époque d'Allegra, par le service à thé délicat, par les riches tentures qui ornent les fenêtres. Bouche bée devant cet ensemble de thé de poupée grandeur nature, c'est avec beaucoup de sérieux qu'elle accepte l'invitation d'Allegra à dîner avec elle. La petite mime des gestes de grande dame, accepte avec grâce le chapeau que lui tend une costumière, et Éléonore doit se retenir pour ne pas pouffer de rire en lui voyant ces belles manières.

Quand François annonce qu'ils sont prêts à s'installer pour la scène finale, l'émotion est palpable dans le studio. Émile vient se planter à côté d'Éléonore, écoutant d'un air ému les dernières répliques de son film, son bébé. Quand le dernier « coupez ! » retentit, Émile serre Éléonore dans ses bras.

— Je te remercie vraiment, Éléonore. C'est grâce à toi, tout ça. Sans toi, mon manuscrit dormirait encore dans le fond d'un tiroir et moi, je serais juste un prof de cinéma frustré. Merci, merci, merci !

— Ça me fait plaisir, dit Éléonore, touchée. Et bravo à toi aussi. T'as écrit un film extraordinaire !

L'équipe les entoure. Ils se font tous la bise pendant que François fait sauter le bouchon d'une bouteille de champagne. Mathilde se bouche les oreilles, tant la cacophonie est intense, mais elle semble apprécier le spectacle. Allegra la prend par la main et l'intéresse vite à une partie de cache-cache au milieu des décors, laissant Éléonore libre de recevoir les félicitations de son équipe.

En arrivant chez elle, même s'il est un peu tard, Éléonore appelle Yasmina. Elle a envie de lui raconter son succès, de lui communiquer l'intense satisfaction qu'elle ressent d'avoir enfin bouclé le tournage de son film.

– Je suis tellement fière de toi, Élé, bravo.

– C'est fini, j'arrive pas à croire que c'est fini. Tu sais, j'avais toujours le nez tellement collé sur chaque petit pépin, j'en oubliais le résultat final. En même temps, c'est une espèce de deuil, tu sais. Des mois et des mois de ma vie.

– C'est pas entièrement fini, non?

– Non, tu as raison, il reste le montage, la distribution... Et toi?

– Moi aussi, j'ai une méga-nouvelle: tu sais que Loïc devait finir son stage en décembre et il prévoyait quitter Paris?

– Oui.

– Bon, eh bien, là, il vient de se faire offrir un nouveau stage d'un an, encore en médecine d'urgence, mais une spécialité pointue qui porte sur les traumatismes crâniens. Je suis tellement contente!

– Ton supposé c'est-pas-mon-chum-juste-une-fréquentation?

– Je l'aime, je l'aime, si tu savais combien je l'aime.

– Bon! Là, je te reconnais!

– Fallait que je fasse ma *tough*, quand il parlait de partir, mais je suis soulagée, Élé, si tu savais! Sérieusement, je pense que je suis en train de devenir folle. Je l'aime trop.

– Comment, tu l'aimes trop?

– Je pense juste à lui, je tremble quand je le vois. Penses-tu que c'est normal?

– Ça, tu demandes à la mauvaise personne.

– Pourquoi? Ça va pas, avec mon frère?

– Non, non, pédale Éléonore. Je voulais pas dire ça. C'est juste que la passion des débuts est loin, pour moi.

– Mais vous y gagnez autre chose. L'amour s'approfondit avec le temps, non?

– Oui, oui. Écoute, faut que j'y aille, je vais déposer Mathilde chez ta mère, puis je vais à mon party de fin de tournage. On se rappelle, OK?

Éléonore salue son amie et raccroche. Ouf. Elle a failli trop en révéler. Yasmina est sa grande amie, elle le sait, mais elle n'est pas tout à fait à l'aise de lui parler de ses difficultés avec Malik. Et puis, elle espère que celles-ci ne sont que passagères, qu'il suffit qu'ils y mettent tous les deux du leur, que les choses vont se replacer. Inutile d'alarmer Yasmina pour ça.

Ce soir-là, Éléonore et son équipe fêtent de bon cœur au Saint-Sulpice, sur Saint-Denis, riant et se remémorant les pires difficultés ou les anecdotes les plus cocasses du tournage, se taquinant les uns les autres. François ose même pousser la plaisanterie jusqu'à se moquer du fameux «incident de la pinotte», comme disent les techniciens quand ils en parlent entre eux. Allegra rougit et Ariane conserve un air hautain, comme si cette conversation ne la concernait pas. François se le tient pour dit et change vite de sujet. La faune du jeudi soir emplit le bar, et la musique pop est assourdissante. Éléonore passe la soirée à parler et à rire avec tous, mais n'accorde pas d'attention particulière à Émile. La mise en garde d'Allegra l'a ébranlée et elle tient aussi à maintenir une image professionnelle face à son équipe. Quand elle rentre enfin se coucher, aux petites heures, elle n'est pas qu'un peu soûle, mais elle est surtout éminemment fière de ce qu'elle a accompli et pleine d'optimisme pour l'avenir.

Le lendemain, un vendredi, Éléonore est complètement épuisée et elle décide de prendre la journée de congé avant l'arrivée de Malik à Montréal en début de soirée.

Elle a sept semaines de tournage absolument éprouvantes dans le corps, sans parler des six semaines de préparation préalables et de l'année à courir les subventions et à chercher du financement. Elle est libérée d'une énorme pression. Mais c'est un faux répit : dans les jours qui suivent, elle devra commencer à négocier ses ententes de distribution et faire des démarches afin que le film soit accueilli dans les festivals. Elle décide donc de profiter à fond de ces quelques jours de vacances. En fin d'après-midi, elle emmène sa fille sur le mont Royal, profitant de la douce brise printanière. Mathilde se juge maintenant trop grande pour la poussette, voulant à tout prix marcher avec sa mère. Cela leur permet de s'adonner à des jeux amusants dans le bois, mais empêche Éléonore de profiter de ses sorties à la montagne pour faire de l'exercice. Qu'à cela ne tienne, la balade leur procure de l'air frais et une bonne dose de vitamine D à toutes les deux.

Une fois à la maison, Éléonore installe Mathilde devant un DVD de Dora pendant qu'elle s'attaque à son panier de lavage. Malik l'appelle de l'aéroport pour la prévenir qu'il est arrivé. Elle s'empresse de commander du Saint-Hubert, voulant le surprendre avec son assiette de côtes levées préférée. Malik arrive de bonne humeur et fait honneur à son repas. Mathilde est ravie d'avoir papa et maman à la maison ensemble et insiste pour qu'ils lui donnent tous les deux le bain et lisent tous les trois ensemble les histoires du soir. Bien installés dans le petit lit, Mathilde confortablement calée entre eux, Malik et Éléonore se sourient, partageant un rare moment de complicité. Ils adorent leur fille et se plaisent à la chatouiller tour à tour, jusqu'à ce qu'elle demande grâce. Malik fait la voix du gros méchant loup de l'histoire pendant qu'Éléonore se transforme tour à tour en petit chaperon rouge et en mère-grand.

Comme tous les soirs, Mathilde réclame avant de s'endormir : « Bisou, maman ! » Éléonore l'embrasse dans le cou. « Bisou, papa ! » Malik lui dévore les joues. Puis elle les surprend en demandant : « Bisou, maman et papa ! » Ils se penchent pour l'embrasser en même temps, mais elle pousse leurs visages l'un vers l'autre. Ils s'embrassent doucement sur les lèvres. La petite est au paroxysme de la joie et insiste : « Encore ! Encore ! » Elle éclate de rire chaque fois et finit par se joindre à eux en appliquant sur leurs lèvres jointes un baiser gluant qui donne lieu à une autre séance de chatouilles.

Quand Éléonore éteint la lumière, après avoir pris soin d'allumer la petite veilleuse en forme de papillon, Mathilde leur murmure un dernier « bonne nuit, maman et papa » avant d'étreindre sa Lulu et de sombrer dans le sommeil. Éléonore et Malik se retirent au salon en souriant. Éléonore allume la télévision, tombant sur une reprise d'un vieux *Seinfeld* qu'ils trouvent tous les deux hilarant, celui où George prétend être un biologiste marin. Ils s'installent dans le fauteuil, enlacés, et rient de bon cœur lorsque George trouve dans l'évent d'une baleine échouée sur le rivage la balle de golf frappée au large par Kramer.

Ils vont se coucher en même temps, ce qui ne leur était pas arrivé depuis des mois, et ils parlent quelques minutes avant de s'endormir. De Mathilde, de son anniversaire qui approche, des vacances. Malik attire Éléonore vers lui et elle pose la tête sur son épaule. Elle pourrait aller plus loin, initier une autre forme de caresse mais, pour le moment, cette intimité retrouvée lui suffit.

Le lendemain matin, Malik propose une balade à la campagne pour profiter du beau temps et des bourgeons.

Éléonore accepte avec plaisir, proposant d'aller faire du vélo sur la piste cyclable du P'tit train du nord.

– La prochaine fois. Aujourd'hui, j'ai déjà une idée en tête.

Comme une lueur gamine brille dans les yeux de Malik, Éléonore accepte de se prêter au jeu et de se laisser surprendre. Elle habille sa fille, met la poussette dans l'auto et s'installe sur le siège avant. Malik prend le volant et met un CD de Pearl Jam, qu'il doit vite remplacer par les meilleurs succès de Passe-Partout à la demande de Mathilde. Ils traversent le centre-ville et s'engagent sur le pont Champlain. Curieuse, Éléonore ne peut s'empêcher de tenter de deviner leur destination.

– Le zoo de Granby ?

– Non !

– Le parc Safari ?

– Non !

– Le mont Sutton ?

– Arrête ! Tu devineras pas.

Malik continue de rouler sur l'autoroute 10. À la dernière minute, il active le clignotant et prend la sortie 90, vers Knowlton-Lac Brôme. Éléonore le regarde, la lumière se faisant soudain dans son esprit.

– Tu nous amènes au village de ma grand-mère ? Oh, c'est tellement gentil ! Est-ce qu'il fait assez chaud pour manger dehors ? Penses-tu qu'on peut aller à la Marina ? Je rêve d'un vrai bon *club sandwich*.

– C'est déjà organisé, tu vas voir.

Alors qu'ils traversent le village et se dirigent vers les rives du lac Brôme, Éléonore est émerveillée, commentant pour Malik et Mathilde tout ce qu'elle voit. La maison ancestrale des Castel se trouvait sur les rives du lac Brôme et la grand-mère d'Éléonore y a résidé jusqu'à son décès.

Éléonore a eu énormément de peine lorsque son père, ses oncles et ses tantes ont décidé de vendre la vieille maison et de se partager le revenu en parts égales. Tous ses plus beaux souvenirs d'enfance se trouvaient dans cette maison, où sa grand-mère adorée hébergeait les peines et les chagrins de sa petite-fille. La vieille dame lui avait servi de mère plus souvent que sa propre mère et elle lui en était reconnaissante, allant jusqu'à prénommer sa fille Mathilde en l'honneur de son aïeule. Quand Malik tourne sur le chemin qui longe la ferme des Sicotte, Éléonore est surprise et le ton de ses exclamations change.

– Malik? Tu veux passer devant chez ma grand-mère? Comment tu connais le chemin? Regarde, Mathilde, c'est la grange à foin des Sicotte! C'est le printemps, il doit y avoir plein de chatons là-dedans. Oh! La maison de grand-maman!

Malik se gare devant la maison, sous le saule pleureur qui a longtemps abrité une balançoire de bois. Il sort de la voiture, invitant Éléonore à en faire autant. Celle-ci est éberluée, ne comprenant pas comment Malik a pu savoir où se trouvait la maison. *À moins qu'il ait appelé mon père?* se demande-t-elle. Malik prend Mathilde par la main, tend l'autre main à Éléonore et monte avec elles les marches qui mènent à la galerie devant la maison.

– On va visiter? C'est ça? Tu as appelé pour savoir si on pouvait faire un tour? Je suis vraiment contente de pouvoir te montrer la maison, et à Mathilde aussi! Je me demande si elle a beaucoup changé. Mon Dieu, j'en reviens pas qu'on soit ici!

Elle s'apprête à cogner sur la vieille porte de bois, quand Malik sort un trousseau de clés de sa poche. Éléonore ne comprend plus rien.

– Tu l'as louée? Pour la fin de semaine? T'es complètement fou!

Malik ouvre grand la porte. C'est avec un immense sourire qu'il déclare :

– Bienvenue chez nous !

– Chez nous ?

– Chez nous ! Elle est à nous, Éléonore !

– Comment, à nous ?

– J'ai fait des démarches la semaine dernière, j'ai appelé un agent immobilier du coin et j'ai appris que les propriétaires songeaient à vendre. Alors j'ai fait une offre et elle a été acceptée !

– Quoi ?

Éléonore est sous le choc et elle voudrait s'asseoir pour réfléchir un peu. C'est alors qu'elle constate que la maison est entièrement vide.

– Mais voyons donc ! Ce monde-là, ils ont déménagé en une semaine ?

– Disons que mon offre était assez alléchante. De toute manière, ils avaient déjà une maison en ville, c'était leur maison de campagne ici. Ils ne venaient pas souvent, il n'y avait pas grand-chose, sauf des meubles. Un camion de déménagement a fait ça en deux jours. Attends, je reviens !

Malik court vers la voiture et revient avec une couverture et un panier à pique-nique. Il étend la couverture sur le plancher du salon, ouvre grand les rideaux et dispose assiettes et victuailles. Éléonore reconnaît là la touche de madame Saadi : ce sont ses fameux sandwichs au thon dans du pain pita et sa salade de pois chiches au persil, avec une bouteille de verre contenant son jus de pamplemousse maison.

– Ta mère était au courant ?

– Je l'ai appelée hier, elle est venue ce matin en catimini à la maison m'apporter un lunch. J'ai pensé que tu serais tellement excitée que tu ne voudrais plus ressortir !

– Et moi, t'as pas pensé à m'en parler ? Ta mère était au courant avant moi.

– Du lunch ? Ça aurait gâché la surprise.

– Pas du lunch, voyons. De la maison.

– Mais, Éléonore ! Le but, c'était de te faire la surprise. Ça a valu la peine, t'aurais dû te voir la face. Tu t'en doutais pas, hein ?

– Pas du tout, mais pas du tout. Je pensais jamais…

Confuse, Éléonore sent une espèce de fureur sans nom l'envahir. Elle est si éberluée par ce qui arrive qu'elle peine à comprendre et à identifier ses émotions.

– Je sais plus quoi penser, Malik.

– T'es contente ?

– Je sais pas… Je sais pas si je suis contente.

– Qu'est-ce que tu veux dire ?

– Tu me tombes dessus avec ça, pis j'ai de la misère à ordonner mes idées. Mais d'abord et avant tout, je pense vraiment, vraiment que t'aurais pu m'en parler.

– OK, peut-être que la surprise est un peu grosse. Mais pour la maison, es-tu contente ?

– Donne-moi deux minutes pour essayer d'y voir clair, OK ?

Malik grommelle un peu, il a envie de faire le tour du propriétaire avec Éléonore, de la voir s'exclamer de bonheur dans chaque pièce, y raconter ses souvenirs, planifier l'achat de meubles et la décoration. Il se doute bien qu'elle voudra que les lieux gardent leur cachet d'origine. Il commence à lui demander si elle accepterait de faire vernir les parquets quand elle lui réitère sa requête d'avoir quelques minutes pour réfléchir. Il obtempère enfin, entraînant Mathilde dans la cour arrière.

La petite se prête avec enthousiasme à une partie de cache-cache. Une quinzaine de minutes plus tard, comme

Éléonore n'est toujours pas venue les rejoindre, Malik se décide à retourner dans la maison, surtout que Mathilde commence à avoir faim. Ils s'installent tous les deux dans le salon et font honneur au pique-nique préparé par madame Saadi, qui y a inclus quelques-unes des gâteries préférées de sa petite-fille, dont le pain aux bananes avec pépites de chocolat dont elle raffole. Éléonore entre dans la pièce et se joint à eux sans dire un mot. Malik commence à s'impatienter de cette absence de réaction.

– Élé! Allez, dis quelque chose!

– Qu'est-ce que tu voudrais que je dise?

– Que t'es contente, que tu capotes, que t'es heureuse, n'importe quoi, mais quelque chose!

– J'arrive pas, Malik.

– T'arrives pas à quoi?

– À être heureuse. Sincèrement, j'arrive pas. C'est peut-être complètement ingrat de ma part, je sais que tu as voulu bien faire, mais ça passe pas.

– Là, je comprends pas.

Les yeux bleus d'Éléonore deviennent presque sombres lorsqu'elle s'emporte. Elle essaie de demeurer calme pour ne pas affoler Mathilde, mais la colère fait vibrer sa voix.

– Tu comprends pas? Tu comprends pas que c'est complètement infantilisant, acheter une maison dans mon dos? Tu comprends pas qu'un couple, c'est supposé parler de ça à deux, en adultes? Qu'est-ce que t'aurais fait, si j'avais éclaté en sanglots et que je t'avais dit que ça me rendrait trop triste, d'être dans la maison sans ma grand-mère? T'aurais eu l'air fou, pogné avec ta maison de campagne!

– Est-ce que c'est ça, le problème? Ça te fait de la peine?

– Non, ça me fait pas de la peine! rugit Éléonore. Ce qui me fait de la peine, c'est que t'aies fait ça dans mon dos.

Que tu l'aies achetée tout seul. Parce que j'imagine que la maison est à ton nom ?

– Ben, oui, mais c'est pour nous, Éléonore ! Nous deux et Mathilde, et le prochain bébé !

– Encore le prochain bébé. Veux-tu bien me dire ce que le prochain bébé a à voir là-dedans ? Ça fait que là, si je comprends bien, j'ai pas le choix de rester avec toi à vie, pis de te pondre un autre bébé, sinon je perds encore une fois ma maison ancestrale, c'est ça ?

– C'est pas comme ça, voyons !

– Ça t'est pas passé par l'esprit que j'aurais peut-être aimé ça l'acheter moi-même, la maison de ma grand-mère ? Mon film est terminé, les ententes de distribution sont prometteuses, d'ici quelques mois j'aurais pu me le permettre. J'y avais déjà pensé. Mon père aurait pu s'installer ici, il aurait été plus proche de Montréal qu'à Cap-aux-Oies, mais quand même à la campagne.

– Il peut quand même s'installer ici, ton père !

– Malik ! Installer mon père chez moi et l'installer chez mon chum, c'est pas la même chose ! Pis encore une fois, mettons qu'il s'installe ici et que ça marche plus entre nous. Il fait quoi, il se ramasse à la rue ? Mon père m'a tout donné, il a vendu sa maison pour que je fasse mon film, tu le sais, ça !

– Papa, papa ! Veux-tu aller jouer dehors ?

– Attends, Mathilde, papa parle à maman. C'est quoi cette histoire, encore, que ça ne marche pas entre nous ? Ça fait deux fois que tu dis ça. J'admets qu'on a eu nos problèmes, ton film n'a pas aidé les choses, mais c'est fini, maintenant. Ça va aller mieux.

– Ça va aller mieux ? Mais voyons, Malik, tu sais bien que le problème est plus profond que ça. Je vais en faire d'autres, des films. Est-ce que ça va être comme ça chaque fois ?

– D'autres films…, soupire Malik. Je sais pas quoi te dire. Il y a d'autres projets, non, que tu peux faire avec ta compagnie ? C'est pas obligé d'être juste des films, l'un après l'autre ?

– Malik Saadi, le cinéma, c'est ma passion, c'est ma raison d'être professionnelle, mets-toi ça dans le coco tout de suite. Je vais toujours, toujours travailler sur des longs métrages. Tant qu'on va me financer pour les faire.

– OK, OK, tu fais des films. OK. Mais, Éléonore, à un moment donné, il va falloir que les choses avancent, entre nous. T'as pas voulu que j'achète une maison à Montréal, *fine*, j'ai accepté ça. Tu voulais attendre de finir ton film avant de faire un autre bébé, mais là, ton film, il est fini et Mathilde a presque trois ans.

– Regarde, est-ce qu'on peut régler une chose à la fois ? La maison de ma grand-mère, ça m'insulte que tu l'aies achetée sans me consulter, sans me donner la chance d'embarquer avec toi, ou de l'acheter avec mon père. Je me sens manipulée. Pire encore, on dirait que c'est du chantage : tu me mets la maison sous le nez, pis il faudrait que j'abandonne mes projets de films, que je te fasse un bébé, pis que je reste à la maison bien tranquillement à cirer mes planchers. C'est ça que tu veux ?

– Maman, je veux jouer au ballon.

– Mathilde, je parle avec papa. En fait, non, j'ai fini de parler avec papa. Viens, on va aller jouer au ballon.

Éléonore frappe le ballon très fort, ne voyant plus le soleil qui luit à travers les branches du saule pleureur, ni le sourire de Mathilde lorsqu'elle attrape son ballon rose décoré de papillons. Elle ne peut que ruminer sa colère, qu'elle ne comprend pas encore entièrement. Le geste de Malik est-il follement romantique ou atrocement manipulateur ? Elle n'arrive pas à y voir clair et il faut absolument qu'elle prenne le temps de réfléchir. Elle sort son téléphone cellulaire de son sac à main et compose un numéro. Puis, elle retourne dans la maison.

– Malik ?

– Dans la cuisine !

En entrant dans la cuisine, Éléonore est frappée par une nostalgie si puissante qu'elle se sent presque défaillir. La cuisine, c'était l'âme de cette maison. De voir le vieux fourneau lui rappelle d'un coup les Noël de son enfance, la dinde avec sa farce et ses patates, les potages d'hiver, les tartes au sucre et aux bleuets, les ragoûts, les pâtés chinois et les sauces à spaghetti de sa grand-mère, grande cuisinière qui savait réchauffer les cœurs en utilisant la bonne herbe et la bonne épice. Éléonore la voit presque, vêtue d'un de ses éternels tabliers, lui tendant un bol de gruau bien chaud, épicé à la cannelle et garni de tranches de banane et de miel, lui répétant l'un de ses milliers de proverbes : « Un esprit sain dans un corps sain » ou encore, le classique : « Le déjeuner est le repas le plus important de la journée ! »

À cette image réconfortante se superpose celle de Malik, les sourcils froncés, en train de remplir une bouteille d'eau pour Mathilde.

– Malik, je vais te laisser rentrer à Montréal tout seul avec Mathilde.

– C'est une blague ?

– Non, j'ai vraiment besoin de réfléchir. Il y a quelqu'un qui vient me chercher.

– On peut savoir qui ?

– Je vois pas en quoi c'est important.

– Arrête, Éléonore ! Es-tu obligée de te battre sur chaque petite affaire ?

– OK, c'est Allegra. Je vais aller l'attendre à la Marina.

– Alors, non seulement t'es pas contente du cadeau que je t'offre, mais en plus t'es même pas capable d'être assise à côté de moi en auto pour rentrer à Montréal? Franchement, merci. Il y a un problème, Éléonore.

– Je le sais, qu'il y a un problème! C'est pour ça que j'ai besoin de réfléchir.

– *Fine*, mais réfléchis pas trop longtemps.

– C'est supposé vouloir dire quoi, ça?

– C'est supposé vouloir dire que je suis tanné! Je me demande bien pourquoi je me tue à vouloir faire avancer les choses, quand c'est clair qu'on ne veut pas les mêmes affaires.

– Ça, je ne te le fais pas dire.

– Mais si on veut pas les mêmes choses, Éléonore, qu'est-ce qu'on fait ensemble?

– Je sais pas.

– Moi non plus!

Une heure plus tard, Allegra trouve une Éléonore en larmes assise sur le trottoir à côté de la terrasse de la Marina de Knowlton.

Chapitre quatre

– Sois réaliste, Émile. Les Beatles! Est-ce que tu sais combien ça va nous coûter?

– J'ai pas le choix, Élé. C'est cette chanson-là que ça me prend. Il faudrait que tu voies le montage que Jacques prépare: un gros plan sur le visage d'Ariane, quand son mari la force à le suivre; on voit tout le désespoir du monde dans ses yeux, avec juste une grosse larme qui coule sur sa joue. Pis là, c'est *Let It Be* qui embarque! J'en ai des frissons, juste à l'imaginer.

– Oui, mais là mon budget est en train d'exploser! Je sais bien que tu veux faire la trame sonore la plus cool de tous les temps, mais il faut pouvoir se la payer.

– Mais c'est tout le principe de mon film qui repose là-dessus, Élé, tu le sais: la trame sonore moderne fait ressortir l'oppression de la société dans les années Duplessis. Sans ces chansons-là, c'est toute ma démarche qui tombe à l'eau.

– Bon. Qu'est-ce que Jacques en dit?

– Il est d'accord avec moi. Ça nous prend *Let It Be*.

– Je vais voir ce que je peux faire.

– Merci, Éléonore, t'es un ange!

Émile fait une bise exubérante à Éléonore et sort de son bureau à la course, pressé de retourner à la salle de montage. Elle sourit de le voir si enthousiaste. Louise, l'assistante d'Éléonore, qui était aussi celle de son père, passe la tête par la porte et lui demande si elle veut un café.

– Oui, s'il te plaît, Louise, et un gros! La semaine s'annonce houleuse.

– Il y a Jérôme, aussi, qui arrive à 10 heures.

– Déjà! Je suis vraiment pas prête. J'espère qu'il est d'humeur patiente.

La fin du tournage des *Années sombres*, loin d'alléger l'horaire d'Éléonore, lui a imposé un surcroît de travail, alors que le processus de postproduction cause mille problèmes nouveaux, que les ententes de distribution se concluent et que les discussions avec divers festivals de cinéma s'enclenchent. Sans parler de la foule de dossiers quotidiens chez Castel Communications qui ont été mis en suspens depuis trois mois, pendant qu'Éléonore se consacrait au tournage. Jérôme viendra ce matin la rappeler à l'ordre, elle n'en doute nullement, et elle s'en veut de ne pas encore avoir eu le temps de lire le long courriel résumant la situation, qu'il lui a envoyé en vue de leur rencontre. Elle espère qu'il sera en retard, qu'elle aura le temps d'y jeter un coup d'œil, mais elle connaît assez bien Jérôme pour ne pas réellement y croire. En effet, il est ponctuel comme toujours et se présente à son bureau à 10 heures tapantes.

Éléonore respecte trop son avocat et principal conseiller pour faire semblant d'être préparée alors qu'elle ne l'est pas. Elle lui avoue donc qu'elle vient tout juste d'ouvrir son courriel et apprécierait qu'ils discutent de tout ça de vive voix.

– On va régler nos problèmes, un à la fois, OK? Ça va être encore plus efficace comme ça.

– Qu'est-ce qui t'est arrivé, coudonc, ces dernières semaines, Éléonore? Tu as été vraiment difficile à joindre. Je veux bien croire que le film t'absorbe, mais c'est pas ton genre de pas répondre à tes messages.

– Je m'excuse vraiment, Jérôme. C'est pas de tout repos dans ma vie personnelle.

– Veux-tu en parler ?

Éléonore relate brièvement l'épisode de la maison de sa grand-mère et le froid qui s'en est suivi.

– Vous êtes-vous revus depuis ? demande Jérôme.

– Non. Ben, juste cinq minutes quand je suis rentrée à la maison ce soir-là. La fin de semaine dernière, il est resté à New York.

– Et la fin de semaine prochaine ?

– Il parle d'amener Mathilde dans le Nord, chez ses parents.

– Et toi, tu vois ça comment ?

– Malheureusement, je pense qu'on a besoin d'un *break*. C'est jamais bon signe, ça.

Le regard bleu clair de Jérôme s'adoucit.

– En effet.

– Mais je t'ai pas fait venir pour parler de ça, continue Éléonore. Allez, vas-y, je suis toute à toi.

– On peut se reprendre demain, si tu préfères.

– Non, non, vas-y, j'ai besoin de me changer les idées.

Jérôme se met à parler des termes des prêts consentis à l'entreprise. À travers les détails techniques et juridiques, il observe Éléonore, dont l'attention ne défaille pas une seule fois. Concentrée, entière, comme à son habitude. Les sourcils froncés, lorsqu'elle tente de comprendre. Il aimerait pouvoir lui expliquer la vie de manière aussi simple, pouvoir l'épauler en tout de manière aussi efficace. Il s'était bien demandé, il y a quelques années, s'il n'y avait pas quelque chose de plus, entre eux, qu'une bonne entente professionnelle… Quelque chose qui suscitait cette relation de confiance, cette complicité, ce plaisir d'être ensemble. Quand, en plus, ils avaient pris l'habitude de travailler chez Éléonore une matinée par semaine, afin de la passer aussi avec leurs enfants respectifs, il avait été facile, pour Jérôme, d'imaginer une parfaite petite famille reconstituée avec son fils Thomas, Éléonore et Mathilde. À l'époque, sa relation avec sa femme, Stéphanie, était tendue. Et il admirait la fougue d'Éléonore, sa jeunesse, sa force devant l'adversité. Mais elle était en couple, elle était sa cliente, la fille de son grand ami Claude Castel, et il n'avait jamais osé tenter de savoir ce qu'il en était pour elle.

Et voilà que les années ont passé. Thomas est maintenant à l'école, Mathilde commence la garderie. Jérôme ne voit donc plus Éléonore qu'au bureau. Les choses vont mieux avec Stéphanie, ils ont acheté un chalet à Val-David et parlent de faire bientôt un nouveau bébé. Éléonore semble en voie de devenir célibataire, mais elle demeure toujours sa cliente, la fille de son ami. Tout compte fait, Jérôme préfère classer cette attirance au chapitre des histoires rêvées mais jamais entamées.

Il ne sait pas qu'Éléonore se pose la même question en le regardant. Elle a peu d'expérience avec les hommes, Malik ayant été son seul chum sérieux. En constatant l'ampleur de leur différend, elle se dit qu'elle a peut-être eu tort de laisser l'attirance et la passion guider ses choix. Qu'elle aurait peut-être été mieux avec un gars comme Jérôme. Beau, intelligent, mais surtout, fiable et dévoué. Un vrai bon gars, qui serait là tous les soirs, qui prendrait les choses en main. Qui la soutiendrait, sans l'étouffer. Qui l'encouragerait à réaliser son plein potentiel, qui serait là pour assurer ses arrières, afin qu'elle ose se lancer sans craindre de tomber.

Elle est assez lucide pour se rendre compte qu'elle est en train de décrire exactement le genre de personne que

Malik semble vouloir : un soutien, une présence toute dévouée, consacrée à l'autre et à ses projets. Le rôle classique de la petite épouse attentionnée. Elle demeure convaincue que là n'est pas la solution, pas pour elle en tout cas : elle croit au couple fort, dans lequel les deux partenaires vont de l'avant, tirant de l'énergie l'un de l'autre, chacun donnant autant qu'il reçoit. Avec un homme comme elle, passionné, idéaliste, fonceur…

– Alors, si tu es d'accord, tu signes ici.

Jérôme lui présente des documents à parapher et la sort de sa rêverie.

Ce soir-là, Éléonore invite Allegra à souper chez elle. Les deux amies n'ont pas fini de ressasser les mille détails entourant la chicane du siècle, comme Allegra se plaît à l'appeler.

– Je commence à perdre espoir, Allegra.

– Qu'est-ce qu'il y a de nouveau depuis qu'on s'est parlé ?

– Rien, justement, il y a rien de nouveau ! Ni lui ni moi ne semble prêt à faire des efforts. On est chacun campé sur nos positions et je commence à penser qu'elles sont trop éloignées pour qu'on puisse s'entendre.

Elle sert à son amie un verre de sauvignon blanc et une assiette de linguines aux légumes grillés.

– Tu t'améliores en cuisine, ma chère, dit Allegra. Avec un peu de parmesan, c'est presque bon !

– Ha, ha, très crampant. Je me suis forcée, tu sauras !

– C'est Malik qui serait impressionné.

– Arrête !

– Bon, parlons sérieusement. Qu'est-ce que tu vas faire ?

– Je sais pas. Je vais voir ce que lui en dit, mais je pense que ça nous prend un *break*.

– Quel genre de *break* ?

– Qu'il prenne Mathilde chez ses parents quand il vient la fin de semaine… Pendant un bout de temps. Le temps de voir…

– Le temps de voir quoi?

– Je sais pas! Mais c'est pas si simple que ça, OK? C'est pas tout noir ou tout blanc. Je sais juste qu'on ne s'entend pas.

Voyant qu'Éléonore s'échauffe, Allegra change de sujet et elles passent le reste de la soirée à discuter de leur film, Allegra étant impatiente de voir le premier montage auquel Éléonore a déjà pu jeter un coup d'œil. Elles parlent longtemps, finissant la bouteille de vin et faisant honneur au Baileys qui traîne toujours chez Éléonore. La conversation les mène tout naturellement vers leur passé, leurs études à Brébeuf, les quatre cents coups qui ont ponctué ces années inoubliables.

– Tu te souviens quand Yasmina s'est pogné Nicolas Sansregret? se remémore Allegra. Dire qu'on le trouvait tellement beau… Je l'ai revu l'autre jour, il a une bedaine, il cale et il est agent immobilier. C'est fou!

– Oui, il y a vraiment des gens qui ont vieilli mieux que d'autres. On n'imaginerait plus Yasmina avec lui!

– Qu'est-ce qu'elle devient, ces temps-ci, notre chère maîtresse d'école?

– Vous êtes aussi pires l'une que l'autre. À notre âge!

– Pourquoi, qu'est-ce qu'elle dit de moi?

– Rien!

– Allez, je me fâcherai pas, promis! Ça m'intéresse.

– Arrête! Tu veux savoir ce qui lui arrive, ou pas?

– Oui, oui! Un peu de *juice*, enfin!

– C'est pas si *juicy*, elle est en amouuur.

– Ça en fait au moins une.

– Ouin.

– Alors, raconte?

– C'est toujours Loïc, et là elle est au septième ciel parce qu'il devait quitter Paris en janvier, mais il vient de se faire offrir un stage dans une autre spécialité, alors il reste un an de plus.

– Une spécialité de quoi ?

– Demande-moi pas ! Un truc de médecin d'urgence. Le reste… je sais pas !

Quand elle voit qu'il est presque minuit, Éléonore supplie Allegra de la laisser aller se coucher, sachant que Mathilde ne dormira pas passé 6 heures, le soleil estival la réveillant de bonne heure. Comme la soirée est douce, Allegra rentre chez elle à pied. Elle est préoccupée par les problèmes de couple d'Éléonore. Elle voudrait bien pouvoir l'aider, mais elle se méfie des conseils. Elle n'est pas à la place de son amie, dans sa vie, dans sa relation, comment pourrait-elle donc juger de ce qu'il lui faut ? Elle s'inquiète, c'est sûr, et n'aime pas voir Éléonore dans cet état, en proie à cette angoisse. Mais elle devra bien lui faire confiance, lui laisser le temps de trouver elle-même une solution qui lui convient. Et puis, il y a Mathilde là-dedans, Mathilde qu'Allegra adore, qui lui fait découvrir les trésors de joie qu'un enfant apporte. Qui lui donne même de plus en plus envie, un jour, elle aussi… Mais une chose à la fois. Rentrée chez elle, Allegra se prépare une tisane à la camomille qu'elle sirote avant de s'endormir, contente malgré tout de s'inquiéter pour une fois de la vie de quelqu'un d'autre qu'elle-même.

Le lendemain, c'est le dur retour à la réalité, pour Allegra. Non seulement elle a rendez-vous à l'agence qui lui décroche des contrats publicitaires, mais elle reprend son *shift* de soir au Continental. Elle a obtenu un rôle dans un grand film, mais le cachet, si généreux soit-il pour un rôle de soutien, ne pourra pas la faire vivre toute l'année.

Elle voudrait passer des auditions pour d'autres rôles, mais elle sait aussi que rien ne débloquera vraiment tant que le film n'aura pas été vu. En attendant, pour vivre, elle n'a pas d'autre choix que de retourner à ses publicités de grands magasins et à son emploi de serveuse à temps partiel. Après l'euphorie du tournage, Allegra craint le retour du train-train quotidien. Elle a peur d'être démotivée, déçue. Elle se secoue et tente de prendre de bonnes résolutions. Voir plus loin, continuer le yoga, la méditation, se présenter à des auditions, se construire en attendant patiemment la sortie du film, puis espérer que sa carrière d'actrice décolle.

En fin d'après-midi, elle se rend chez Chantale, sa thérapeute. Étant donné ses progrès récents, Allegra ne lui rend plus visite qu'une fois par mois, pour faire le point. Le reste du temps, elle se débrouille toute seule, ayant appris à la suite de longues années de thérapie à faire la part des choses. Elle apprécie quand même toujours autant l'heure passée dans le bureau de Chantale, qui sait présenter les choses sous un angle nouveau, aidant Allegra à y voir clair. Ce jour-là, elles parlent longtemps d'Éléonore, de ses problèmes de couple, de l'inquiétude d'Allegra, de la petite Mathilde qui a tant à perdre. Alors que l'heure se termine, Chantale pose cette question à sa cliente :

– Allegra, est-ce que tu te rends compte que tu n'as pas du tout parlé de toi, aujourd'hui ?

– Ah bon ? s'étonne Allegra. J'avoue, j'ai trop parlé d'Éléonore ! Bon, ça veut dire quoi, ça, que je suis en déni de mes problèmes et que je projette avec ceux des autres ?

– Non ! s'exclame Chantale en riant. Au contraire, ça veut dire que tu es équilibrée, Allegra, sereine, capable de t'intéresser à la vie des autres plutôt qu'à ton petit nombril. Bravo. Ce jour est arrivé beaucoup plus vite que je le pensais.

– Ce jour ?

– T'as officiellement plus besoin de moi. Reviens me faire la jasette quand tu voudras, ça va me faire plaisir, mais ta thérapie est finie, ma chère. Je suis fière de toi comme un prof le jour de la graduation !

Le visage d'Allegra s'éclaire. Ce que lui dit Chantale lui fait tellement plaisir. Il est vrai que, depuis quelque temps, elle est capable toute seule de demeurer sur le droit chemin. Elle voit clair, sait ce qu'elle veut et n'a pas peur de foncer. Même quand elle rencontre des obstacles, comme l'incident avec Ariane Montredeux pendant le tournage, elle est à même d'y faire face, sans avoir recours à des béquilles.

C'est donc assez guillerette qu'elle se présente au Continental ce soir-là, confiante en l'avenir et éblouissant ses clients avec son sourire et sa bonne humeur.

De son côté, Émile fait face aux mêmes démons avec moins de succès. Pour lui aussi, le tournage des *Années sombres* n'était qu'une pause dans sa carrière de professeur de cégep, qu'il doit reprendre en attendant un nouveau projet. Il aborde la rentrée avec amertume, ne détectant pas chez ses étudiants cet enthousiasme qui l'électrise d'habitude. Il ne peut s'empêcher de comparer leurs ébauches d'opinions aux commentaires percutants de Jacques Martel et d'Éléonore Castel. Il s'ennuie des séances de brainstorming avec les plus grands cerveaux du métier, de l'équipe professionnelle et performante qui l'a entouré pendant le tournage. Le retour à la routine le déprime. Dans ses temps libres, il passe fiévreusement en revue toutes ses idées de scénarios, cherchant à en peaufiner une pour la présenter le plus rapidement possible à Éléonore. Mais il sait très bien, lui aussi, que sa valeur marchande sera dictée par l'ampleur du succès ou de l'échec des *Années sombres*. Comme Allegra, il doit se résoudre à attendre, ce qu'il fait avec moins de grâce qu'elle.

Allegra profite de l'automne et de son horaire moins chargé pour passer beaucoup de temps avec sa mère et sa sœur. Le mariage de Chiara et d'Emmanuel doit être célébré en décembre, la mariée ayant décidé de défier les conventions et de faire ce qu'elle qualifie de vrai mariage blanc, sous la neige. Ses consœurs du magazine de mode *Chérie* applaudissent cette façon d'ajouter une touche personnelle à un événement si souvent trop conventionnel. Chiara fait faire sa robe par un jeune ami designer ; elle portera ses cheveux détachés et enfilera des bottes de fourrure blanche ; ses centres de tables seront composés d'une pyramide de chandelles. Elle fait les choses en grand, mais ne se marie pas dans les normes. Ce refus des convenances est confirmé le samedi matin où elle convoque sa sœur chez Beauty's pour le déjeuner. Radieuse, elle décoche un sourire éclatant au vieux propriétaire qui la fait tout de suite passer devant la file pour lui accorder l'une des convoitées banquettes. D'ordinaire soucieuse de sa ligne, Chiara étonne sa sœur en commandant d'entrée de jeu un milkshake au chocolat ainsi qu'une assiette de crêpes aux bleuets. Allegra sent tout de suite qu'il y a anguille sous roche.

— Toi, t'as quelque chose à m'annoncer.

— Oui ! T'as deviné. Je suis tellement heureuse.

— Mais tu te maries dans trois mois.

— Pis ? Je vais me marier avec un beau petit bedon rond. Partir une nouvelle tendance.

Allegra sourit de voir sa sœur si heureuse.

— Tu l'as dit à maman ?

— Hier soir. Elle devait être la première, quand même. Après Emmanuel, ha ! ha !

— Qu'est-ce qu'elle a dit ?

– Oh rien, elle a pas trop réagi… Duh! Ben non! Qu'est-ce que tu penses? C'est maman, quand même. Elle a hurlé, sauté au plafond, a failli m'étouffer, puis m'a relâchée en craignant faire mal au bébé, puis elle a sauté sur Emmanuel… La classique, quoi.

– Elle doit être tellement contente. Et moi aussi! Je vais être matante!

– «Tatie», c'est plus *cute* que «matante», tu trouves pas?

– *Whatever!* Un petit bébé! J'ai tellement hâte! Si tu voyais Mathilde, elle est rendue qu'elle fait des jeux imaginaires, avec ses toutous, elle invente des histoires!

– Heille! On parle du bébé d'Éléonore ou on parle du mien?

– C'est pas la maternité qui va te rendre zen, toi! Toujours aussi insupportable! conclut Allegra en riant.

Après le déjeuner, Allegra décide spontanément d'aller faire un tour chez Éléonore. Son amie est seule avec Mathilde ce week-end, Malik étant resté à New York, et Allegra sait qu'elle apprécie toujours un coup de main le samedi. Elle passe chercher des cafés au Café Olimpico, puis débarque comme une fée marraine chez une Éléonore débordée. Mathilde a sorti tous ses toutous et elle joue au magasin, sa mère devant patiemment acheter une à une toutes les boîtes de conserve de la cuisine. L'arrivée d'une joueuse enthousiaste la soulage et lui permet enfin de faire la vaisselle et de consulter ses courriels. Quand Éléonore a terminé ses tâches, elles sortent toutes les trois marcher dans le Mile End et remontent la rue Laurier vers la Petite Ardoise où elles s'assoient pour manger. Éléonore et Mathilde partagent un croque-monsieur et un gâteau aux carottes pendant qu'Allegra déguste une quiche aux épinards. Elles parlent de tout et de rien, de leur semaine, des nouveaux jeux de Mathilde, du mariage de Chiara, de sa grossesse, du bonheur de Nicole qui pourra enfin jouer à la grand-mère avec un poupon.

Lorsqu'elles se quittent, Éléonore est rassérénée, comme toujours après une bonne conversation avec sa grande amie. Ça lui fait le plus grand bien de sortir un peu de ses soucis quotidiens, des défis professionnels qui s'amoncèlent et, surtout, du froid avec Malik qui semble bien vouloir s'installer de manière permanente.

Il ne vient plus à Montréal qu'une semaine sur deux. Et quand il y est, il amène systématiquement Mathilde au mont Tremblant chez ses parents, n'habitant plus du tout chez Éléonore. Il lui demande parfois comme ça, en passant, si elle a l'intention de venir dans le Nord avec eux, mais l'invitation ne semble jamais sincère et il a toujours l'air vaguement soulagé quand elle répond qu'elle doit travailler. Ils ne passent donc plus de temps ensemble du tout, hormis les quelques moments où Malik vient chercher Mathilde et la ramène. Éléonore a l'impression qu'ils sont séparés en tout sauf en nom et elle se demande parfois ce qu'ils attendent pour officialiser la chose. Que le temps passe? Ou ont-ils encore espoir de colmater les fissures?

Elle doit s'avouer qu'elle commence à en avoir assez. Elle rêve d'une situation claire, non ambiguë. Ce qu'elle n'a jamais supporté de ses parents, c'était leur hypocrisie : leur prétention de former un couple modèle, une famille unie, alors qu'en réalité ils menaient chacun leur vie de leur côté, sa mère en tout cas, et son père aussi, selon les dires de cette dernière. Cela avait révolté Éléonore lorsqu'elle l'avait appris, à l'âge de quinze ans, et elle s'était juré de ne jamais s'abaisser à de tels accommodements.

Et voilà qu'elle ne fait guère mieux. Elle n'a pas d'amant, mais elle ne forme pas non plus un couple avec Malik. Elle se trouve dans une zone grise qui ne sert qu'à conserver les apparences. Mais pour qui, au fait ? Mathilde est trop petite pour comprendre la distinction, leurs deux familles sont au courant et les autres… Elle ne se soucie pas de leur opinion. Elle commence donc à se dire qu'il vaudrait mieux clarifier les choses une fois pour toutes.

Pour ce faire, elle demande à Malik de rester à souper, le vendredi suivant, avant d'emmener Mathilde au chalet. Celui-ci accepte, agréablement surpris. Il arrive avec une bouteille de Liano, un vin italien un peu cher qu'Éléonore apprécie beaucoup. Elle a acheté une lasagne toute faite au restaurant italien du coin et installé Mathilde devant un DVD de Caillou après lui avoir servi sa portion. Elle ne tient pas à être dérangée et elle sait que la télévision absorbe entièrement l'attention de sa fille. Malik donne un coup de main pour mettre la table, racontant à Éléonore la semaine difficile qu'il vient de passer au bureau, ayant été chargé de former une nouvelle recrue en plus d'assumer ses responsabilités habituelles.

— Ce gars-là, je te jure, Élé, aucun sens du sacrifice. Tout se rapporte à lui, genre « *what's in it for me ?* ». J'avais à peine fini de lui expliquer les mots de passe pour accéder au serveur qu'il me posait déjà des questions sur ses semaines de vacances.

Éléonore l'écoute d'une oreille distraite, pressée de trouver une ouverture qui lui permettra d'aborder le sujet épineux avant que Mathilde termine son repas et vienne à la cuisine demander son dessert. Malik s'étire, passant à une anecdote objectivement très drôle sur la réaction du grand patron, Daniel Cohen, lorsque le jeune blanc-bec lui a demandé s'il pouvait finir à 17 heures tous les mercredis, afin de continuer à participer à une ligue de soccer amicale à Chelsea Piers, mais Éléonore ne le suit plus. De but en blanc, alors que Malik rit encore en imitant les yeux outrés de son directeur, Éléonore lance :

– Malik. Il faut qu'on se parle.

Ces paroles de mauvais augure, doublées d'un air sérieux, le stoppent net dans son élan et il s'interrompt tout de suite pour la dévisager attentivement.

– Je t'écoute.

Et Éléonore de lui ressortir tout ce qu'elle se répète depuis des jours. Elle triture la serviette de papier entre ses mains pendant qu'elle s'explique péniblement. « On n'est plus un vrai couple, tu le sais aussi bien que moi… Je ne voudrais pas que ça dégénère entre nous et que Mathilde en paie le prix…. Vaut mieux maintenant, pendant qu'on est en bons termes… On doit être honnêtes l'un envers l'autre… Toujours amis… C'est mieux comme ça… »

Malik la regarde droit dans les yeux mais il ne dit rien. Au bout d'un moment, elle s'échauffe.

– Vas-tu avoir une réaction, coudonc ?

– Tu veux la savoir, ma réaction ? La voilà. Je ne te pensais vraiment pas aussi lâche.

– Lâche ? Tu sais pas le courage que ça m'a pris, pour te parler de ça ce soir ?

– Pfft ! Le vrai courage, Éléonore Castel, tu sais même pas ce que c'est. Le vrai courage, c'est de se battre, patienter, attendre, persévérer.

– Mais voyons, Malik ! Qu'est-ce que tu pensais ? Qu'à force de me bouder, tu allais m'avoir à l'usure ? Que j'allais céder à toutes tes exigences, juste pour te ravoir chez moi ?

– Mes exigences ! T'en as, des ostie de grands mots, toi. C'est quoi, mes exigences, au juste ? Je t'achète une maison de campagne, je propose de t'acheter une maison en ville, je t'invite à déménager à New York, je veux te faire des enfants, crisse, Éléonore, on croirait que je t'ai demandé de me donner un poumon !

– Sacre pas devant Mathilde.

– Mathilde ne m'entend pas. Toi, m'entends-tu ? C'est ça, la question. Je suis écœuré, Éléonore. Écœuré, écœuré, écœuré.

– Bon ! Ben c'est quoi, le problème, alors ?

– Tu sais quoi ? Je sais pas. Non, à bien y penser, ce que tu me proposes est parfait. Parfait ! Enfin la paix. La sainte paix !

– Exagère pas, quand même.

– Ha ! C'est moi qui exagère, maintenant. Elle est bonne, celle-là. Allo ? Éléonore ? La Terre appelle Éléonore, m'entends-tu ?

– T'es con.

– Si tu commences avec les insultes, ma belle, on n'a pas fini.

– Heille, c'est supposé vouloir dire quoi, ça ?

– T'es la mère de ma fille, pis c'est bien l'unique raison pour laquelle je te dirai pas le fond de ma pensée. J'en ai assez. Mathilde !

Silence.

– Mathilde !

– J'écoute la télé, papa !

– Viens-t-en, on s'en va !

– Mon émission est pas finie !

– On s'en va, j'ai dit !

Des sanglots se font entendre du salon.

– Mathilde ! J'ai dit maintenant !

– Lâche-la, c'est quand même pas sa faute.

– Éléonore, plus un mot, c'est clair ?

– Ha ! C'est ma fille pis tu penses que tu vas me demander de me taire ?

– En fin de semaine, c'est *ma* fille, OK ? Mathilde, on s'en va ! Je vais la ramener chez mes parents dimanche soir, tu pourras passer la chercher là. J'ai vraiment pas envie de te voir la face.

Rageur, Malik saisit le sac qu'Éléonore avait déjà préparé, contenant les effets de Mathilde pour le week-end. Sa Lulu, son livre de comptines, son DVD de Dora, ses vêtements d'extérieur. Éléonore sait que sa fille passera la fin de semaine dehors, à parcourir les bois avec son père. Elle les regarde se préparer, enfiler leurs foulards, et pendant un moment, elle les envie. Elle voudrait presque se joindre à eux, dire qu'elle s'est trompée, puis elle chasse cette pensée intempestive. Elle croise le regard heurté de Malik, note son air fermé et hargneux et se dit qu'il n'y a personne au monde qu'elle a moins envie de voir en ce moment. Les fantasmes d'harmonie familiale ne demeureront que cela. Dans la réalité, il lui importe surtout d'embrasser sa fille, de lui souhaiter un bon séjour. Mathilde a toujours très hâte d'aller au chalet, où elle est gâtée par ses grands-parents et joue dehors du matin au soir. Elle embrasse donc rapidement sa mère, mais celle-ci la retient d'une étreinte. Une foule d'émotions menace de submerger Éléonore et elle s'accroche à sa fille pour ne pas pleurer. Pas maintenant, pas devant Malik qui la regarde encore de son air accusateur.

Quand enfin elle consent à laisser partir Mathilde, elle referme la porte doucement derrière eux, après avoir lancé d'un air faussement joyeux : « Bye, ma chérie ! Amuse-toi bien ! » Elle sent son ventre se nouer, a mal au cœur soudain et se précipite vers la toilette. Fausse alerte, mais le malaise persiste. Elle se penche au-dessus de la cuvette, se demandant ce qui lui arrive. Elle n'a rien mangé qui puisse expliquer… Sa pensée est interrompue par une crampe intense qui lui tord les intestins. Elle a à peine le temps de se pencher de nouveau qu'elle vomit puissamment. Son corps est secoué de soubresauts, l'assaut semble ne jamais vouloir se terminer. Enfin, elle se calme un peu, crachant longtemps de la bile, comme si son corps entier allait se vider. Puis, épuisée, elle s'écroule sur le sol et s'appuie contre la cuvette de la toilette.

Un peu remise, elle se rince la bouche avec de l'eau et part s'allonger dans le fauteuil du salon. Elle se dit qu'elle doit avoir attrapé un virus et prie intérieurement pour que Mathilde y échappe. Puis, elle se dit que de toute manière, ce serait à son père de la soigner, pour une fois. À bien y penser, si ce n'était pas hérétique de vouloir du mal à son propre enfant, elle souhaiterait presque que Mathilde ait une gastro virulente ce week-end, juste un truc de vingt-quatre heures, juste pour que Malik voie enfin un peu ce qu'elle se claque tous les jours depuis trois ans. *Même là, ça compterait pas, il a sa mère avec lui pour l'aider. Rien à faire, monsieur a tout cuit dans le bec partout où il passe.* Cette pensée ravive encore sa colère et elle va se coucher, plaçant soigneusement un verre d'eau et un paquet de biscuits soda à côté de son lit. Une dernière crampe lui fait craindre de devoir se relever, puis elle s'endort d'un lourd sommeil.

Le lendemain matin, la sonnerie du téléphone la réveille. Elle émerge avec peine d'un rêve étrange où elle n'arrivait à déverrouiller aucune des portes de sa maison. Elle tend la main vers le combiné, mais la sonnerie s'interrompt. Soulagée, elle retombe dans son lit, se demandant qui peut bien l'appeler à 7 heures du matin un samedi. Le téléphone recommence immédiatement à sonner. Cette fois, elle se lève d'un bond, se demandant si c'est Malik qui l'appelle au sujet de Mathilde, craignant de manière irrationnelle que ses mauvais vœux de la veille aient rendu sa fille malade.

– Allo ?

– Éléonore Castel ! Veux-tu bien me dire c'est quoi, cette histoire-là ?

– Yasmina ? Ça va ?

– Non, ça va pas du tout. À quoi tu penses, Élé ?

– Hein ? Quoi ?

– Mon frère ! T'as laissé mon frère !

– C'est ça qu'il t'a dit ?

– Il m'a appelée hier soir. Tu peux t'estimer chanceuse que j'aie attendu ce matin pour t'appeler, j'étais pas mal plus de mauvaise humeur hier. Veux-tu me dire à quoi t'as pensé ?

– Yasmina, j'ai rien fait. J'ai juste articulé quelque chose qui était déjà arrivé. Ça sert à rien de jouer à l'autruche.

– Tu sais que mon frère, c'est un orgueilleux. Il ne reviendra plus. Si tu lui dis que c'est fini, c'est fini.

– Yasmina, c'est déjà fini. Que je le dise ou non ne changera rien.

– Alors, tu t'assumes ? Malik, tu ne le verras jamais plus ? Tu l'embrasseras plus, tu parleras plus avec lui, tu lui tiendras plus jamais la main ? Jamais, jamais ? C'est pas des *games*, là, Élé.

– Je sais…

– Répète après moi. Pour de vrai. Je ne serrerai jamais plus Malik dans mes bras, plus une seule fois de toute ma vie.

– Je ne serrerai jamais plus Malik dans mes bras, plus une seule fois de… Yasmina, je te rappelle.

Éléonore court vers la toilette, où elle est de nouveau malade. Cette fois, le fait de vomir ne semble en rien soulager l'angoisse qui l'étreint. Elle a l'impression d'étouffer. Elle repense à ce que Yasmina lui a dit. Ne plus jamais serrer Malik dans ses bras. Elle n'avait pas vu les choses comme ça. En femme d'action, elle avait plutôt été pressée de faire bouger les choses, de trouver une issue à une situation qui lui pesait. Avait-elle réellement pris conscience de ce que cela voulait dire pour l'avenir? Ne plus jamais tenir Malik, ne plus jamais l'embrasser. Jamais, jamais, jamais. Le concept même lui semble impossible. Elle se dit que, sûrement, ils seront amis… Mais il semble bien déterminé à ne plus la voir. Elle se rend compte qu'elle les imaginait déjà, en ex débonnaires, partageant une bouteille de vin en parlant de leur enfant, formant tout de même une espèce de famille, avec certes plus de liberté et moins de conflits. Mais Malik ne semble pas disposé à jouer le jeu. On dirait bien que c'est tout ou rien, pour lui. *Encore à vouloir me dicter les règles du jeu*, se dit Éléonore.

Elle retourne dans son lit, déterminée à profiter de l'absence de Mathilde pour faire la grasse matinée. Mais c'est peine perdue. Elle se sent si oppressée par ses pensées qu'elle n'arrive pas à rester couchée. Malik, Malik, Malik, elle ne pense qu'à lui, se répète son nom dans sa tête, le revoit jeune adolescent, quand elle était si éperdument amoureuse de lui mais l'ignorait; jeune homme, quand ils s'étaient retrouvés et avaient innocemment passé une nuit ensemble, sans jamais en imaginer les conséquences; puis, surtout, elle le voit jeune papa, avec elle à l'hôpital, puis à la maison, organisant la cérémonie du baptême de Mathilde, présent tous les week-ends, illuminant son appartement de ses rires, de son fol amour pour sa fille. C'est comme un gouffre qui s'ouvre en elle et elle a l'impression de perdre quelque chose de tellement énorme qu'elle ne peut plus respirer. Enfin, pour la première fois depuis la conversation fatidique de la veille, elle éclate en sanglots. Elle croit que cela la soulagera, mais elle se rend vite compte que ses pleurs éperdus ne semblent qu'attiser sa peine. Elle pleure si fort qu'elle en a mal dans la poitrine, elle fait presque de l'hyperventilation, hoquette bruyamment, puis se lève comme un ressort, incapable de supporter prostrée la douleur qui l'accable. Elle pleure comme une madeleine, pendant ce qui lui semble être des heures. Quand finalement elle est vidée de larmes, elle s'écroule en petite boule dans son fauteuil et passe la matinée à regarder l'infopublicité insipide sur laquelle sa télévision s'est allumée. Une heure plus tard, l'Abs Roller Plus n'a plus de secrets pour elle, mais elle n'arrive toujours pas à aligner des pensées cohérentes.

Une étincelle d'instinct de survie lui fait penser à sortir de chez elle. Le visage bouffi, elle enfile ses souliers de course et ses pantalons de sport. Par habitude, elle se dirige vers la montagne et a le réflexe de partir au pas de course. C'est ce dont elle avait besoin. L'air frais de l'automne la vivifie. Arrivée au lac des Castors, à bout de souffle, elle repense à sa crise de panique du matin, car c'est bien ce que c'était : une réaction irrationnelle à une situation émotionnellement exigeante. Cela signifie-t-il qu'elle a fait une erreur, qu'elle devrait rappeler Malik ? Elle n'y croit pas. Elle se répète son mantra des dernières semaines : elle ne veut pas être hypocrite comme ses parents, et encore moins vivre à la merci d'un homme comme sa mère. Il n'y avait donc pas d'autre solution. Voilà. Cette résolution prise, elle rentre à la maison et entreprend d'informer sa famille du changement survenu dans sa vie.

Claude est philosophe comme à son habitude. Il n'approuve ni ne réprouve le geste d'Éléonore, se contentant de lui dire que l'amour a bien des voies, le bonheur aussi. Éléonore ne prend pas le temps de lui demander ce que veut dire cette formule alambiquée. Elle raccroche et appelle sa mère. Charlie pousse les hauts cris en apprenant la nouvelle.

– Quoi ? Mais il était tellement parfait ! Comment t'as pu faire ça, Éléonore ?

– Maman, j'étais pas heureuse et lui non plus.

– Voyons donc! Penses-tu que tu vas être plus heureuse en divorcée? Penses-y!

– Maman, pour être divorcée, faudrait que je commence par avoir été mariée.

– Je l'ai jamais comprise, celle-là. Pourquoi tu as dit non quand il a voulu t'épouser. Pense au motton que tu pourrais lui réclamer aujourd'hui.

– Maman!

Excédée, Éléonore salue sa mère et raccroche, promettant de lui donner des nouvelles sous peu.

Une autre conversation difficile l'attend. Le dimanche soir, vers 17 heures, madame Saadi l'appelle pour la prévenir qu'elle peut passer chercher Mathilde. Quand Éléonore arrive chez sa belle-mère, elle voit que celle-ci a préparé un plateau de thé à la marocaine, ce qui signifie sûrement qu'elle s'attend à plus que des politesses d'usage. Éléonore appréhende cette discussion. Elle respecte énormément la mère de Malik et elle tient à son estime, qu'elle n'est pas certaine d'avoir conservée après les événements des derniers jours.

Mais Jacqueline est discrète, comme toujours. Elle parle de Mathilde, des ajustements que la petite devra faire, de la manière dont ils pourront tous préserver une certaine stabilité, sans non plus lui mentir. Elle informe Éléonore que Malik compte lui payer une généreuse pension et qu'il a l'intention de communiquer avec elle uniquement par l'entremise de sa mère.

– J'espère que vous n'aurez pas besoin d'avocats, Éléonore, dit Jacqueline. Ce qu'il t'offre devrait amplement suffire.

– C'est sûr qu'il n'y aura pas d'avocats!

Éléonore n'avait même pas pensé aux arrangements juridiques qui s'ensuivraient, pour la garde de Mathilde.

– Tant mieux. Ce serait mieux pour Mathilde que vos discussions demeurent amicales. Alors, ce que Malik te propose, c'est de prendre Mathilde une fin de semaine sur deux, ici, chez nous, ou encore au chalet. En plus, il voudrait l'amener à New York avec lui pour les vacances, ou même en Italie, qui sait.

– Ça, on verra. Une chose à la fois.

– Éléonore, je sais que tu tiens à ta fille, mais lui aussi. Tu la vois déjà tous les jours.

– Madame Saadi, je vois ma fille tous les jours, oui ; mais ça veut aussi dire que c'est à moi qu'incombe la responsabilité de l'élever, de la soigner. Je ne vois pas pourquoi je me taperais tout le gros du travail, et Malik profiterait de tous les beaux moments pendant les vacances.

– Ce ne sont pas toutes les vacances, et vous ne prendrez certainement pas tous vos congés en même temps. Vous aurez tous les deux la chance de passer vos vacances avec Mathilde, j'en suis sûre. Allez, ne rendons pas cela plus compliqué que ça doit l'être.

Éléonore n'ose pas hausser le ton ni contredire sa belle-mère. Elle se dit que Malik a drôlement bien choisi son arme. Elle consent donc à leur laisser Mathilde une fin de semaine sur deux, mais répète que pour les vacances, on verra au cas par cas. Elle n'a pas envie de dire oui aveuglément, puis de se retrouver privée de Mathilde tout un été si les Saadi décidaient de l'emmener en Italie.

Pendant les mois qui suivent, une nouvelle routine s'installe, pour Éléonore et Malik. Il est là ponctuellement toutes les deux semaines. Éléonore ou madame Gaston amène Mathilde chez les Saadi en fin d'après-midi le vendredi. Quand madame Saadi l'appelle, le dimanche après-midi, Éléonore retourne chercher sa fille. Elle ne croise jamais Malik. En fait, elle ne l'a plus revu depuis leur conversation de l'automne. Elle n'a même pas entendu sa voix au téléphone. S'il y a des questions à poser au sujet de Mathilde, par exemple pour savoir si sa toux s'est calmée au cours du week-end, c'est à Jacqueline qu'Éléonore doit s'adresser. Malik a fait le vœu de ne plus transiger avec elle et il est intraitable. Éléonore ne sait pas quoi penser de ce nouvel arrangement, qui est bien loin de ce qu'elle s'était imaginé. Mais il semblerait qu'elle n'a guère le choix. Malik est devenu un fantôme dans sa vie. Elle n'entend parler de lui que par Mathilde, et elle pourrait presque croire qu'il n'est qu'un des énièmes personnages imaginaires dont sa fille raffole.

Chapitre cinq

L'hiver 2006 est une course contre la montre, pour Éléonore et son équipe. Jacques Martel s'est fixé comme objectif de présenter *Les années sombres* en première mondiale à Cannes, au printemps. L'organisation du festival s'enthousiasme à l'idée de recevoir ce cinéaste de renom, qui a déjà remporté la Palme d'or. On attend avec impatience la version finale, qui sera créée par Jacques et revue par Éléonore, en sa qualité de productrice.

Émile est fébrile pendant ces semaines de travail intense. On le voit peu au cégep Grasset, où il assure le minimum requis d'heures de présence mais ne s'implique plus dans les projets parascolaires de ses étudiants. Il se lance à fond dans la postproduction du film et ne quitte le studio de montage que lorsque Jacques le met à la porte. Il côtoie donc souvent Éléonore, qui passe en coup de vent plusieurs fois par jour, mais il n'arrive toujours pas à la cerner. Il avait cru deviner une certaine attirance, entre eux, qu'il aurait souhaité raviver une fois Éléonore officiellement séparée. Mais elle n'a jamais plus répondu à ses tentatives de flirt et de conversations légères. Elle arbore un visage professionnel en sa présence et il ne comprend pas de quoi il en retourne. Émile est complètement absorbé par son film et par l'équipe qui le crée, il n'y a donc rien dans sa vie qui puisse l'inciter à détourner son attention ailleurs. Avec le temps qui passe et Éléonore qui demeure aussi évasive, son intérêt pour elle se transforme presque en obsession. Il rêve d'elle la nuit, pense à elle le jour, mais refuse de le laisser paraître, ne souhaitant pas l'effrayer par l'intensité de son affection. Il attend patiemment, convaincu qu'elle finira par se remettre de sa séparation. Le statut de productrice d'Éléonore lui donne une aura de pouvoir et de succès aux yeux du jeune scénariste sans le sou. Ce rôle prestigieux, joint à sa beauté sportive et à son charme discret, la rend irrésistible.

De son côté, Allegra passe un hiver tranquille. Elle travaille au Continental, fait des publicités photos, fréquente beaucoup sa famille. Elle voit peu Éléonore, qui semble être occupée du matin au soir. Il n'y a que le mariage de Chiara pour éclairer un hiver qui serait autrement très morne. À la mi-décembre, les invités et les mariés se réunissent dans un hôtel de charme du Vieux-Montréal. La mariée est aussi resplendissante qu'elle l'avait prédit, avec un petit ventre qui arrondit à peine sa superbe robe blanche. Allegra est dame d'honneur et elle combat sa timidité naturelle devant les foules pour prononcer un discours touchant au sujet de sa grande sœur.

– Chiara, on a la chance d'être plus que des sœurs : on est des amies. Ta force, ton humour, ton courage enrichissent ma vie tous les jours. Avec Emmanuel, je te souhaite d'apprendre aussi à t'abandonner.

Elle fait un clin d'œil.

– Bientôt, vous serez trois, tu seras la maman la plus formidable du monde et je serai la tatie la plus fière du monde. Je vous invite tous à lever vos verres en l'honneur de ma sœur, *fashionista*, grande gueule, passionnée, épouse et bientôt maman. À Chiara et Emmanuel !

Chiara lève son verre, radieuse. À quatorze semaines de grossesse, elle vient tout juste d'arrêter d'avoir des nausées et profite de son mariage pour s'autoriser quelques gouttes de champagne. Elle se retourne vers Emmanuel, qu'elle embrasse sous les applaudissements de la salle.

Nicole pleure d'émotion. Ce jour-là, elle se sent plus heureuse qu'elle ne l'a jamais été. Sa grande fille, autrefois si compliquée, si facilement irritable (et irritante, Nicole doit l'admettre) ; la voilà aujourd'hui en mariée gracieuse, heureuse en couple avec un homme bien, à la veille d'être mère, entourée de copines fidèles, grande complice de la petite sœur qu'elle a tant tourmentée à l'adolescence. Cela fait chaud à son cœur de mère. Surtout quand elle se tourne vers Allegra, qui semble elle aussi épanouie, en paix avec l'incertitude qui meuble encore son avenir professionnel. Mais toujours célibataire. Cela inquiète Nicole mais elle n'ose pas lui en parler. Elle a posé la question à Chiara, un jour ; celle-ci lui a répondu qu'Allegra avait des fréquentations, mais rien de sérieux. Qu'elle attendait de rencontrer le bon. Nicole aimerait pouvoir intervenir, tout régler d'un coup de baguette magique comme une fée marraine. Mais elle sait bien qu'elle n'a d'autre choix que celui de faire confiance à sa fille. Et au temps qui passe.

Elle a beau aimer se définir comme une femme de carrière, à l'opposé de nombreuses femmes de sa génération qui ont choisi le rôle d'épouse, Nicole ne peut s'empêcher de penser que le bonheur passe d'abord et avant tout par le couple et par la famille. Elle jette un coup d'œil à Benoit, qui est en grand conciliabule avec grand-tante Pauline dans un coin retiré de la salle de réception. Quel homme extraordinaire. Toujours à se soucier d'autrui, à vouloir s'assurer que chacun s'amuse. Si elle n'y prend garde, il est capable de passer la soirée à conter fleurette aux vieilles dames des deux parentés. Elle le rejoint, l'éloigne habilement d'une discussion portant sur les frasques des trois bichons maltais de la vieille dame et l'entraîne vers la piste de danse. L'orchestre entame un morceau de jazz langoureux et c'est enlacés, les yeux dans les yeux, que Nicole et Benoit dansent leur première ballade de la soirée.

Allegra les observe de loin. Sa mère semble heureuse, cela va sans dire. Elle est plus comblée avec Benoit, plus équilibrée. Elle a même été jusqu'à s'éloigner un peu de sa grande amie Johanne, qui défraie toujours la chronique du fait de sa relation hautement médiatisée avec le maire de Montréal, Charles Bonsecours. Nicole semble avoir moins besoin du soutien constant de son amie, elle est plus indépendante, prend seule ou avec Benoit des décisions qui autrefois auraient nécessité un pow-wow en règle avec toute sa gang de vieilles amies. Et c'est tant mieux. À écouter sa mère potiner au téléphone, Allegra l'a souvent trouvée plus ado qu'elle ! La voilà plus posée maintenant, plus adulte. Elle se fait la réflexion que c'est drôle de voir ses parents grandir, pourtant c'est bien ce qui lui est arrivé. Pendant plusieurs années, elle avait l'impression que sa mère avait besoin d'elle, plutôt que l'inverse, et c'est un soulagement de la voir voler de ses propres ailes.

Allegra est distraite de ces considérations familiales lorsqu'un des garçons d'honneur d'Emmanuel l'invite à danser. Il s'appelle Frédéric, a trente et un ans, est journaliste sportif et possède un beau condo dans le Vieux-Montréal. Du moins, c'est ce que lui chuchote Annick, une copine de Chiara, en le voyant approcher. Allegra accepte l'invitation avec plaisir. Frédéric danse bien, il a ce poli des jeunes hommes habitués à fréquenter les soirées et les mariages. Il parle peu, juste assez pour la faire rire, notant la démarche titubante d'un ado tentant de prétendre qu'il est sobre ou le décolleté d'une dame qui devient un peu trop plongeant au fur et à mesure que la soirée progresse. Quand Allegra déclare avoir soif, ils vont au bar et demandent chacun une coupe de champagne. Allegra le taquine, jugeant que ce choix n'est pas très macho. Frédéric se défend, disant qu'en fait il rêve d'un scotch bien tassé, mais qu'il a trouvé que la coupe de champagne ferait plus romantique.

– Tant qu'il n'y a pas de parasol rose dans ton *drink*, ça va aller ! dit Allegra en pouffant de rire.

– Quand j'ai une envie dévorante de cocktails fruités, je fais semblant que je les commande pour ma blonde, avoue-t-il en riant.

– C'est vrai ou c'est une blague ?

– Quelle partie, les *drinks* de fille, ou la blonde ? demande-t-il, taquin.

Allegra rougit d'avoir été percée à jour.

– La blonde. Pour le reste, tu boiras ce que tu voudras.

– Ouf ! Mes *drinks* sont *safe*.

– Bon, je vois bien que tu tournes autour du pot. Il n'y a pas de gêne à avoir, tu sais. Tu as bien le droit d'avoir une blonde, n'en faisons pas tout un plat. Par contre, tu dois savoir que je suis membre en règle de l'association de la solidarité féminine. Alors passe une bonne soirée !

Frédéric la retient en lui attrapant le poignet. Allegra se retourne. Il s'est approché d'elle et il lui souffle à l'oreille :

– Non, je n'ai pas de blonde. Et je n'ai d'yeux que pour toi.

Ils dansent ensemble toute la soirée. Nicole a remarqué quel beau couple ils forment et elle ne peut s'empêcher de faire un clin d'œil subtil comme le monde à sa fille lorsqu'elle passe à côté d'elle sur la piste de danse. Allegra hausse les épaules, anticipant le barrage de questions auquel elle sera soumise le lendemain matin. *Aussi bien que ça en vaille la peine*, se dit-elle. Lorsque la soirée se termine, elle embrasse chaleureusement sa sœur et son nouveau beau-frère, récupère son manteau et ses bottes et n'est pas surprise de voir Frédéric qui l'attend près de la porte.

– Tu veux marcher un peu ?

Elle acquiesce. La nuit est clémente et les flocons qui tombent du ciel rendent l'atmosphère féerique. Ils se dirigent vers les quais, guidés par les quelques lampadaires qui illuminent le ciel. Quand ils approchent de la rue des Sœurs-Grises, Allegra n'est pas surprise d'entendre Frédéric lui dire :

– J'habite juste par là. Tu veux prendre un café ?

Elle a l'élégance de ne pas relever l'euphémisme et accepte. Le loft de Frédéric est impressionnant. Le mur du salon s'ouvre sur une fenêtre de deux étages, la chambre à coucher se trouvant sur une mezzanine. Les poutres de bois s'agencent aux métaux pour créer une atmosphère résolument moderne et aérée. Allegra se demande comment il a bien pu se permettre cela avec un salaire de journaliste mais elle ne pose pas la question. Elle aura bien le temps d'en apprendre davantage sur le fameux Frédéric, si l'expérience s'avère concluante. *Sinon*, songe-t-elle en riant, *je pourrais toujours poser la question à Annick, elle semble au courant du moindre détail le concernant !*

– Qu'est-ce qui te fait sourire comme ça ? demande-t-il en allumant une lampe au design superbe, formée d'un morceau de bois sculpté autour de l'ampoule.

– Annick, la copine de ma sœur. Tu la connais ?

– Euh, oui, je la connais.

– Au sens biblique du terme ?

– Arrête ! Tu me prends vraiment pour un courailleux, toi, hein ? D'abord je trompe ma blonde imaginaire, ensuite je saute les amies de ta sœur…

– Ben, quoi ? Ça se peut !

– Oui, ça se peut, et c'est peut-être pas très gentleman de ma part de le dire, mais je crois qu'Annick aurait été intéressée. Moi, je ne le suis pas.

– Pourquoi pas ? Elle est mignonne, Annick.

– Tu fais sa pub, ou quoi ? Pour te dire la vérité, je n'aime pas les filles qui s'intéressent à moi pour les mauvaises raisons.

– Quelles mauvaises raisons ?

– Si tu ne le sais pas, ça veut dire que tu t'intéresses à moi pour les bonnes raisons.

– Qui dit que je m'intéresse à toi ?

– À moins que tu sois ici pour ma machine italienne dernier cri...

– Oui, tiens. Tu m'avais promis un café. Dommage que je n'en boive pas.

– Ah. Tu veux un thé, alors ? Une tisane ?

Allegra ne répond pas. Elle se contente de l'observer avec un sourire en coin. Il est grand, a les cheveux châtains, les yeux brun profond. Il semble musclé, mais juste assez pour suggérer qu'il ne perd pas trop son temps dans les gym. Il a plutôt l'air d'un sportif naturel, d'un gars qui est aussi bon au hockey qu'en ski ou au tennis. Allegra n'a pas l'habitude de se prendre la tête lorsqu'elle rencontre un homme qui lui plaît. Elle prend son plaisir avec reconnaissance, là où elle le trouve, mais elle n'est pas l'une de ces filles qui cherchent une signification profonde à toute attirance physique. Elle a envie de Frédéric, là, ce soir, maintenant, et cela lui suffit.

De son côté, Frédéric est complètement ébloui, et cela ne lui arrive pas souvent. Il croit pouvoir affirmer avec certitude qu'Allegra est la plus belle fille qu'il ait jamais vue. Des yeux noirs de panthère, de longs cheveux dorés qui bouclent dans son dos, des lèvres faites pour être embrassées (il a d'ailleurs bien envie d'essayer), une poitrine affolante et des courbes qui donnent envie de s'y perdre. Sa robe vaporeuse de dame d'honneur lui donne l'air d'une adorable gamine, une impression démentie par les jambes sexys jusqu'au bout de ses pieds nus qu'elle a retirés de ses bottes d'hiver en arrivant. Il la détaille, se faisant la réflexion que même ses chevilles sont belles, si une telle chose est possible. Il ne se souvient pas avoir déjà remarqué un détail aussi bête chez l'une de ses conquêtes, mais chaque parcelle du corps d'Allegra l'intéresse et lui semble plus magnifique que ce qu'il a déjà vu ailleurs.

Du premier baiser à la dernière caresse, elle se donne à lui avec abandon, s'offrant sans fausse gêne et sans réticence. Lorsque enfin elle se pelotonne dans ses bras, il se sent entièrement comblé et n'a d'autre désir que celui de se trouver exactement là, dans son lit, avec elle. Il est donc surpris quand elle se lève, s'habille et lui demande de lui appeler un taxi. Mais il a trop souvent été dans la position inverse pour oser exprimer le besoin qu'elle reste plus longtemps auprès de lui. Il sait qu'il n'y a rien de plus efficace pour tuer la passion que cette supplication muette de celui qui reste abandonné dans son lit. Il s'astreint donc à demeurer nonchalamment couché et lui souhaite bonne nuit, sans lui quémander un rendez-vous ou un numéro de téléphone. Ils se sont rencontrés par l'entremise de Chiara et d'Emmanuel, ils réussiront bien à se revoir s'ils en ont envie. Et son instinct lui dit que ce serait mieux que ce ne soit pas lui qui fasse les premiers pas.

Le lendemain, Allegra répond sans gêne aux questions de sa mère et de sa sœur, qui viennent toutes les deux aux nouvelles à la première heure.

– Oui, c'était bien, il m'a plu, je ne sais pas si je vais le revoir.

Elle garde un excellent souvenir de sa nuit passée avec le beau Frédéric mais n'en fait pas une fixation, surtout qu'une grande nouvelle secoue son existence rangée quelques jours plus tard.

Éléonore l'appelle, excitée comme une puce.

– Ça y est, Allegra, c'est confirmé pour Cannes. Tu vas sur la Croisette, ma vieille !

– Non !!!

– Je te jure !

– Ça se peut pas, Élé, ça se peut pas !

– Oui ! *Les années sombres* auront leur première mondiale à Cannes, en compétition officielle. On essaie encore d'obtenir l'ouverture du festival, mais prépare-toi à passer les deux dernières semaines de mai à Cannes. Louise avait déjà retenu des chambres d'hôtel et elle nous réserve les billets d'avion aujourd'hui.

– Chiara est supposée accoucher vers le 20 mai…

– Zut ! J'avais pas pensé à ça.

– Elle va comprendre. C'est Cannes ! Comme dirait Janice dans *Friends* : « *Oh ! My ! God !!!* »

– Mets-en ! Bon, Jacques n'a pas encore terminé le montage final, mais il a accepté de leur montrer son ébauche la plus récente. Je te jure, je pense qu'il travaille jour et nuit.

– Toi aussi, non ?

– Euh, oui, mais je suis habituée ! Sauf les fins de semaine où j'ai Mathilde.

– Ce serait quasiment plus facile pour toi que Malik vienne toutes les semaines.

– T'es folle, je verrais jamais ma fille ! D'ailleurs je devrai manquer sa fête de quatre ans, pour Cannes, ça me crève le cœur. Allez, il faut que j'y aille ! Bravo encore !!! Je t'emmène fêter ça bientôt.

Chiara et Nicole n'attendent pas si longtemps. Elles emmènent Allegra souper au Pied de cochon et commandent du champagne. Chiara déclare que si le bébé naît le jour de la première, elle le prénommera Allegra en l'honneur de sa tante.

– Et si c'est un garçon ? demande cette dernière.

– Pas grave, il sera fier quand même de porter le prénom d'une grande star.

– Le pauvre !

Elles éclatent de rire.

Allegra passe les jours qui suivent dans l'euphorie la plus totale. Elle flotte pendant ses séances de photos et ses *shifts* de soir au Continental. Elle passe de longues soirées avec sa voisine Agnès, rêvant avec la vieille dame du festival le plus prestigieux du monde. Depuis sa jeunesse, Agnès est une fidèle lectrice de *Paris Match* et elle en a conservé quelques numéros mémorables. Elles épluchent ensemble les photos d'époques révolues, commentant les photos des stars et surtout leurs tenues. Allegra rêve déjà à la robe qu'elle portera, acceptant avec reconnaissance l'offre de sa mère d'assumer une partie des coûts.

De son côté, Éléonore passe chaque instant en salle de montage avec Jacques et Émile. Le film a été accepté à Cannes à titre de version presque finale mais nécessitant encore plusieurs ajustements, dont l'ajout de la trame sonore complète, le calibrage des couleurs et mille autres détails techniques encore. Jacques travaille d'arrache-pied, traquant chaque minuscule erreur, peaufinant son film comme un orfèvre travaille un bijou. Théoriquement, c'est Éléonore qui a le dernier mot sur le contenu du film ; mais elle respecte trop son mentor pour lui offrir autre chose que des suggestions, qui sont souvent acceptées. Un jour qu'elle rentre chez elle en fin d'après-midi pour passer la soirée avec Mathilde avant de retourner travailler quand cette dernière sera couchée, elle voit qu'elle a manqué un appel de Yasmina. Elle s'empresse de la rappeler. Leurs relations ont été quelque peu tendues, depuis sa rupture avec Malik. Yasmina ne comprend pas la décision de son amie, elle est même blessée par ce qu'elle ressent comme un rejet de sa famille entière, même si elle serait la première à avouer qu'un tel reproche manque de logique. Et puis, Yasmina a un sens des valeurs plus traditionnel : pour elle, rompre avec le père de son enfant est presque inimaginable, à moins de circonstances réellement exceptionnelles, et la difficulté qu'ont Malik et Éléonore à s'entendre n'en constitue pas une pour elle.

– Allo ?

– Yasmina ? C'est moi. Tu m'as appelée ?

– Oui, pour prendre des nouvelles. Ça va ?

– Super, oui. Très occupée.

– Encore ?

– Est-ce une note de désapprobation qui pointe dans ta voix, Yasmina Saadi ?

– Non, non, arrête, prends pas mal tout ce que je te dis. Je m'informe, c'est tout.

– Bon, alors si c'est ce que tu veux savoir, oui, je suis extrêmement occupée, le film a été accepté pour le festival de Cannes et on est à la course pour le finir à temps.

– Cannes ? Tu me niaises ?

– Ben non, pourquoi ?

– Parce que c'est énorme ! C'est ton premier film, Éléonore Castel, et ça s'en va directement à Cannes ? Sais-tu à quel point tu es *hot* ?

Éléonore rit.

– J'avoue que j'avais pas vu ça comme ça. J'étais tellement prise dans mon rush de fou pour le finir. C'est cool, hein ?

– Trop cool. As-tu de la place dans ta chambre pour moi ?

– T'es sérieuse ?

– Ma meilleure amie présente son film à Cannes, à une heure d'avion de chez moi, et tu penses que je ne serai pas là ? Tu rêves ou quoi ?

– Ça serait vraiment, vraiment cool. On dira que tu es la *date* d'Émile au lieu de la mienne, par contre, hein ? J'ai envie de faire parler, mais pas à ce point.

– Et si Émile amène déjà une *date* ?

– J'ai pas l'impression. On y va tous en équipe. Yasmina, imagine !

– J'achète mon billet dès qu'on raccroche.

Ce soir-là, Éléonore retourne au travail avec un regain d'énergie, heureuse de sentir de nouveau le soutien de sa grande amie.

Deux semaines plus tard, elle commence à déchanter. Leurs progrès ne sont pas aussi rapides que prévu. Jacques a demandé qu'on recommence toute une gamme de bruits de fond qui soulignent l'action dans certaines prises de vue sans dialogue. Il a aussi exigé qu'on retravaille la trame musicale de l'introduction du film. Séparément, Éléonore comprend chacune de ces requêtes, les juge essentielles, même ; mais collectivement, elles signifient que le montage prend du retard. Beaucoup de retard. En tant qu'amatrice passionnée de l'œuvre de Jacques Martel, elle admire ce dévouement sans borne à un long métrage, mais en tant que productrice, qui compte énormément sur la visibilité offerte par le festival de Cannes, qui a des ententes de distribution en place, des budgets à boucler, elle s'impatiente et a envie de hurler chaque fois que son réalisateur remet en question un bruit infime que lui seul a entendu.

Elle doit enfin se rendre à l'évidence, par un matin pluvieux d'avril. La version finale du film est attendue trois jours plus tard et elle sait qu'il est mathématiquement impossible qu'elle soit prête. Même en travaillant vingt-quatre heures par jour. Il reste tout simplement plus de soixante-douze heures de travail, même pour l'équipe la mieux intentionnée du monde. Le cœur lourd, elle fait donc un appel qu'elle ne pensait jamais faire un jour dans sa vie : elle appelle la direction du festival de cinéma de Cannes et lui annonce à regret que son film ne pourra y participer. Elle retourne voir son équipe et lui fait part de sa décision. Jacques hoche la tête ; Éléonore voit bien qu'il en était arrivé à la même conclusion. Mais Émile tempête et vocifère, demande qu'elle leur laisse au moins ces trois jours, promet qu'ils finiront à temps.

– Émile, explique Éléonore, j'ai déjà trop attendu. C'est pas très professionnel, de leur annoncer ça à la dernière minute. J'ai attendu tant qu'on avait encore une chance, mais là, c'est fini, il faut l'accepter et passer à autre chose.

– Passer à quoi ? demande-t-il, heurté.

– À un autre festival. Il n'y a pas juste Cannes, tu sais. On a manqué Berlin, mais il nous reste Venise et Toronto. J'ai bien envie d'essayer Venise. Ça sortirait le film de son contexte nord-américain.

– Je suis d'accord, dit Jacques. Allez, troupes, on retourne au boulot !

Éléonore s'esquive pour prévenir le reste de l'équipe. Elle appelle d'abord Allegra, inquiète de sa réaction.

– Allegra ?

– Salut, ça va ?

– Pas trop, j'ai une mauvaise nouvelle.

– Mon Dieu, qu'est-ce qui se passe ?

– C'est pas si pire, mais c'est une mauvaise nouvelle professionnelle. Le film ne sera pas prêt à temps pour Cannes.

– C'est une farce ?

– Non. On est à quelques jours près, mais Jacques a pas fini.

– Quelques jours? On va pas manquer tout ça pour quelques jours?

– Je suis vraiment désolée, c'est un gros choc pour moi aussi. Mais on n'y peut rien. Jacques est un grand artiste. Il refuse de présenter un film qui ne soit pas absolument parfait. C'est comme ça qu'il a fait sa réputation, tu sais.

– J'en reviens pas.

– Ne t'inquiète pas trop. Je commence tout de suite mes démarches auprès d'un autre festival de prestige. On va s'essayer pour Venise, je pense. Je te tiens au courant et vraiment, je suis désolée!

– C'est correct, c'est pas ta faute.

– Écoute, veux-tu qu'on soupe ensemble demain? Là, je dois appeler le reste de l'équipe. Zut, faut que j'appelle Yasmina aussi, j'espère que son billet d'avion est remboursable… J'y vais et on se voit demain, OK? On parlera de tout ça.

– OK…

Abattue, Allegra demeure assise dans sa cuisine, l'esprit vide. Elle regarde ses ongles. Venise ou Toronto, en septembre. Quatre longs mois de plus à attendre que sa vie commence. Elle soupire. Quatre mois. Un long été en perspective, à servir des steaks frites au lieu de rencontrer des agents de casting et de commencer un nouveau tournage. Puis elle hausse les épaules. Après tout, elle ne contrôle pas les délais de production du film. Elle ne contrôle que sa réaction à elle. Elle se dit que c'est là une belle leçon, un moment qui l'aidera à apprendre à lâcher prise. À faire confiance à l'avenir. Mais elle trouve ça difficile. Après la fébrilité des dernières semaines, la déception l'assomme. Elle se sent complètement vidée, sans énergie. Elle ébauche un geste vers le téléphone pour mettre sa mère et sa sœur au courant. Mais elle ne supporterait pas les déversements de commisération qui refléteraient sa peine. Il sera toujours temps de les appeler demain.

Elle décide plutôt d'attraper le cours de yoga du soir à son studio préféré du boulevard Saint-Laurent. La séance est particulièrement ardue, ce soir-là. Allegra tente de maîtriser la posture de l'écrevisse, qui fait hurler ses épaules. Elle inspire profondément et demande à ses muscles de lui permettre d'aller un petit peu plus loin. Puis plus loin encore. Elle se plie, de plus en plus. Elle est enfin couchée à plat ventre, les bras coincés sous les genoux. Elle doit se concentrer entièrement sur sa respiration afin de ne pas paniquer, de ne pas se redresser d'un coup, tant cette posture de contorsionniste lui semble impossible. Elle a peine à croire que ses jointures et ses muscles puissent tant s'ouvrir et s'étirer. Dans cette position inédite, plus rien n'existe que le son bruyant de sa respiration et le tremblement de ses muscles qui demandent grâce. En se relevant, elle se plonge dans la posture du chien inversé, afin de soulager ses épaules. Le sang afflue vers sa tête, les muscles se relâchent. Allegra est envahie d'une sensation de bien-être. À ce moment précis, elle se sent forte, capable de toutes les attentes.

Chapitre six

– Ariane ! Ariane ! Par ici !

L'équipe des *Années sombres* longe le tapis rouge du célèbre Palazzo del Cinema de la Mostra de Venise. C'est le plus vieux festival du film du monde, et l'un des plus prestigieux, se disputant cet honneur avec Cannes, Berlin et Toronto. Véritable laboratoire de recherche esthétique, Venise brille cette année encore de par sa sélection éclectique et inspirée, malgré les problèmes récurrents liés à la vétusté de ses installations et au coût rédhibitoire de l'hébergement pour les cinéphiles qui voudraient y assister.

Ariane Montredeux est déjà une star et son visage est connu des paparazzi qui se l'arrachent. Elle porte, le soir de la première, une longue robe gris perle signée Valentino qui met en valeur son teint d'albâtre et ses grands yeux clairs. À ses côtés, Émile Saint-Germain fait belle figure dans son smoking noir. Allegra complète le trio, vêtue d'une robe crème à crinoline qui lui donnerait l'air d'une mariée, si ce n'était de la lueur coquine qui brille dans son regard. Elle est époustouflante de beauté et attire vite l'attention des caméramans. Elle a relevé ses cheveux brun doré en un chignon artistiquement élaboré, des boucles s'en échappant pour encadrer son visage. Ses yeux noirs semblent immenses et son teint resplendit dans la nuit vénitienne. Jacques Martel se joint à ses trois comédiens vedettes pour saluer la foule en délire.

Un peu en retrait, Éléonore s'avance, serrant des mains et recevant les félicitations de ses collègues. Elle restera dans l'ombre et, ce soir, cela lui convient. Elle aurait bien voulu avoir Yasmina à ses côtés, partager avec elle l'énervement de cette soirée sans pareille. Mais la rentrée universitaire ayant lieu à la fin septembre en France, en même temps que la Mostra, son amie n'a pas pu se libérer. Éléonore sait qu'elle regardera tout de même le spectacle à la télévision et elle lui envoie une petite pensée. Puis son attention se porte sur ses acteurs et elle sourit, baignant dans cette atmosphère unique de flashs, de caméras et de célébrités, profitant du spectacle, fière de tout ce qu'elle a accompli pour se rendre jusque-là. Elle a trimé dur pour y arriver ; elle a dû apprendre à croire en elle, à bien s'entourer, à ne pas avoir peur de poser des questions difficiles. Mais elle a aussi dû faire des sacrifices, elle n'en est que trop consciente ce soir alors qu'elle admire ses interprètes qui répondent aux questions de la presse. Elle pense à sa petite Mathilde, qui a déjà quatre ans. Éléonore a été une mère très occupée, elle le sait. Dans ses moments de doute, elle se demande si elle l'est trop. Mais elle continue de croire dur comme fer qu'elle est aussi une mère présente. Elle adore sa fille et passe tous ses moments libres avec elle. Oui, elle travaille et rentre parfois quand Mathilde est déjà couchée. Mais elle est là tous les matins, travaille souvent de la maison l'après-midi, est présente chaque minute du week-end quand elle a sa fille avec elle. Et puis, elle est fière aussi de l'exemple qu'elle lui donne : celui d'une femme qui croit tout possible et qui n'a pas peur de foncer. Elle espère que ce sera un modèle féminin plus inspirant que celui de sa propre mère. Charlie s'est rarement intéressée à autre chose qu'à elle-même (et à son apparence) et elle a toujours été contente de laisser un homme la faire vivre. Ça ne l'empêche pas d'être heureuse et de courir les tournois de golf et les galas de bienfaisance avec son conjoint Mike, joueur de hockey à la retraite, mais ce n'est pas une voie qu'Éléonore choisirait, ni celle qu'elle souhaite pour sa fille. Elle se dit donc, quand elle culpabilise un peu trop, que ses quelques absences sont compensées par l'exemple positif qu'elle offre à Mathilde.

Mais il y a plus. Si Éléonore estime qu'elle relève assez bien le défi qu'elle s'est lancé de réussir comme mère et comme femme d'affaires, elle est la première à admettre que cet exercice de haute voltige n'a pas laissé beaucoup de place à sa vie de couple. Et voilà Malik qui a maintenant quitté sa vie. Est-ce pour le mieux? Elle n'en a pas encore la certitude. Tout ce qu'elle sait, c'est qu'il continue d'être un père exemplaire, passant religieusement une fin de semaine sur deux à Montréal avec Mathilde. Il refuse toujours d'entrer en contact avec Éléonore, préférant faire passer les messages nécessaires par Jacqueline et se fiant aux comptes rendus de Mathilde qui jacasse du matin au soir. Grâce à elle, Éléonore sait tout des week-ends qu'elle passe avec son père. Les crèmes glacées au bord du lac, les histoires du soir qui s'éternisent, les parties de frisbee sur la pelouse. Au point qu'Éléonore se sent malgré elle impliquée dans une sorte de compétition amicale, avec Malik: quand elle entend que «Papa, lui, me lit trois histoires le soir», elle ne peut s'empêcher de tenter de faire mieux. Pas d'une manière agressive; au contraire, elle apprécie ces intermèdes sans sa fille qui lui permettent d'être une meilleure mère lorsqu'elle la retrouve.

– Madame Castel, toutes mes félicitations!

Éléonore se secoue alors que le directeur d'une importante compagnie de distribution la salue. Elle fait la bise à tous, affable. Puis elle rejoint Ariane, Émile et Allegra et les embrasse de nouveau chaleureusement. Allegra lui serre très fort la main pendant qu'elles sourient pour les caméras. Si cette soirée confirme Éléonore dans son rôle de productrice reconnue, elle offre surtout à Allegra un tremplin auquel peu d'acteurs peuvent aspirer. *Les années sombres* ouvrent le festival et Allegra est mise en nomination pour le prix Marcello-Mastroianni, qui récompense depuis 1998, deux ans après la mort du célèbre acteur, un jeune débutant pour son interprétation. Peu de gens ont eu le privilège de voir le film avant sa première mondiale, ce soir, mais tous s'accordent à dire qu'Allegra y offre une performance superbe. Sa beauté sensuelle crève l'écran et est tempérée par une interprétation sobre, digne des plus grandes actrices de son temps.

Allegra a l'impression de flotter plutôt que de marcher sur le tapis rouge. Les flashs qui crépitent rendent l'ambiance encore plus irréelle. Elle a à peine eu le temps de découvrir Venise, mis à part un arrêt obligé à la Piazza San Marco. Elle se sent donc parachutée sans transition de son appartement du Plateau-Mont-Royal à un palais vénitien ; de la même façon, elle se sent catapultée de sa vie morne et routinière pour atterrir sur un tapis rouge débordant de paparazzi et de célébrités. Le tout lui semble irréel, mais elle devine confusément que cette soirée incarne réellement le début du reste de sa vie. Un avant et après qui marquera toujours son parcours.

Allegra est si heureuse d'avoir à ses côtés sa grande amie Éléonore, celle par qui tout est arrivé. Elle aurait souhaité partager ce moment unique avec sa sœur, mais celle-ci est à Montréal avec le petit Jasper, qui n'a que trois mois (Chiara est avant-gardiste même dans ses choix de prénoms). Qu'à cela ne tienne, elle sait que Chiara suivra la soirée en direct sur Internet. Le magazine qui emploie sa sœur, *Chérie*, a déjà promis à Allegra, pour son prochain numéro, une entrevue en profondeur menée par Chiara, qui sera intitulée « Entre sœurs ». Chiara lui a même déjà chuchoté que si elle gagne le prix Marcello-Mastroianni, sa photo sera en page couverture. La page couverture ! Cela semble encore impossible à Allegra. Après des années de dur labeur, des rêves de célébrité qui n'étaient, elle le sait maintenant, que des envies immatures d'adolescente, la voilà qui se lance à fond dans un métier par amour et qu'est-ce qu'elle récolte ? La première page d'un magazine féminin de renom ! Tout cela lui semble déjà trop beau pour être vrai.

La soirée se déroule à la vitesse d'un rêve. Assise dans la célèbre Sala Grande, Allegra n'aime pas se voir sur grand écran, n'arrivant pas à se décoller des souvenirs du tournage pour apprécier l'ensemble de l'œuvre. Elle devra donc faire confiance aux autres pour en juger le mérite. Et à la critique. Cette bête à multiples têtes, qui a le pouvoir de détruire comme de porter aux nues, sans logique apparente. Allegra a encaissé assez de coups, dans sa vie, pour savoir qu'un de plus ne va pas la tuer ; néanmoins, elle craint déjà la lecture des journaux du lendemain et compte les ignorer jusqu'à ce qu'on lui en confirme la teneur. Elle sait qu'Éléonore dévorera tout à l'aube ; son amie est une battante qui croit dur comme fer l'adage américain selon lequel *knowledge is power*[4]. Allegra a plutôt un instinct de protection bien développé ; le lendemain de la première, elle se lèvera tôt, fera une longue séance de yoga et de méditation et ira marcher dans les rues de Venise, pour admirer l'architecture et découvrir l'histoire de la ville. Puis, quand elle se sentira centrée, bien ancrée dans le moment présent, à ce moment-là seulement elle demandera à son amie de lui résumer les critiques.

---

4. Savoir donne du pouvoir.

En attendant, elle se rend à la soirée de gala qui suit la présentation du film. La réception est grandiose. Les invités déambulent sous un immense chapiteau aux murs ornés de miroirs dorés, sous l'éclairage diffus de centaines de chandeliers de cristal. Un tapis soyeux couvre le sol, jonché de pétales de roses blanches et illuminé par des chandelles. Allegra accepte une coupe de champagne pour trinquer avec son équipe, puis elle passe à l'eau minérale. Éléonore la taquine, voudrait voir son amie célébrer ce moment unique.

– Tu comprends pas, Élé. C'est fini pour moi, maintenant. Je me lance dans un monde ardu, où j'ai le potentiel de stresser comme une folle sur tout, sur mon apparence, mon poids, mon talent. Si je veux survivre, il faut que je me protège et pour moi, ça veut dire demeurer saine, en forme, relax. Si je me mets à boire, à faire la folle, à sortir jusqu'aux petites heures, à laisser le cirque m'emporter, tu vas me ramasser en mille morceaux dans six mois, je te le garantis.

Éléonore admire la volonté de fer d'Allegra. Mais elle se dit aussi que ces impératifs ne la concernent pas et elle fête son succès de bon cœur alors qu'elle reçoit les accolades de ses pairs. Le film a-t-il réellement plu ou sont-ils simplement polis ? Elle ne le saura pas avant la lecture des journaux du lendemain, mais pour le moment, elle s'en fiche. Elle accueille les compliments les plus démesurés comme s'ils étaient son dû. Le champagne lui monte vite à la tête, ce qui lui procure une légère euphorie dans laquelle elle baigne avec plaisir. Elle danse avec tous ceux qui l'invitent, ou s'amuse sur la piste de danse avec Allegra. Puis vient le moment qu'elle attendait sans se l'avouer, celui où Émile l'invite à son tour. Désinhibée par le champagne, Éléonore se colle à lui dès le début de la version acoustique de No Woman No Cry sur laquelle les convives se déhanchent langoureusement.

Ça fait longtemps qu'elle attend de pouvoir répondre à cette attirance qui bouillonne entre eux. Elle le trouve phénoménalement beau, mais ce qui la séduit surtout, c'est son enthousiasme, sa passion pour le cinéma. Ils peuvent parler des heures durant, avec une facilité qu'elle a rarement connue. Ils sont sur la même longueur d'onde, vivent les mêmes angoisses et les mêmes joies, s'intéressent aux mêmes pages du journal, aux mêmes magazines spécialisés. Il a lu tout ce qu'elle a lu, vu tout ce qu'elle a vu. En tant que professeur, il a surtout la connaissance théorique du monde du cinéma, elle a davantage d'expérience pratique. Cela rend donc leurs échanges incroyablement stimulants et Éléonore adore ces joutes à armes égales.

Mais pendant longtemps, il y avait Malik. Surtout, Émile et elle travaillaient ensemble et, en professionnelle avérée, Éléonore ne laisse jamais les impératifs de sa vie privée se mêler à son travail. Mais voilà que le film est derrière eux, qu'elle n'a plus à craindre que sa relation bourgeonnante avec Émile n'ait une influence indue sur ses décisions de productrice. Ce soir, pour une fois, elle remise la raison au placard et laisse ses envies la guider, alors qu'elle danse un morceau après l'autre avec un Émile qui n'arrive pas à croire à sa chance. Ils continuent à parler de tout et de rien, échangeant des observations sur les cinéastes, les acteurs et les producteurs qui se trouvent dans l'assemblée. Mais, cette fois, ils ont en plus le plaisir de se toucher, de ponctuer une remarque d'une caresse sur l'épaule, puis bientôt d'un baiser, et ils ne s'en privent pas. Éléonore s'est rarement sentie aussi foncièrement vivante. L'adrénaline de sa grande soirée se conjugue à celle d'une découverte amoureuse et elle est au septième ciel.

Le lendemain matin, c'est avec Émile à ses côtés qu'elle consulte les journaux. Elle appelle vite Allegra, mais la standardiste lui répond que «madame Montalcini est sortie». Elle l'attend donc impatiemment dans le hall de l'hôtel et lui saute dessus lorsqu'elle rentre de sa balade, nonchalante.

– Allegra Montalcini! T'étais où?

– J'ai fait un tour de gondole, puis j'ai marché autour de la Piazza San Marco. Comme il pleut, il n'y avait pas trop de monde. Juste des pigeons!

– Lâche-moi avec tes pigeons. T'as vu les journaux? *Le Figaro*?

– Non…

– Allegra, tu as fait un malheur! Et nous aussi!

– C'est vrai?

– Ils sont unanimes! Ou presque. En fait, le seul bémol, c'est qu'un ou deux journaux ont critiqué le jeu d'Ariane, qu'ils ont jugé trop mélodramatique par moments. Elle ne va pas être de bonne humeur.

En effet, Kathia, l'assistante d'Ariane, appelle Éléonore pour lui annoncer que sa patronne est prise d'un malaise et devra rentrer à Montréal plus tôt que prévu, avant la remise des prix qui doit couronner le festival. Éléonore est déçue de ce manque de professionnalisme, Ariane demeurant la tête d'affiche du film, celle dont le visage est connu du grand public. Il aurait été important qu'elle continue d'en faire la promotion jusqu'à la fin. Mais Éléonore refuse de laisser ces manières de diva gâcher son bonheur.

Et le reste de la semaine est du bonheur à l'état pur. Délestée du poids d'avoir à présenter son film en première mondiale, contente de l'accueil qu'il a reçu, elle peut maintenant profiter à fond du festival et elle ne s'en prive pas. Accompagnée d'Émile ou d'Allegra, elle fait le tour des salles de projection, se délectant de films japonais, russes et argentins. Elle rencontre nombre de cinéastes et de producteurs d'importance et se fait surtout approcher par plusieurs distributeurs, qui voient un avenir brillant pour son film à l'échelle internationale. Éléonore ne pouvait souhaiter mieux. Le quatrième jour du festival, après un rendez-vous d'affaires qui s'est éternisé tout l'après-midi, elle décide sur un coup de tête d'inviter Allegra à aller prendre un verre au célèbre Harry's Bar, là où Giuseppe Cipriani a inventé le Bellini, ce fameux cocktail fait d'un mélange de *prosecco* et de purée de pêche blanche.

Vêtue d'une robe noire et d'une large ceinture de cuir brun qui lui cintre la taille, Éléonore est resplendissante. Allegra pour sa part arbore une camisole de soie dorée et une paire de jeans *skinny*, qu'elle a agencés avec des escarpins vertigineux. Éléonore commande du champagne et trinque à la santé de leur projet. Les deux amies sont prises par la frénésie du festival et, si elles trouvent ce rythme épuisant, elles conviennent toutes les deux qu'elles sont pompées à l'adrénaline comme rarement auparavant.

– Et c'est ce qui t'a jetée dans les bras du beau Émile? demande Allegra, taquine.

– Non! rétorque Éléonore en prenant une gorgée de champagne. Tu sais bien que ça fait longtemps que ça se travaille.

– Je sais! Pis, il est comment?

– Voyons, tu le connais! Il est gentil, attentionné, drôle…

– C'est pas ça que je veux dire et tu le sais très bien.

– Ben, qu'est-ce que tu veux savoir?

– Éléonore! Il est comment au lit, bien sûr!

– C'est bien…

– Ouh, t'as pas l'air follement enthousiaste.

– Non, non, voyons! C'est super. C'est juste que… c'est différent.

– Différent de Malik?

– Ben oui. Qui d'autre ? Mais c'est normal que ce soit un peu bizarre, la première fois avec une nouvelle personne, non ?

L'image de Frédéric surgit dans la tête d'Allegra quand elle s'apprête à répondre. Tiens, elle n'y avait pas repensé, à celui-là.

– Ça dépend, Élé. J'ai déjà eu des premières fois extra-ordinaires. Mais c'est vrai que des fois, ça prend un certain temps avant de trouver son rythme de croisière, si tu vois ce que je veux dire.

– Oui, c'est ça. C'est très cool avec Émile, on a une super-complicité, mais j'ai pas toujours de… de feu d'artifice.

– Joue pas avec les mots, tu veux dire un orgasme ?

– Chut, Allegra.

– Élé, on est en Italie, personne ne nous comprend.

– C'est quoi, « orgasme », en italien ?

– Euh, les cours de mon père quand j'étais petite ne sont pas allés jusque-là. Mais pour revenir à nos moutons, tu veux dire qu'avec Malik, t'en avais tout le temps ?

– Ben, oui. On se connaissait bien. Pourquoi, c'est pas normal ?

– Euh… non ! Éléonore Castel ! T'avais la poule aux œufs d'or sous la main pis tu m'en avais jamais parlé.

– Quelle image ! dit Éléonore en pouffant de rire.

Elles rentrent à l'hôtel dans la nuit douce, titubant de fatigue et de champagne. Allegra s'est laissé entraîner par l'enthousiasme d'Éléonore et elles ont commandé une deuxième bouteille avec un plateau d'huîtres et de fruits de mer. Dès le lendemain matin, elle regrette cette incartade ; elle a mal à la tête, se sent nerveuse, déshydra-tée, et choisit de rester au lit plutôt que d'entamer sa séance de yoga matinale. Il ne reste qu'une journée de représen-tations avant la fameuse remise des prix. Elle décide de passer cette journée en solitaire, de retourner marcher dans la ville, puis de se rendre au gym de l'hôtel pour une séance d'exercices cardiovasculaires. Elle court sur le tapis roulant jusqu'à ce que le sang lui batte les tempes et se sent peu à peu redevenir elle-même.

Le matin suivant, elle passe un long moment dans le bain et se détend en massant ses pieds et ses mollets avec quelques gouttes d'huile essentielle. Puis elle médite, assise en position du lotus, et tente de chasser de ses pensées toute référence à la cérémonie du soir. Elle n'y arrive pas vraiment, sentant par intermittence le stress et l'énervement l'envahir. Elle se bat pour demeurer calme et faire taire la petite voix qui lui chuchote : *Après tout, n'ai-je pas le droit d'être énervée ? Je suis en nomination pour un prix d'envergure internationale, pour mon tout premier rôle ! C'est ce soir que ça se passe !*

Elle rejoint l'équipe dans le hall de l'hôtel. Éléonore s'exclame devant la robe de dentelle ocre signée Monique Lhuillier qui épouse les courbes d'Allegra. Elle fera fureur, c'est garanti. La foule qui les attend fait presque hésiter Allegra. Elle a peur tout à coup, peur de ce qui l'attend, du tournant que risque de prendre sa vie. Puis elle se tourne vers Éléonore, qui lui sourit et lui serre la main, et elle sort de la limousine la tête haute.

Les flashs crépitent. Allegra en est presque aveuglée. Elle entend son prénom, hurlé par les paparazzi en quête d'images ou par les fans en quête d'autographes. Cela lui semble absolument irréel alors qu'elle s'avance, souriant aux uns et signant avec gentillesse les bouts de papier tendus par les autres.

Cette sensation de flotter perdure jusque tard dans la soirée. Quand les présentateurs annoncent en italien, en français et en anglais la remise du prix Marcello-Mastroianni, Allegra a l'impression de quitter son corps et de survoler la salle de haut. Ce n'est plus elle qui est assise bien droite dans sa robe au décolleté plongeant. Ce n'est plus elle qui se lève comme un automate lorsqu'elle entend son nom. Plus elle qui embrasse Éléonore, Émile et Jacques, qui marche en tremblant jusqu'à la scène. Le trophée entre les mains, elle surplombe l'assistance en délire, semblant chercher un point d'ancrage. Elle n'en trouve pas, et malgré tout elle se lance.

– *Cari amici, è un grande onore che mi fanno*[5].

Avec ces mots chuchotés de façon presque intime dans le micro, c'est toute l'Italie qui adopte Allegra comme l'une des siens. « *Suo padre è italiano*[6] », murmure-t-on dans les allées. Allegra remercie son équipe, parle chaleureusement de Jacques Martel et d'Éléonore, puis elle revient s'asseoir, toujours sur un nuage.

Le rêve continue jusque tard dans la soirée. La réception de clôture du festival bat en opulence toutes les soirées qui l'ont précédée et fait mentir tous ceux qui prédisent la fin imminente de la Mostra de Venise pour cause de manque de fonds. Allegra est au septième ciel, on l'applaudit partout où elle va, et elle accepte avec plaisir les maintes coupes de champagne qui sont tendues vers elle. N'ayant plus l'habitude de boire, elle est déjà complètement soûle quand elle perçoit enfin la vibration de son téléphone cellulaire dans son sac à main de soirée.

– Allo ? hurle-t-elle au milieu de la foule.

– Allegra ? Tu m'entends ?

– Chiara ? C'est toi ?

---

5. Chers amis, c'est un immense honneur que vous me faites.
6. Son père est italien.

– Félicitations!!! C'est trop fou!

– Merci!

– Attends, il y a quelqu'un ici qui veut te féliciter.

– Allegra…

La voix qu'elle entend à l'autre bout du fil la fait presque vaciller.

– Frédéric?

– Je te félicite, ma belle… Tu veux que je t'emmène célébrer à Capri? Je peux être là demain matin si tu veux.

– Quoi?

– Allo? Allo?

La ligne se coupe. Malgré ses efforts, Allegra n'arrive pas à rétablir la communication, et elle est vite entraînée de nouveau par le tourbillon des sourires et des félicitations. Elle accroche Éléonore à un moment de la soirée pour lui raconter cette étrange conversation.

– C'est quoi, cette histoire d'être là demain et de m'amener à Capri?

– C'est qui, ce gars-là?

Allegra lui relate ce qu'elle sait de Frédéric. Journaliste sportif, condo dans le Vieux-Montréal.

– Attends, tu parles de Frédéric Marchelier?

– Je sais pas, pourquoi?

– Marchelier, Allegra, ça te dit quoi?

– Pas la famille qui est propriétaire de la brasserie Waters?

– Entre autres nombreux investissements, oui. Ils ont une célèbre villa à Capri. Tu savais, non, que le fils était journaliste à la radio?

– Non, je dois avouer que j'ai jamais fait le lien. Ah! C'est pour ça…

– Pour ça quoi?

– Il a parlé de filles qui s'intéressaient à lui pour les mauvaises raisons, mais j'avais pas compris à quoi il faisait référence.

– Ben, maintenant tu le sais! Alors, il débarque demain ou pas?

– Je sais pas!

Étourdie par l'alcool, Allegra accepte toutes les invitations à danser. Elle se retrouve dans un groupe restreint invité par un financier italien à terminer la soirée sur son yacht. Le luxe de l'embarcation éblouit Allegra et elle ne proteste pas lorsqu'on continue de remplir sa coupe de tous les meilleurs champagnes. On sent que l'aube approche quand l'un des jeunes fêtards sort un petit sac de plastique de sa poche et offre à tous les invités de minces lignes de cocaïne bien disposées sur un miroir. Allegra refuse d'abord d'un bref mouvement de tête, puis une petite voix en elle lui dit: *Après tout, pourquoi pas? Pour une fois. Ce soir, je le mérite.* Elle aspire la poudre blanche dont elle sent immédiatement l'effet énergisant. Cette soirée magique lui apparaît tout à coup encore plus belle, les étoiles qui ornent le firmament brillent encore davantage, et le joueur de polo argentin assis à ses côtés lui semble encore plus irrésistible. Intoxiquée par le succès, elle ne sent pas le besoin d'aller trop loin et se contente de l'embrasser, confortablement installée sur une banquette de cuir blanc du yacht amarré au quai.

Quand le soleil se lève, elle accepte un verre de mimosa, puis indique qu'elle aimerait rentrer. Galant, son hôte fait tout de suite venir une voiture avec chauffeur qui la ramène jusqu'à l'hôtel. Là, elle sombre avec reconnaissance dans le sommeil, ayant pris soin de verrouiller sa porte à double tour et d'interdire tous les appels. Lorsqu'elle se réveille, il est passé midi. Elle demande qu'on lui monte un petit-déjeuner et surtout un immense café. Elle a un mal de bloc insupportable, une vague nausée, la bouche pâteuse et l'impression que le monde s'est écroulé autour d'elle. Malgré tout, son cerveau demeure fébrile, revivant sans cesse le moment clé de la veille, quand son nom a été annoncé dans l'immense amphithéâtre.

La femme de chambre lui apporte des serviettes propres et ses messages en même temps que le petit-déjeuner. Elle a reçu nombre de corbeilles de fruits et de bouteilles de champagne qui s'entassent sur la petite table du coin. Elle décide de manger d'abord, puis feuillette la liasse impressionnante de messages. Elle lit les noms en diagonale, ne s'arrêtant que lorsqu'elle voit celui d'Éléonore, qui lui demande de l'appeler sur son cellulaire, puis celui de Frédéric Marchelier, indiquant qu'il l'attend à midi trente sur la terrasse de l'hôtel, si cela lui convient. Elle regarde sa montre. Midi quinze. Vite, elle saute sous le jet de la douche, faisant alterner le froid et le chaud pour mieux se réveiller. Elle se sent prise par un tourbillon et c'est avec nervosité qu'elle enfile un jeans, un t-shirt blanc et une paire de ballerines. Elle dévale les escaliers à la course, trop énervée pour attendre l'ascenseur. Son arrivée sur la terrasse de l'hôtel ne passe pas inaperçue. Les cheveux mouillés, l'air tout juste sortie du lit, elle détonne parmi la clientèle plutôt austère de l'hôtel de luxe. Un des clients la reconnaît et se met lentement à l'applaudir. Le reste de la terrasse se joint à lui et c'est en rougissant qu'Allegra se fraie un chemin jusqu'à la table où l'attend Frédéric.

Vêtu d'un complet de lin beige et d'une chemise blanche entrouverte sur sa poitrine, il cadre parfaitement dans le décor. Il se lève pour faire la bise à Allegra. Elle retrouve son odeur légèrement citronnée et elle frissonne. Il lui sourit. Quand il commande une bouteille de champagne, elle n'ose pas protester, même si l'idée de boire de l'alcool lui donne la nausée. Elle avale d'abord un espresso bien serré,

puis accepte une coupe de champagne avec laquelle elle porte un toast.
— Aux belles rencontres et aux grandes retrouvailles.
— Santé !

Allegra et Frédéric se dévisagent, tout sourire. Ils ont l'air d'avoir été frappés par la foudre, figés sur place dans leur contemplation mutuelle. Ils dégustent une sélection d'antipasti, terminent la bouteille de champagne et en entament une deuxième. Le soleil brillant de l'après-midi les entoure d'une aura dorée, ce qui aux yeux d'Allegra rend le tout d'autant plus irréel. Lorsqu'il parle de leur trajet pour se rendre à Capri en soirée, elle acquiesce à tout, ne comprenant rien des mots « chauffeur », « bateau » ou « jet privé ». Elle commence à s'habituer dangereusement à cet état mi-éveillé, mi-flottant dans un monde de rêve.

Éléonore fait irruption sur la terrasse en compagnie d'Émile et de Jacques Martel. Allegra leur présente Frédéric, qui les invite à se joindre à eux. Il commande deux nouvelles bouteilles de champagne et félicite chaudement les artisans de ce que tous s'accordent à considérer comme un grand film. Allegra babille, joyeuse, ne remarquant pas le regard inquiet qu'Éléonore porte sur elle. Celle-ci n'avait pas trop pris au sérieux le vœu d'abstinence de son amie, le jugeant un peu extrême, mais en observant Allegra, elle ne peut s'empêcher de la trouver changée. Fébrile, parlant trop fort, d'une voix trop aiguë. Elle lui rappelle la Allegra des années new-yorkaises, celle qui était prête à tout pour plaire et séduire. Le visage d'Allegra s'illumine quand Émile déplie la première page du journal *L'Arte*, qui titre : « *Allegra : Nostra figlia torna a casa*[7] ».

---

7. Notre fille rentre à la maison.

Lorsque tous ont terminé de boire et de manger, ils se disent au revoir, Éléonore, Émile et Jacques se préparant à rentrer à Montréal, Allegra faisant ses valises pour partir vers Capri. Frédéric lui demande d'être prête à 16 heures. Elle remonte à sa chambre et prend de nouveau sa douche, tentant de se secouer et d'effacer les dernières traces de fatigue laissées par la soirée de la veille. Elle tient à être à son mieux pour Frédéric et regrette de ne pas avoir le temps de passer au salon de beauté de l'hôtel pour rafraîchir sa pédicure. Elle chantonne en fermant son sac et est surprise lorsque Frédéric se présente à sa porte vers 15 heures.

– On part déjà? Je suis presque prête.

– Allegra, changement de programme. Je suis rappelé à Montréal. J'ai demandé à Éléonore de bien vouloir te prendre un billet sur le même vol qu'elle.

– Je comprends pas… Je vais te revoir à Montréal, alors?

– On verra. Bon voyage!

Et le voilà qui disparaît. Confuse, Allegra appelle Éléonore, qui vient tout de suite la rejoindre dans sa chambre, un journal à la main.

– C'est quoi, ça? demande Allegra. Encore une critique?

– Non. Un journal à potins italien.

– Et alors?

Éléonore déplie le journal. En première page, sur une photo dont on voit les pixels, tant elle a été agrandie, et qui semble avoir été prise à l'aide d'un téléphone cellulaire, on voit Allegra dans une étreinte passionnée avec le joueur de polo argentin de la veille. Elle est presque renversée dans ses bras pendant qu'il l'embrasse goulûment.

Allegra tombe assise sur son lit. L'Argentin! Elle l'avait oublié, celui-là.

– C'est pour ça que… que Frédéric est parti?

– J'imagine. Il n'a rien dit, mais il avait le journal sous le bras quand il est venu me voir.

– Crisse !

– Veux-tu bien me dire ce qui t'a pris ? Tu le savais, que Frédéric arrivait ce matin, non ?

– Non, j'étais sûre de rien, se défend Allegra. Franchement, il est bien prude. Un baiser de fin de soirée, qu'est-ce que ça peut bien faire ? Je ne lui avais rien promis, à ce que je sache.

– T'es tellement de mauvaise foi. De quoi tu penses qu'il a l'air, là ? C'est humiliant pour lui et surtout c'est un manque de respect.

– Merde, merde, merde. Tu penses que je peux le rappeler ?

– Je pense que t'es mieux de le laisser décanter, et surtout, t'es mieux de te tenir tranquille ! Fais attention, Allegra.

– Ça va faire, ta morale de bonne sœur.

– Quoi ? C'est toi qui te mets dans le pétrin et c'est moi qui mange de la marde ?

Allegra sent la migraine l'envahir. Elle a mal au cœur et se sent attaquée par les pulsations qui martèlent ses tempes, tant elles lui semblent violentes.

– Laisse-moi tranquille, OK ?

– *Fine !* rétorque Éléonore en claquant la porte.

Allegra s'écroule sur son lit, étourdie.

De retour à Montréal, elle est éberluée de se retrouver dans son appartement. Fini, le strass, les paillettes, le champagne, les flashs des caméras si omniprésentes qu'elle ne les remarquait plus. Elle s'assoit dans son salon, sa valise à ses pieds, hébétée. Éléonore lui a tenu la main, au propre et au figuré, jusqu'à leur arrivée à Montréal. Mais ensuite, elle est rentrée chez elle, pressée de rejoindre sa fille, et sûrement aussi de savourer, des étoiles dans les yeux, les souvenirs de sa première soirée avec Émile.

Allegra jette un coup d'œil autour d'elle, nerveuse, cherchant un point d'intérêt sur lequel poser son regard et son attention. Rien. Sa voisine Agnès est montée tous les trois jours arroser les plantes ; elle a même gentiment fait une petite épicerie avant son retour, lui laissant pain, lait et œufs dans le réfrigérateur, de même qu'une assiette de spaghetti maison. Allegra n'a donc pas besoin de sortir faire les courses. Mais elle se sent fébrile, insatisfaite. Elle décide d'appeler sa sœur.

— Allegra ? Qu'est-ce que tu fais là ? Je pensais que tu restais en Europe quelques jours encore. Tu devais pas aller à Capri ?

— Je te raconterai. Tu peux venir ?

— Quand Jasper se réveille, je le mets dans la poussette et j'arrive. Attends… Quoi ? Qu'est-ce que tu dis ?… Allegra, Emmanuel demande s'il peut venir aussi.

— Je préférerais pas.

— Voyons, pourquoi ?

— Je te raconterai. Dépêche-toi, hein ? Et passe à la SAQ en chemin.

— La SAQ ? Il est 3 heures de l'après-midi !

Allegra a déjà raccroché.

Chiara trouve sa sœur prostrée dans son fauteuil. Allegra ne tend même pas les bras vers Jasper. Elle joue avec le bout de ses cheveux. Chiara étend une couverture de bébé sur le tapis du salon, y dépose Jasper avec un jouet d'éveil et se dirige vers la cuisine pour y préparer du café. Elle en sert un à sa sœur.

— T'es pas passée à la SAQ ?

— Une chose à la fois. Bois ça, et raconte-moi ce qui se passe.

Allegra lui déballe tout, Venise, les galas, la remise de son prix, la soirée de fête qui a suivi, l'arrivée soudaine de Frédéric et sa disparition tout aussi soudaine.

Chiara fronce les sourcils.

– Montre-moi le journal. Tu l'as ici?

– Je sais pas, regarde dans mon sac à main, il est à tes pieds.

Chiara en sort une feuille de journal toute froissée. Elle l'étale sur la table basse devant elle.

– Eh *boy*! T'avais pas la langue dans ta poche ce soir-là!

– Très drôle. Mais là, qu'est-ce que je fais?

– Qu'est-ce que tu fais avec quoi?

– Avec Frédéric! Tu le connais, non, c'est un des meilleurs amis d'Emmanuel! Est-ce que je devrais l'appeler, ou attendre qu'il m'appelle?

– Ni un ni l'autre. Allegra, ce gars-là, tu le reverras jamais.

– Pourquoi tu dis ça?

– Il se prend pas pour n'importe qui, Frédéric Marchelier. Il est très orgueilleux de son nom de famille.

– Voyons! Quand je l'ai rencontré, au contraire, il m'a dit qu'il était tanné des filles qui courent après lui juste pour ça!

– C'est sûr qu'il a le syndrome des «fils de»: il veut être aimé pour lui-même. Mais c'est un coq! Très soucieux de son image. Il te pardonnera jamais de l'avoir humilié comme ça. Imagine, il avait dit à tout le monde qu'il s'en allait te rejoindre en Italie! Pis je sais pas si tu sais, mais tout le monde parle de toi, ici. Dans les journaux, à la télé, ton prix est partout!

– Oui, mais…

– Il n'y a pas de «mais» qui tienne, Allegra. Oublie ça, oublie-le. De toute façon, ça aurait jamais marché, entre vous. Il est très soucieux du qu'en-dira-t-on, et tu es trop *free spirit* pour lui. Crois-moi.

– Ouin…

Allegra demeure silencieuse un moment.

– Pis là, je fais quoi ?

– Qu'est-ce que tu veux dire ?

– Je fais quoi de ma vie, je fais quoi des dizaines de messages dans ma boîte vocale, je fais quoi des centaines de courriels que j'ai reçus ?

– Ça, c'est à toi de voir. T'as pas un agent pour s'occuper de ça ?

– Non...

– Tu devrais au moins engager une relationniste. Ça te prend une professionnelle pour gérer ça.

– Ouin...

– Tu veux que je jette un coup d'œil avec toi ?

– OK.

Chiara passe rapidement en revue les courriels accumulés dans la boîte de réception d'Allegra. La plupart lui ont été transférés par une secrétaire de Castel Communications, Allegra n'ayant pas officiellement d'agent. Des félicitations, des demandes d'entrevues... Puis Chiara sursaute.

– Allegra !!! Allegra !

Quoi ?

– *Paris Match* ! T'as une demande d'entrevue du *Paris Match*.

– T'es sérieuse ?

– Oui ! Avec Ariane Montredeux.

– Qu'est-ce que je fais ?

– Tu réponds oui et t'engages une relationniste ! Arrête de te traîner les pieds, ma vieille. Réveille !

– Arrête de crier.

– Je crie pas !

– Tu cries. Je pense que je vais aller défaire ma valise, OK ?

– Tu ne t'en tireras pas si facilement. Demain, t'engages quelqu'un, c'est clair ?

– OK, OK. Une chose à la fois.

Jasper vient en aide à Allegra en se mettant à pleurer. Chiara s'installe dans le fauteuil pour l'allaiter. Allegra traîne sa valise dans sa chambre et commence à contre-cœur à la vider. Elle sort la robe qu'elle a portée pour le gala de remise des prix, déjà toute chiffonnée et salie par une minuscule tache de vin rouge. C'est un distributeur français qui a renversé quelques gouttes de vin en lui parlant, elle s'en souvient. Découragée, elle roule la robe en boule et la lance dans son panier à linge sale.

Le lendemain, elle se réveille avec un tantinet plus d'énergie. Elle a profité d'une bonne nuit de sommeil et les mots que Chiara a prononcés la veille ont fait leur chemin dans sa tête. En se brossant les dents, elle se répète, telle une incantation: «*Paris Match... Paris Match*!» Son énervement est croissant. Après avoir déjeuné, elle appelle Éléonore.

– Élé? Il paraît que j'ai besoin d'une relationniste.

– Ah bon?

– C'est Chiara qui dit ça. J'ai des milliers de demandes d'entrevues, et même une du *Paris Match*!

– Je sais, on m'a prévenue. Une séance photos avec Ariane.

– Elle va vouloir?

– Je pense que oui. Elle va être insultée de partager la vedette avec toi, mais elle ne refusera pas. Donc, tu veux une relationniste?

– Je pense que oui. J'ai l'impression de me noyer, sinon.

– Appelle Nathalie Villard. Elle connaît tout le monde, dans le milieu.

Nathalie a la jeune trentaine et elle est une boule d'énergie qui laisse Allegra pantoise. Lorsqu'elles se rencontrent, aux bureaux de Nathalie sur le boulevard Saint-Laurent, Allegra lui spécifie qu'elle n'a besoin d'elle que pour une courte période, un mois tout au plus, le temps que la tempête se calme. Nathalie la surprend en répondant :

– Allegra, si je fais ma job comme du monde, tu vas avoir besoin de moi pas mal plus longtemps que ça. On va faire de toi une star !

Allegra acquiesce, les yeux brillants. Cette célébrité qu'elle a tant recherchée, voilà qu'elle lui tombe dessus sans préavis, et le phénomène prend une ampleur qu'elle n'avait pas prévue. Au cours des semaines suivantes, elle continue de se sentir fébrile, peine à se calmer, doit même abandonner ses séances de méditation, après quelques essais infructueux, parce qu'elle ne parvient pas à demeurer assise assez longtemps. Elle n'a pas bu ni consommé de drogues depuis Venise, regrettant amèrement ses éclats, mais cela ne semble pas suffire. Une pression immense pèse sur elle : celle de choisir avec soin son prochain projet parmi les offres qui se multiplient.

Prise dans ce tourbillon d'angoisse, elle a appelé Frédéric une ou deux fois, mais comme l'avait prédit Chiara, il ne l'a jamais rappelée. Aux dernières nouvelles, il s'est affiché avec une Miss Météo dans plusieurs soirées. Allegra ressent parfois un pincement lorsqu'elle pense à lui, se demande si elle n'est pas passée à côté de quelque chose. Puis les paroles de Chiara lui reviennent en tête. « Un coq. Tu es trop *free spirit* pour lui. »

Peut-être, se dit Allegra. *Mais alors, il est où, celui qui sera juste parfait pour moi ?*

Chapitre sept

Yasmina rentre à pas vifs vers l'appartement de son oncle, dans le seizième arrondissement, où elle vit depuis son arrivée à Paris. Elle tient sous son bras le dernier exemplaire du *Paris Match* avec en page couverture une photo qui a fait parler : celle d'Ariane Montredeux et Allegra Montalcini, debout, nues et enlacées, le coude et le genou de l'une cachant la poitrine et l'entrejambe de l'autre.

Depuis que *Les années sombres* ont connu un succès monstre à la Mostra de Venise, il y a trois mois, Éléonore n'a pas chômé : elle a négocié des ententes de distribution dans onze pays, incluant la France, où le dernier film de Jacques Martel fait un tabac. Forte de son prix d'interprétation à Venise, Allegra a acquis une renommée certaine sur le continent et sa scène amoureuse avec Ariane Montredeux est vite devenue légendaire. Lorsque *Paris Match* a approché les deux actrices, souhaitant immortaliser leurs ébats sur une page couverture-choc, Allegra n'a pas hésité : il s'agissait là d'une occasion unique de se faire connaître en France. Il a été plus ardu de convaincre Ariane, qui souhaitait être plus en vue que sa collègue et a de nouveau exigé qu'Allegra se fasse examiner par un dentiste avant la séance. Mais le résultat y est, et monsieur et madame Tout-le-Monde connaissent maintenant les deux actrices québécoises.

Yasmina observe ces allées et venues de loin, contente de profiter des comptes rendus réguliers d'Éléonore tout en restant à bonne distance des mélodrames afférents. Allegra n'a jamais bien réagi aux périodes de pression et de stress intenses, et celle-ci ne fait pas exception. Yasmina sait qu'Éléonore s'inquiète pour son amie, mais elle juge de son côté qu'Allegra commence à être assez grande pour se débrouiller toute seule. C'est une relation étrange qu'elles entretiennent, toutes les deux : elles connaissent les détails intimes de la vie de l'autre, par Éléonore, portent des jugements sur leurs décisions respectives, mais elles ne se croisent pas souvent. Quand Yasmina vient en visite à Montréal, elles font parfois une sortie de filles à trois, pendant laquelle elles s'amusent, mais il n'y a toujours pas de complicité particulière entre Allegra et Yasmina, qui ont des manières souvent diamétralement opposées de concevoir la vie et l'amitié.

Néanmoins, les amis de Yasmina à Paris sont fascinés d'apprendre qu'elle connaît bien la célèbre beauté italo-québécoise et plusieurs ont quémandé une rencontre, Fabien le premier. Lorsqu'elle arrive chez elle ce soir-là et qu'elle regarde les photos du *Paris Match*, Yasmina se dit que cet intérêt n'est pas près de s'éteindre. Surtout qu'Allegra est attendue à Paris dans quelques semaines, en compagnie d'Éléonore et de son équipe, pour une campagne de promo tous azimuts dans les médias français. Yasmina a très hâte de revoir Éléonore et elle espère pouvoir passer du temps avec elle en dehors du cirque publicitaire.

Leur relation a bien entendu souffert de la rupture d'Éléonore avec Malik ; Yasmina ne comprend toujours pas pourquoi son amie a abandonné la partie avec tant de facilité et elle a détesté voir son frère à la dérive. Elle n'en a rien dit à Éléonore, par loyauté envers son frère et par orgueil aussi, mais Malik a réagi durement à la fin de leur relation. Yasmina ne l'avait jamais vu si éteint. Au téléphone, elle peinait à comprendre ce qu'il lui marmonnait sans finir ses phrases. Elle s'est réellement inquiétée, sa mère aussi, puis Malik a semblé prendre du mieux. Il s'est relancé avec vigueur dans son travail. Il a même une nouvelle blonde. Yasmina n'a pas osé en informer Éléonore, se disant que ce n'était pas son rôle. Quand ce sera assez sérieux pour que Malik veuille présenter sa copine à Mathilde, ce sera à lui d'aviser Éléonore. D'ici là, Yasmina se contente de le questionner pour assouvir sa curiosité. Ruby est une jeune femme issue d'une grande famille new-yorkaise, élevée dans les meilleures écoles de l'Upper East Side et les *finishing schools* suisses, aujourd'hui styliste chez *Vogue* et figure connue de la haute société de Manhattan. Personne dans la famille Saadi ne l'a encore rencontrée, mais Jacqueline ne tient plus en place et planifie d'inventer sous peu un prétexte qui justifierait un séjour à New York.

Et voilà qu'Éléonore aussi a un nouveau chum! Elle a cru bon de prévenir Yasmina, avant de débarquer à Paris avec Émile à sa suite. Yasmina n'en parlera pas à Malik, mais elle sait que ce n'est qu'une question de temps avant qu'il ne l'apprenne, Émile ne cachant pas la relation qu'il a avec sa productrice dans les nombreuses entrevues qu'il accorde. Dès son retour de Venise, il a pris un congé sans solde et se consacre à temps plein à la promotion des *Années sombres*, de même qu'à la rédaction d'un nouveau scénario. On le voit donc partout et il ne refuse aucune requête médiatique. Yasmina se méfie déjà de sa tronche de jeune premier, mais elle sait qu'elle n'est pas très objective à son égard. Elle a tout de même hâte de le rencontrer et de se forger une opinion plus approfondie sur celui qui a supplanté son frère.

En attendant, elle hiberne à Paris, détestant le mois de novembre toujours gris, sans le répit d'une bonne bordée de neige blanche comme à Montréal. Simplement de la grisaille, jour après jour.

– On se croirait à Londres, marmonne-t-elle parfois, de mauvaise humeur.

– T'en as marre de Paris ? lui demande alors Loïc en rigolant.

– Ça, jamais ! réplique Yasmina.

C'est leur numéro habituel. Loïc termine son stage à Noël et souhaite quitter Paris par la suite. Yasmina est férocement attachée à sa routine, à ses études, à sa bibliothèque. Pour le moment, ils laissent le temps passer et ne parlent pas trop d'avenir, attendant de voir où les choses vont les mener. Loïc dépose plusieurs demandes auprès d'organismes divers, sans s'en cacher mais sans non plus en parler en détail à Yasmina, espérant pouvoir mieux la tenter par un projet concret lorsque celui-ci se présentera. Quant à elle, elle espère une issue miraculeuse qui reportera encore d'un an le départ de Loïc. Au moins le temps qu'elle termine son doctorat. Son directeur de thèse est très satisfait de ses progrès et mentionne parfois en sourdine la possibilité d'un poste de professeur remplaçant l'année suivante, l'une des professeures de littérature moderne étant enceinte. Yasmina continue donc de faire la sourde oreille à toute suggestion de départ.

Mais elle ne pourra utiliser longtemps la technique de l'autruche. Deux jours avant l'arrivée prévue d'Éléonore et de sa bande, Loïc appelle Yasmina sur son portable, la voix débordante d'enthousiasme.

– Yasmina ? Tu fais quoi ce soir ?

– J'étudie, pourquoi ?

– Du riz avec des plantains et des calmars grillés, ça te dit ?

– Chez Gaïa ?

– Où d'autre ?! Vers 20 heures, ça te va ?

Assise dans le métro, Yasmina termine la lecture d'un texte issu des écrits personnels de Gaston Miron, en route vers le bistro brésilien du Marais que Loïc et elle affectionnent. Il arrive tout de suite après elle. Au début de leur relation, Loïc revenait des Alpes où il avait passé un an. Il arborait donc un hâle qui détonnait dans l'hiver parisien, ainsi qu'un crâne presque rasé de sportif. Depuis, ses cheveux noirs ont retrouvé leurs boucles citadines et il a plutôt l'air d'un éternel étudiant avec son jeans et son sac en bandoulière. Mais sa démarche féline séduit toujours autant Yasmina. Elle lui rappelle le rockeur qu'il était quand elle l'a rencontré. Il l'embrasse et s'assoit, commandant deux *caipirinhas* à la serveuse. Ses yeux brillent d'excitation et Yasmina a presque peur de lui demander ce qui lui arrive.

– Ça y est, ma belle, ça y est ! Ça roule !

– Raconte.

– J'ai décroché un poste pour… je te le donne en mille… Médecins sans frontières !

– C'est vrai ?

– C'était mon rêve, je te jure, il a fallu que je rame, que je passe des examens, des entretiens, mais ça y est, j'ai un poste ! Médecin secouriste en brousse.

Yasmina se sent devenir blanche tandis que son cœur bat à tout rompre dans sa poitrine.

– Alors, tu pars où ?

– Je ne sais pas encore. On me dit que ce sera en Afrique francophone. Il y a des ravages avec le sida, la polio… et bien peu de médecins. Te rends-tu compte de l'importance de ce que je vais faire ?

Ce dont Yasmina se rend surtout compte, c'est qu'elle ne peut opposer son désir de confort parisien aux ambitions philanthropiques de son copain. Ce n'est pas là une bataille qu'elle oserait même entamer. Il lui reste donc à déterminer quel sera son rôle dans cette nouvelle aventure.

– Yasmina, ma belle, ma jolie, l'Afrique, ça te dit ? Le soleil, la brousse, la savane… les éléphants ?

– Les safaris, c'est plutôt en Afrique anglophone, non ?

– Bon, alors la jungle, les gorilles, les montagnes, les fleuves, la nature vierge, les grands défis ? Allez, tu dis quoi ?

– Laisse-moi le temps d'encaisser le choc.

Elle boit une grande gorgée de *caipirinha*.

– Je te laisse… jusqu'à lundi, dit Loïc.

– C'est une blague ?

– Malheureusement, non. Mon affectation ne sera pas la même si je pars seul ou accompagné. Je ne serai pas placé dans une zone rouge si je pars avec toi.

– Ah, parce qu'en plus, ma présence te sauverait la vie, c'est ça ?

– T'as tout compris. Allez, Mina, où est ton sens de l'aventure ?

– Bien caché, on dirait.

Ils font honneur aux grillades et aux salades de l'établissement, oubliant, le temps d'une soirée, la grisaille qui les entoure. Loïc essaie de tenter Yasmina avec la perspective de profiter du soleil à l'année, de ne plus avoir à naviguer sur les trottoirs glacés ni à acheter de parka ; elle doit s'avouer que cette idée la séduit. Elle est entraînée par l'enthousiasme de son amoureux, l'écoute décrire les couchers de soleil sur la savane, le désert, la mer, les fruits tropicaux. Elle se laisse bercer par ces rêves d'ailleurs, remettant à demain les dures décisions qui s'annoncent.

Ce soir-là, Loïc la tient longtemps dans ses bras, lui murmurant des mots doux et la serrant comme s'il ne voulait jamais la laisser s'envoler.

Le lendemain, Yasmina décrète que ce sera une journée de réflexion. Chose qu'elle fait toujours mieux un bouquin et un calepin à la main, dans un café grouillant de monde. Assise aux Deux Magots, elle déroule sa longue écharpe et sort de son sac un vieux livre élimé, acheté quelques minutes auparavant chez un bouquiniste bourru installé près du pont Saint-Michel. Elle sait très bien qu'elle pourrait aisément se procurer *La condition humaine* d'André Malraux à la FNAC du coin ou à n'importe laquelle des petites librairies indépendantes qui survivent encore tant bien que mal à Paris. Mais elle préfère à un livre de poche d'un blanc impeccable ce vieil ouvrage jauni, aux pages écornées, qui sent surtout bon le passage du temps et les multiples mains qui l'ont manipulé. Cette édition des années cinquante lui donne l'impression d'avoir un lien direct avec l'histoire, de se replonger dans l'époque de Malraux et des événements qui l'ont inspiré.

C'est ce qu'elle aime tant, à Paris. Cet ancrage dans le temps et dans l'histoire, qui lui permet de s'asseoir aujourd'hui à la même table que Jean-Paul Sartre et Simone de Beauvoir, dans un décor qui n'a pas changé depuis l'époque où ils partageaient une bouteille de vin rouge en discutant autour d'un manuscrit. Malgré la morosité hivernale, malgré la chaleur estivale, elle ressent toujours autant d'excitation qu'un enfant le matin de Noël chaque fois qu'elle pénètre à la Sorbonne, au Panthéon ou à la Grande Bibliothèque.

C'est ce qui rend si difficile cette décision qu'elle a à prendre. Voire impossible. Abandonner son quotidien d'intellectuelle avide, plongée dans ses lectures et le bain de culture ambiante qui lui donne l'impression d'être si vivante ? Mais comment accepter de quitter Loïc, ou plutôt, que Loïc la quitte, lui qui a bouleversé son univers, même si elle a mis beaucoup de temps à y croire ?

Incapable de voir clair dans ses idées, elle décide d'attendre l'arrivée d'Éléonore le lendemain. Une bonne soirée de filles, une discussion qui s'éternise autour d'une bouteille de vin blanc, voilà ce dont elle a besoin pour faire le point.

Éléonore l'appelle dès son arrivée.

– Salut ! Tu devineras jamais où je suis. Au Meurice, ma chère. C'est le distributeur français qui nous invite. Pas pire, hein ?

– Pas pire.

– Viens nous rejoindre ! Émile, Allegra et Jacques m'attendent au bar, Ariane arrive ce soir, on va tous souper, tu veux ? Avec Loïc, bien sûr.

– Élé… est-ce que je peux te demander une faveur ?

– Ben oui, quoi ?

– Est-ce que tu pourrais venir souper chez moi ce soir ?

– Ce soir ? Je viens de te dire, on a prévu un gros souper d'équipe. Ça peut pas attendre à lundi ou mardi ? Mon horaire devrait se libérer un peu, rendu là.

– Justement, soupire Yasmina, ça ne peut pas attendre.

– Qu'est-ce qui se passe ?

– Il se passe qu'une bombe vient d'éclater dans ma vie, pis je sais crissement pas quoi faire !

Éléonore perçoit les sanglots dans la voix de son amie d'ordinaire si stoïque.

– T'es sérieuse, là ? Tu veux que j'annule mon souper d'affaires ?

– Ah non, je veux pas te demander ça. Laisse faire, je me débrouillerai bien toute…

Éléonore l'interrompt.

– J'arrive dans une heure, OK ?

– OK, renifle Yasmina.

Une heure plus tard, Éléonore se présente chez l'oncle Mohammed. C'est la première fois qu'elle rend visite à son amie à Paris et elle est étonnée de l'opulence des lieux. Elle savait que la famille Saadi était riche, mais pas à ce point. Et dire que cet appartement somptueux, décoré de tapis persans et de tableaux hors de prix, ne sert que de pied-à-terre à Mohammed et à sa femme pour leurs deux ou trois visites annuelles. Elle comprend mieux maintenant pourquoi Yasmina n'a jamais jugé bon de se trouver son propre appartement, depuis le temps qu'elle vit à Paris.

– Wow ! s'exclame-t-elle en arrivant. C'est quelque chose. Après ça, je vais être gênée de te recevoir chez moi.

Elle contemple l'énorme piano à queue qui trône au milieu du salon.

– J'ai pas eu le temps de faire à manger, mais il me reste un couscous que j'ai ramassé hier à la Mosquée de Paris, ça te va ?

– Quoi ? Tu veux dire que t'as pas de cuisinier ?

– Arrête !

– Je sais même pas pourquoi je dis ça à la blague, tes parents en ont bien un en Italie.

– Ah, Guiseppe ! J'aimerais bien qu'ils me le *shippent* ici de temps à autre…

– Exagère pas ! Jamais vu une fille gâtée comme toi.

Autour d'une bouteille de chablis et d'un délicieux couscous à l'agneau, les deux filles se racontent. Yasmina décrit dans le menu détail les conversations des derniers mois avec Loïc, à quel point elle comprend et admire son besoin de s'engager, de contribuer à changer les choses, et l'impasse dans laquelle ça la place aujourd'hui, alors qu'elle s'apprête à terminer son doctorat et à avoir peut-être accès à un poste rarissime à la Sorbonne.

– Alors, qu'est-ce que je fais ?

– Il y a juste toi qui puisses décider, Yas… Ça m'enrage, quand même, ces histoires-là. Pourquoi c'est toujours aux filles de mettre leur carrière de côté pour suivre les gars ?

– Tu penses à toi et Malik, là…

– Peut-être, mais c'est un cliché parce que c'est vrai, non ? Et après, quand on a des enfants, c'est à nous de prendre congé et de prendre du retard dans notre progression professionnelle. Tu trouves ça juste, toi ?

– Ben non, dit comme ça, non. Mais la vraie vie est pas mal plus compliquée que ça. C'est bien beau d'avoir des grands principes, mais il y a d'autres impératifs aussi.

– Comme l'amour, tu vas me dire ?

– Oui. Et je ne devrais pas avoir à rougir de le dire. En plus, Loïc s'en va faire quelque chose de tellement louable, c'est pas comme s'il m'entraînait à sa suite pour diriger une bande de Hells Angels !

– Mais c'est son rêve à lui, pas ton rêve à toi. Enfin, je te dis pas de pas y aller, hein, je veux juste que tu penses à tous les aspects du problème et que tu te ramasses pas avec des regrets dans six mois ou un an. Imagine si…

– Si ça marche pas entre nous ?

– Scuse-moi de le dire, mais oui. Imagine si ça marchait pas entre vous et que t'étais passée à côté du poste à la Sorbonne pour ça. Tu serais de retour à la case départ. Pendant que monsieur continuerait à développer son expertise.

– C'est sûr que si j'y vais, faut que j'y aille de bon cœur. Pas à reculons. Mais c'est pas évident, Élé ! Tellement pas évident. Je veux pas perdre Loïc… mais je veux pas non plus perdre toutes ces années de travail !

– Il y aurait pas des postes là-bas, dans une université ?

– Sûrement, mais de un, c'est pas sûr que Loïc soit affecté dans une grande ville, et de deux, mettons que le niveau ne sera pas celui de la Sorbonne.

– Tu vois, encore des sacrifices ! Pourquoi lui il se trouve pas un poste à Paris ?

– Parce que Loïc c'est un fou d'adrénaline. Faut que ça bouge, qu'il se ramasse en haute montagne, dans une zone de guerre, en situation de crise humanitaire. En même temps, je ne peux pas lui reprocher ça, c'est en grande partie ça que j'aime de lui. Il me donne l'impression d'être en vie.

– OK. Mais toi t'es une folle de littérature, de bibliothèques, d'institutions de haut savoir. Ça doit être ça qu'il aime de toi aussi, non ? Alors pourquoi ça serait à toi d'abandonner une partie de toi aussi vitale ?

– C'est ça la question… Mais tu sais, moi, après tout, je peux lire partout, je peux enseigner partout, je peux écrire des articles partout. Tiens, je pourrais parler à mon directeur de thèse pour voir si je peux terminer ma rédaction à distance, j'aurais juste à revenir pour ma soutenance. C'est pas trop loin, l'Afrique de l'Ouest. Il y a des vols directs pour Paris.

Éléonore observe son amie. Il semble que sa décision soit en train de se prendre. Ça fait une heure qu'Éléonore joue l'avocat du diable, tente de convaincre Yasmina de penser aussi à elle, de ne pas céder si facilement tout ce qui la définit, mais elle semble déterminée à défendre la position de Loïc coûte que coûte.

– Bon, alors je pense que tu as ta réponse.

– Tu penses ? Tu penses vraiment ? Mon Dieu, Élé, imagine, je pars en Afrique ! Il faut que j'appelle Loïc. Il pourrait venir nous rejoindre, tu veux le rencontrer ?

– Non, ce soir je pense que je vais vous laisser célébrer à deux. J'ai encore le temps de rejoindre ma gang pour le dessert. Mais on se voit demain ?

– Oui !

Yasmina danse déjà d'énervement dans son salon.

Quand Loïc arrive, une heure plus tard, c'est une Yasmina folle de joie qui lui tombe dans les bras.

– C'est oui, Loïc !

– Tu viens ?

– J'ai pensé à quelque chose. Si j'avais dit non, qu'est-ce que tu aurais fait ?

– J'aurais continué à essayer de te convaincre.

– Et si ça avait pris des mois ?

– Ça aurait pris des mois.

– T'es sérieux ?

– Tu pensais vraiment que j'allais partir sans toi ?

– T'es tellement manipulateur…

– Viens ici, toi, dit Loïc en riant.

– Une minute ! J'ai quelque chose d'autre à négocier avec toi. Avant qu'on parte, il faut que tu rencontres mes parents. Je leur ferai jamais avaler ça, sinon.

– OK. On va à Montréal ?

– Je les appelle.

Yasmina saisit tout de suite le téléphone pour parler à sa mère. Elle préfère ne pas lui parler tout de suite d'Afrique. Elle lui dit simplement qu'elle voudrait leur présenter Loïc.

– C'est sérieux, alors, ma puce ?

– Assez, oui.

– Ça tombe bien, ton père a un voyage d'affaires à Zurich la semaine prochaine, on pourrait passer deux jours à Paris au retour.

– T'es sûre ? Tu veux pas qu'on vienne à Montréal ?

– Non, non. Je vais appeler ton oncle et ta tante, ils vont peut-être en profiter pour venir nous voir. Je te confirme tout ça demain.

Heureuse, Yasmina raccroche. La visite de ses parents, la semaine suivante, Éléonore qui est à Paris cette semaine-là, Loïc qui lui demande de partir avec lui en Afrique! Que d'événements qui bousculent son ordinaire d'étudiante.

Le lendemain, Éléonore lui donne rendez-vous en soirée au bar 228 du Meurice.

– On prend un verre à l'hôtel? Après on pourrait aller souper dans un petit resto relax, ici c'est assez guindé.

– Tout le quartier est guindé, répond Yasmina. Mais on va trouver.

– Émile va devoir venir nous rejoindre plus tard, il a une réunion avec Jacques en début de soirée. J'ai hâte que tu le rencontres! Et Allegra se joint à nous aussi.

Deux perspectives qui ne réjouissent pas Yasmina.

Elle arrive au Meurice avec Loïc à l'heure convenue. Ils sont les premiers. Yasmina a l'habitude des endroits cossus, mais elle s'étonne quand même de l'opulence des lieux. Le restaurant gastronomique de l'hôtel donne l'impression qu'on mange en pleine cour de Versailles. Loïc est un peu nerveux à l'idée de rencontrer la fameuse Éléonore, celle qui semble avoir droit de vie ou de mort sur toutes les relations amoureuses de Yasmina. En s'approchant du bar, il regrette un instant de ne pas avoir cédé aux supplications de Fabien, qui voulait absolument les accompagner pour courir la chance de croiser Allegra. Loïc a refusé, craignant que les clowneries de son ami ne le fassent mal paraître aux yeux d'Éléonore, qui semble plutôt sérieuse.

– Élé! crie Yasmina en se jetant sur son amie.

Loïc se retourne et voit une grande brune aux yeux bleu clair qui serre Yasmina dans ses bras.

– Vraiment, vous deux, on dirait pas que vous vous êtes vues hier.

Cette voix un brin ironique appartient à la plus belle femme que Loïc ait jamais vue. *Allegra*, lui souffle sa mémoire pendant qu'il tente de reprendre ses esprits. Elle lui fait la bise, pendant que Yasmina et Éléonore continuent la danse des retrouvailles.

– Tu me commandes une eau minérale ? demande Allegra. On pourrait s'asseoir, si tu veux, ces deux-là n'ont pas fini.

Loïc jette un regard affolé à Yasmina, regrette de nouveau l'absence de Fabien, puis il obtempère. Tendu, il écoute Allegra parler, se contentant de hocher la tête et de siroter sa bière. Ils sont perchés sur deux tabourets au bar, tout à côté d'Éléonore et de Yasmina qui se racontent mille secrets, et Loïc a l'étrange impression que le genou d'Allegra cogne le sien par exprès. Il tente de reculer, mais il est acculé contre une colonne. Il grimace.

Enfin, Yasmina et Éléonore se retournent vers eux et commandent à boire à leur tour. Loïc se précipite pour payer et servir les deux jeunes femmes, en profitant pour offrir son tabouret à Yasmina. Il se tient debout à côté d'elle et capte malgré lui le clin d'œil moqueur qu'Allegra lui décoche. La conversation porte d'abord brièvement sur le film, Loïc et Yasmina s'enquérant poliment du succès des démarches d'Éléonore à Paris. Puis Éléonore et Yasmina racontent, au profit de Loïc, leurs meilleurs souvenirs d'enfance. Loïc rit souvent à voix haute, charmé par les histoires de mauvais coups et de fausses chicanes. De son côté, Allegra affiche un air superbement indifférent. Elle contemple son vernis à ongles et participe peu aux discussions. À un certain moment, Éléonore se lève pour aller aux toilettes.

– Allegra, tu viens avec moi ?

– Non, vas-y, ça va.

– Allegra, tu viens avec moi ?

Allegra se lève, l'air mutin. Dès qu'elles quittent la pièce, Éléonore se retourne vers elle et lui empoigne le bras.

– Tu joues à quoi, là, tu penses ?

– Je ne vois pas ce que tu veux dire.

– Tu vois pas ce que je veux dire ? T'es impolie, t'es bête, et pense pas que je t'ai pas vue faire du charme à Loïc. C'est quoi l'idée ?

– J'essaie juste de me distraire. Cette fille est d'un ennui !

– Allegra Montalcini, t'exagères. Monte dans ta chambre ou sors souper si tu veux, je vais leur dire que tu t'es sentie mal. Scuse-moi, mais ta compagnie ne nous intéresse pas ce soir.

À la grande surprise d'Éléonore, Allegra fond en larmes.

– Allegra ?

– Je sais, je sais, Élé, je sais. T'as pas besoin de me le dire. Je suis imbuvable. Je suis tellement à l'envers, je sais plus quoi faire, comment agir, quoi dire… Ça tourne dans ma tête, j'en peux plus.

– T'es peut-être épuisée…

– Toi, tu travailles encore plus fort que moi et t'es pas épuisée…

– C'est pas pareil. Ma vie vient pas juste d'être chamboulée du tout au tout. C'est normal que ça te boule-verse.

– Là, je fais quoi, Élé ?

– D'abord, tu viens parler à Yasmina. Tu t'excuses. Après, en rentrant à Montréal, tu te reposes.

– Je peux pas… Nathalie me *booke* solide, j'ai mon prochain rôle à trouver, j'ai…

– Une chose à la fois, OK ? On retourne les voir mais, s'il te plaît, couche-toi tôt ce soir.

– OK, dit Allegra en reniflant.

Quand elles retournent au bar, la transformation est visible. Allegra a les yeux rouges, les traits tirés, et elle se fait hésitante lorsqu'elle s'approche de Yasmina.

– Yas, désolée, ma vieille. Je suis pas du monde, ça va pas et je me suis défoulée sur toi. Toi aussi, Loïc, je te présente mes excuses.

– OK…, dit Yasmina. Je sais pas trop ce qui t'arrive, mais c'est correct. Crois-moi, tu m'en as fait des pires que ça !

– Oui, admet Allegra en riant, ça, tu peux le dire. J'étais pas fine, hein ?

Yasmina se retourne vers Loïc.

– Imagine. C'était ma première journée à Brébeuf et c'était super intimidant. Eh bien, cette miss-là était en train de me parler, puis elle a vu des gars plus intéressants arriver et elle m'a plantée là, en pleine grande salle ! J'avais tellement l'air folle, tu peux pas savoir.

– *Come on*, plaide Allegra, tu dois admettre qu'ils étaient vraiment, vraiment beaux.

Yasmina rit de bon cœur.

Ils sortent ensemble dans la nuit parisienne. Loïc les guide vers l'Ardoise, un minuscule bistro sans prétention, sur la rue du Mont-Thabor. Ils choisissent tous des plats typiquement français : raviolis de cèpes et de chanterelles, foie gras de canard cuit au torchon, petit pot de langoustine au beurre d'ivrogne, perdreau rôti aux marrons. À 21 heures, Émile arrive enfin. Éléonore se lève pour l'accueillir, et Yasmina en profite pour le détailler à son insu. Grand, beau, belle gueule, elle voit tout de suite en quoi il a plu à Éléonore. Il s'assoit, accepte un verre de vin rouge et raconte dans le menu détail la réunion à laquelle il vient d'assister. Éléonore l'écoute attentivement et demande des précisions. Loïc se concentre sur son repas. Yasmina capte le regard d'Allegra, assise à côté d'elle. Elle lui chuchote:

– Toi, tu le trouves comment?

– Correct. Un peu imbu de lui-même, répond Allegra.

– Il me donne déjà cette impression.

– Mais elle est bien avec lui. Ils sont aussi fous de travail l'un que l'autre. Elle se sent comprise. Pas toujours en train de devoir se justifier.

– C'est déjà ça...

Plus tard ce soir-là, quand Yasmina et Loïc rentrent chez elle à pied, main dans la main, elle entame son interrogatoire.

– Alors???

– Alors, quoi?

– Tu sais! Qu'est-ce que tu as pensé d'Éléonore?

– Ta meilleure amie pour la vie? Je l'ai trouvée très bien. Allumée, intéressante, sympa.

– Et Allegra?

– Il n'y a qu'un mot: endommagée. Cette fille-là n'a pas toute sa tête.

– Bah, elle est un peu *drama queen*, c'est tout.

– Peut-être, mais selon moi elle a besoin d'aide.

– Ton stage en psychiatrie date d'il y a combien de temps, toi?

– Je suis un docteur de l'âme.

– Arrête! dit Yasmina en riant. On aura tout entendu. Et Émile?

– Un peu grandiloquent, mais sympathique.

– Alors, en gros, ça a bien été?

– Tu rigoles? J'étais terrorisé. Après ce soir, je n'ai même plus la trouille à l'idée de rencontrer tes parents. De toute manière, ne t'inquiète pas, je vais te rendre la monnaie de ta pièce.

– Qu'est-ce que tu veux dire?

– Un week-end à Clermont-Ferrand, ça te dit? Pour aller serrer la patte à monsieur et madame Le Goff?

– Tes parents? Oui, ça me ferait plaisir de les rencontrer. Je pensais que tu ne les voyais pas souvent?

– C'est qu'ils détestent sortir de leur patelin. Et cette année, j'ai été très pris. Mais j'y vais aussi souvent que je peux. Avant de partir, j'essaierai d'y aller une ou deux fois.

– OK. Quand?

– Dans dix jours? Samedi matin?

– C'est le lendemain du départ de mes parents.

– On fait ça coup sur coup. Chtak!

– T'es courageux.

La semaine suivante, Jamel, Jacqueline, l'oncle Mohammed et la tante Soraya arrivent à Paris. Yasmina est contente de s'éviter un voyage à Montréal, puisqu'elle travaille très fort pour amasser une quantité suffisante de documents de recherche avant son départ. Et puis, elle a vu Éléonore tout récemment. Il n'y a que deux ombres au tableau: Yasmina ne verra pas sa nièce chérie avant de partir, et Loïc n'aura pas la chance de rencontrer Malik et Mathilde. Mais elle ne voit pas comment faire autrement. Elle promet à son frère et à Éléonore de commencer à parler régulièrement à Mathilde sur Skype, espérant seulement que le réseau Internet, là où elle ira, soit assez puissant pour permettre la vidéophonie.

Jamel et Jacqueline s'installent, heureux de retrouver leur fille. Le lendemain de leur arrivée, Loïc est invité à la maison. Yasmina ouvre la porte du grand appartement pour l'accueillir. Elle se ronge un ongle en rangeant son manteau et son écharpe.

– Ça va, Yasmina?

– Moui.

– T'es nerveuse?

– Un peu. Toi, ils vont t'aimer, ça va. Mais ils risquent d'aimer un peu moins l'idée de l'Afrique.

Elle guide Loïc vers le salon où l'oncle Mohammed sert trois généreuses portions de scotch dans des verres glacés. Les femmes sirotent une coupe de champagne. Jacqueline accueille Loïc avec beaucoup de gentillesse, voulant le mettre à l'aise malgré l'aspect formel de leur soirée. Les hommes sont en complet-veston, les femmes, en robe. Mohammed a toujours aimé recevoir en grand. Jamel, de son côté, est plus circonspect lorsqu'il serre la main du jeune homme. C'est la première fois qu'il rencontre un copain de Yasmina. De prime abord, il le trouve bien, la poignée de main franche, le regard direct. Loïc parle peu, est poli, écoute avec attention les propos de ses hôtes. Quand ils passent à table, le maître d'hôtel que Mohammed a engagé pour l'occasion leur sert du foie gras et du sauternes, une assiette d'huîtres, puis un gigot d'agneau accompagné d'une multitude de petits plats. Les hommes parlent de politique, leurs opinions sont tranchantes et sans appel. Jacqueline et Soraya discutent de théâtre, de mode et échangent des nouvelles sur leurs familles respectives.

Loïc voit Yasmina sous un nouveau jour : celui d'une jeune femme de bonne famille, issue d'un milieu aisé et cosmopolite. Rien de plus différent de ses propres origines, dans une moche banlieue de Clermont-Ferrand. Quand Jamel l'interroge sur ses plans de carrière, Loïc est pris au dépourvu ; il sait bien que Yasmina veut attendre avant de parler de leurs projets en privé à ses parents. Il essaie donc de demeurer vague, parle de son stage qui se termine sous peu, mais déteste donner l'impression qu'il erre, sans objectif professionnel valable. Comme pour lui donner raison, Jamel hoche la tête d'un air distrait et recommence à discuter avec son frère.

Ils se revoient le midi suivant. Yasmina et Loïc invitent Jamel et Jacqueline à essayer l'un de leurs restaurants préférés du Marais, dont l'ambiance est moderne et décontractée. Hors de la maison de son frère, Jamel semble plus détendu, plus abordable. Loïc parle de son travail, de sa passion pour la musique. Quand Jacqueline, qui avait manqué l'échange de la veille à ce sujet, demande à Loïc ce qu'il compte faire à la fin de son stage, Yasmina répond pour lui.

– C'est de ça dont je voulais vous parler. Maman, papa, Loïc a obtenu un contrat avec Médecins sans frontières en Afrique de l'Ouest, et je compte partir avec lui.

– En Afrique ?

– Mais tes études ?

La réaction de ses parents est instantanée. Néanmoins, Yasmina persévère.

– Je vais terminer ma thèse de là-bas, mon directeur est d'accord. C'est une aventure, vous savez !

Une fois leur étonnement initial passé, Jacqueline et Jamel posent beaucoup de questions au jeune couple. Où vont-ils loger, dans quelle ville vont-ils vivre, quels sont les risques de maladie ? Loïc répond à tout avec beaucoup de sérieux. Après le repas, ils vont tous les quatre marcher dans le Marais, Yasmina faisant découvrir ses boutiques préférées à sa mère. Jamel et Loïc finissent par s'asseoir dans un café pour les y attendre. Quand ils se quittent ce soir-là, Yasmina rentre chez son oncle avec ses parents tandis que Loïc rentre chez lui. Dès qu'ils sont tous les trois dans le taxi, Jacqueline se tourne vers sa fille.

– Il est très bien, ma chouette. Mais l'Afrique ! Tu es certaine ?

– Oui, maman.

– Ça me semble être un homme responsable, grommelle Jamel, donnant son approbation du bout des lèvres.

– Il est super ! Vous allez venir me voir ?
– Ah, ça, on verra.

Le jour suivant, quand ses parents repartent, Yasmina les serre très fort dans ses bras. Elle est à l'aube d'une grande aventure, sa première aventure de femme, la première qui la mènera hors du sentier tracé et du cocon familial. Elle a donc l'impression diffuse de leur dire adieu pour longtemps. Elle partira dans un univers qu'ils ne connaissent pas et où ils ne pourront plus la protéger. Cette sensation est enivrante et effrayante à la fois. Yasmina embrasse une dernière fois ses parents, puis part rejoindre Loïc, le cœur léger.

Dès le lendemain matin, comme prévu, ils prennent le train pour Clermont-Ferrand. Puis un autobus les mène dans une banlieue anonyme, où se mêlent quelques HLM et des rangées de maisons identiques. Loïc a grandi dans une petite maison dont le décor ne semble pas avoir changé depuis les années soixante-dix. Ses parents parlent peu, intimidés par Yasmina, dont le nom et l'allure leur semblent étrangers. Loïc est très doux avec eux, très gentil, il leur raconte ses stages, les prix qu'il a récoltés, et Yasmina voit la lueur de fierté qui brille dans les yeux de sa mère. Madame Le Goff leur sert un rôti de bœuf accompagné de pommes de terre et d'un vin rouge du pays. Après le repas, les hommes se rendent au salon pendant que Yasmina aide madame Le Goff à faire la vaisselle. Puis chacun monte se coucher tôt, Loïc dans sa chambre d'enfance et Yasmina dans la chambre d'amis. Le lendemain matin, après une tartine de beurre et de confiture et un bol de café au lait, ils repartent en direction de la gare. Les parents de Loïc ont accueilli la nouvelle de son départ pour l'Afrique sans grandes effusions ; il explique à Yasmina qu'il en est toujours ainsi.

– Mes parents sont des gens simples, dit-il, et tout ce que je fais depuis que j'ai quitté le centre pour Paris leur semble ahurissant : mon groupe rock, mes études de médecine, tout ça pour eux se mêle dans une espèce d'univers alternatif auquel ils n'ont pas accès.

– Mais ils sont fiers de toi, remarque Yasmina.

– Je sais, dit Loïc avec un petit sourire en coin.

De retour à Paris, ils sont vite entraînés dans le tourbillon qui accompagne tout déménagement : passeports, visas, vaccins, valises, derniers rendez-vous et derniers adieux. Yasmina reçoit une foule de conseils contradictoires concernant les choses à faire avant un départ pour l'Afrique : certains lui rappellent d'aller chez le dentiste, d'autres lui recommandent au contraire d'attendre, puisque ce genre de service est beaucoup moins cher là-bas. Elle ne sait plus où donner de la tête, et comme à son habitude, elle retrouve son calme en s'astreignant à une discipline de travail de fer, passant toutes les heures possibles à la Grande Bibliothèque avant de devoir quitter ce repaire du savoir.

Amélie et Fabien leur organisent une grande fête d'adieu, tristes de voir la moitié de leur quatuor les quitter, mais promettant de leur rendre visite dès que possible.

– Tu penses vraiment que les gens vont venir nous voir ? demande Yasmina à Loïc en rentrant de la fête.

– Ça dépendra de leur boulot, j'imagine, répond Loïc en haussant les épaules. Pourquoi ?

– Je sais pas, on dirait que je n'y crois pas. Mes parents non plus, je ne compte pas les voir.

– Les miens encore moins.

– Ouais, ça… Mais tu vois pas ce que je veux dire ? Je pense que pour les gens, c'est comme si on partait sur une autre planète. Ils vont nous voir avec plaisir quand on va revenir, mais entre-temps c'est comme si on n'existait plus.

– Ça te blesse?

– Sincèrement, non. Je les comprends. Mais ça me donne encore plus l'impression de partir à l'aventure, avec toi. Comme si les autres allaient moins compter pendant un moment.

– Ça te gêne?

– Non, mais c'est bien parce que c'est toi…

Loïc attire Yasmina dans ses bras et l'embrasse dans les cheveux en la tenant contre lui.

Chapitre huit

Allegra sort à la hâte de chez elle et se dirige vers l'épicerie du coin. Elle a été si prise, ces derniers temps, qu'elle n'a pas eu le temps de faire son marché. Elle vivote à coups de pizzas, de plats à emporter et de bols de céréales. Mais voilà qu'elle n'a même plus de lait, ni de pain ni de céréales. Il est temps de ravitailler un peu sa cuisine. Elle entre à la petite épicerie, tenue par une famille sri-lankaise très sympathique. Ce jour-là, c'est la grand-mère qui la sert, balançant la petite dernière sur sa hanche pendant qu'elle compte la monnaie à rendre. Allegra s'apprête à ressortir lorsqu'elle entend un homme qui se racle la gorge derrière elle.

– Scuse-moi… Allegra?

– Oui, dit-elle, cherchant à replacer cet homme dans ses souvenirs. Pas un de ses profs du secondaire? Ou un gars de ses cours de yoga?

– Scuse-moi de te déranger, mais… est-ce que je pourrais avoir un autographe?

Un autographe! Allegra est soufflée. C'est la première fois que ça lui arrive, d'être reconnue comme ça, en pleine rue. Et abordée en plus! Bien sûr, du temps de sa série télévisée pour ados, *Colocs en ville*, il arrivait que des jeunes la reconnaissent et ricanent en la pointant du doigt. Mais la manière dont cet homme s'y est pris est complètement différente. Il a agi comme s'il la connaissait personnellement; elle suppose qu'on l'a vue tant de fois à la télé et dans les journaux récemment que les gens doivent commencer à avoir l'impression de la connaître. Ça lui donne un coup. Pas le plaisir auquel elle s'attendait. Elle se sent plutôt envahie dans son train-train quotidien, alors qu'elle achète un litre de lait au dépanneur. Elle signe tout de même l'autographe, décoche un sourire gêné à l'homme et rentre chez elle.

Une fois arrivée à la maison, elle essaie de faire quelques étirements avant d'entamer une séance de yoga, mais le cœur n'y est pas. Elle n'arrive pas à chasser de son esprit ce qu'elle a ressenti en se sachant observée à son insu par des inconnus. *Peut-être que ça fait longtemps que ça dure,* se dit-elle. *Que les gens me reconnaissent partout où je vais, mais qu'il est le premier qui ait osé m'aborder?* Elle se sent vulnérable, tout à coup. Ne réussissant pas à se calmer, elle allume les lumières et décide de téléphoner à quelqu'un pour se changer les idées. Mais qui? Depuis qu'elle est avec Émile, Éléonore est plus que jamais absorbée par son travail et par ses projets de film. Ensemble, Émile et elle ne font que ça, ne parlent que de ça. Il n'y a qu'avec Mathilde qu'Éléonore se permet quelques vacances. Sa fille réussit toujours à la recentrer. Allegra l'envie d'avoir une telle présence apaisante dans sa vie, un petit être qui lui rappelle chaque jour ce qui est réellement important et ce qui n'est qu'accessoire. De son côté, Allegra a parfois l'impression de sombrer, de ne plus réussir à distinguer ce qui lui importe, ni le chemin à suivre.

Elle pense appeler sa sœur, mais Chiara est fermement installée sur la planète bébé. Elle passe ses journées en cours de Pilates maman-bébé, de natation maman-bébé, quand ce n'est pas de danse du ventre maman-bébé. Elle s'est trouvé tout un cercle de copines qui sont en congé de maternité comme elle et elles se retrouvent tous les matins pour un café ou une séance de cardio-poussette.

En voilà une autre qui ne semble pas avoir de difficulté à savoir où elle s'en va, se dit Allegra. Elle se demande si c'est ça, la solution, la maternité? Est-ce la seule façon de se sentir solidement amarrée à la terre, les deux pieds ancrés dans la vraie vie? En tout cas, elle se dit qu'elle préférerait passer ses journées à changer des couches plutôt qu'à se tracasser en questionnements vains.

À court d'idées, elle décide d'appeler Chantale, sa thérapeute. Ça fait quelques mois qu'elles ne se sont pas parlé, même si, dans les semaines ayant suivi le succès des *Années sombres* à Venise, Allegra s'est souvent dit qu'elle devrait peut-être recommencer une thérapie. Elle ne l'a pas fait, trop prise par le tourbillon qui l'entraînait pour songer vouloir l'arrêter. Mais ce jour-là, elle sent qu'elle a épuisé ses ressources intérieures et a besoin d'une aide professionnelle. Elle tombe sur un message enregistré. «Bonjour, c'est Chantale. Mon bureau est fermé jusqu'au 15 avril, je fais le tour des Caraïbes en voilier. Sylvie Gaudreault prend en charge toute ma clientèle d'ici là, merci de l'appeler au 514-555-8218.»

Découragée, elle laisse tomber le combiné. Trois mois, Chantale est partie trois mois! Allegra n'est pas surprise, ça faisait longtemps que sa thérapeute lui parlait de cette envie d'évasion, mais il a fallu que ça tombe maintenant! Juste comme elle a le plus besoin d'aide! À ce moment-là, le téléphone sonne. Allegra saute dessus, comme si elle en attendait une quelconque rédemption.

– Allo?

– Allegra? C'est Nathalie.

– Ah, salut, dit Allegra d'un ton morne.

– Ça va? s'étonne la pétillante brune, semblant incapable d'imaginer que quelqu'un soit moins pétant d'énergie qu'elle.

– Oui, oui. Un peu les blues, c'est tout.

– Ça arrive souvent, après un gros succès. C'est une étape à vivre.

– Oui, tu as peut-être raison.

– OK, alors j'ai une entrevue pour *Marie-Claire*, avec séance de photos. Un topo pour l'émission *Vivre aujourd'hui*, l'animatrice voudrait te rencontrer chez toi. Ça te va? Je sais que ton appartement est petit, mais justement, je trouve que ça paraît bien, ça va montrer aux gens que le succès ne t'a pas monté à la tête. Vers 9 heures demain, ça te va?

– Je sais pas, Nathalie, je sais plus.

– Comment, tu sais plus? Qu'est-ce qui se passe, ma chouette?

– Je pourrais pas prendre un *break*, un peu? Juste me reposer? J'en peux plus, des entrevues.

– Allegra, il faut battre le fer pendant qu'il est chaud, je te l'ai assez dit! Pis inquiète-toi pas, j'accepte pas tout. Juste les bons placements pour hausser ton profil. Il te reste à choisir ton prochain rôle, tu sais. Je veux que ta valeur marchande reste la plus haute possible d'ici là.

– M'en parle pas! Ma table croule sous les scénarios et ils sont tous nuls! Nuls! Tous les jours il y a quelqu'un qui m'appelle avec une nouvelle idée. J'en peux plus! Je voudrais disparaître quelque temps.

– Non, Allegra! Va pas foutre toutes ces semaines de travail à la poubelle! Le public veut te voir, il veut te connaître.

– Justement. Je veux pas avoir l'air ingrate, mais ça peut devenir envahissant, non?

– Écoute, ma chouette, fais le topo de *Vivre aujourd'hui* et l'entrevue pour *Marie-Claire*. Après, je vais essayer de te donner une petite semaine de congé. OK ?

Allegra raccroche, abattue. Loin de l'aider, cet appel lui a imposé un surcroît de travail. Elle commence à douter du jugement de Nathalie. Est-il vraiment primordial qu'on lui voie la face partout ? Se sachant de nature quelque peu vaniteuse, Allegra croyait que ça allait lui plaire, de se voir en vedette partout. Et oui, bien sûr, elle est contente, parce que c'est la preuve indéniable de son succès ; mais au-delà de cette envie de réussir, d'être reconnue par ses pairs, de se voir offrir des rôles enviables, elle se rend compte qu'elle ne désire pas du tout la célébrité en soi. Elle a toujours été foncièrement timide et déteste être mise sur la sellette. Elle se sent envahie par tous ces journalistes qui lui posent des questions si personnelles et qui veulent la rencontrer jusque chez elle, maintenant ! Elle n'a plus envie de jouer le jeu de la célébrité, mais n'ose pas non plus tenter le diable en foutant tout en l'air.

Le téléphone sonne de nouveau. Échaudée, Allegra hésite à répondre, craignant une nouvelle attaque en règle de la part de Nathalie. Elle se fait la remarque qu'il serait temps qu'elle utilise une portion de son cachet pour s'offrir la fonction afficheur sur son téléphone. Elle décroche.
– Allo ?
– Allegra Montalcini ! Je me demandais bien quand est-ce que j'allais avoir de tes nouvelles. Pis j'ai décidé de prendre le taureau par les cornes.
– Claude ?
– Lui-même, ma chère. Je tiens à te féliciter. C'est beau, ce que tu as fait.
– Tu trouves ?
– C'est sûr. Mais toi, t'as pas l'air sûre ?

– J'ai besoin d'aide, Claude. Je *rushe*, je sais plus où donner de la tête.

– Raconte-moi ça.

– Au début c'était les partys, l'alcool, et tout le reste… Puis les voyages, les entrevues, les séances photos… Je mange mal, je dors mal, je ne fais plus de yoga, je sais pas ce qui m'arrive!

– Il t'arrive que la machine essaie de te bouffer, ma petite. Je viens d'écrire un texte là-dessus, d'ailleurs, pour un de mes amis artistes qui débute. *Grandeurs et misères de la célébrité moderne*, ça s'appelle. Je te l'enverrai, ça va te faire tripper. Il y a toute une dynamique derrière le système, c'est une machine à bouffer les jeunes talents. C'est vraiment fascinant.

– OK, mais là, aujourd'hui, demain, qu'est-ce que je fais?

– C'est bien simple. Tu fais ce que toi, Allegra Montalcini, tu as envie de faire. T'écoutes personne d'autre.

– J'ai envie de fuir.

– Alors, fuis.

– Ma relationniste va me tuer.

– Tant pis pour elle. Elle travaille pour toi, oublie jamais ça. T'es la bienvenue à Cap-aux-Oies, si tu veux.

– Merci, Claude! Peut-être plus tard au printemps, mais pour le moment j'ai juste vraiment besoin d'être seule. D'aller quelque part où personne me connaît.

– Ha! Ma petite fille fait tellement bien son travail que ça risque de devenir de plus en plus difficile, ça.

– Je sais! Éléonore est vraiment incroyable. Notre film s'en va jusqu'en Russie! C'est hallucinant. Mais c'est trop, tu sais.

– Trop d'un coup. Va te retrouver, ma fille, tu vas en revenir plus forte. Ça sert à rien de te lancer partout comme une girouette. Prends ton temps. La vie est longue, crois-en mon expérience. Tu as le temps.

Rassérénée, Allegra raccroche. Elle prend une grande respiration, pour ce qui lui semble être la première fois depuis des semaines. Depuis Venise, en fait. Grâce à Claude, qui est venu confirmer ce que son intuition lui chuchotait, elle sait maintenant clairement quelle est la voie à suivre. Elle prévient d'abord sa voisine, Agnès, de son absence, puis elle appelle Éléonore, qui n'est pas surprise de ce que son amie lui apprend : elle a besoin de faire le point et de se recentrer.

– On sera tous encore là quand tu vas revenir, ma vieille.

Allegra lui demande de lui rendre un service : d'appeler pour elle cette satanée Nathalie, qui ne la laissera pas partir si facilement. Éléonore éclate de rire et accepte, devinant d'avance la frustration de la relationniste qui verra sa cliente lui échapper.

– Je vais l'appeler dès que ton vol aura décollé. Ne t'inquiète pas.

Quand Éléonore raccroche, elle est soulagée de savoir qu'Allegra se soustraira un moment au cirque qui l'entoure. Elle sait son amie fondamentalement fragile et elle n'aimait pas la voir abandonner ce qui, ces dernières années, a fait sa force : une vie calme et rangée, une pratique intensive du yoga et de la méditation, peu de distractions. Depuis Venise, Allegra a parfois l'air d'un pauvre pantin détraqué, tournoyant sur lui-même sans savoir dans quelle direction regarder. Au point qu'Éléonore s'en est parfois voulu d'avoir entraîné son amie dans cette folle aventure. Sans son petit coup de pouce, Allegra serait peut-être encore en train de rêver à mieux, en alignant les jobs de serveuse et les photos publicitaires. Éléonore se croise instinctivement les doigts, espérant qu'envers et contre tout Allegra trouve une manière bien à elle de vivre avec cette célébrité qui lui est tombée dessus sans crier gare.

Quant à elle, elle a toujours été plus ou moins habituée à vivre dans l'œil du public. On se retournait au passage de son père, on chuchotait en voyant arriver sa mère. Éléonore elle-même a toujours été l'objet d'une certaine curiosité malsaine, se sentant observée depuis son plus jeune âge comme un animal de zoo, dont on voudrait découvrir le comportement dans son habitat naturel. Elle a appris toute jeune à faire la sourde oreille, feignant de ne pas comprendre le double sens des questions qu'on lui posait. « Comment va ta mère ? » lui demandait-on d'un air apitoyé quand l'une de ses tentatives de revenir au petit écran s'était soldée par un échec. « Elle va très bien, merci ! » répondait gaiement Éléonore, ne donnant pas de prise à la médisance. « Ton pauvre père, ça doit être dur », entendait-elle quotidiennement depuis son arrestation, même s'il avait été reconnu non coupable depuis. « Mon père ? Oh, il pète le feu ! Pas arrêtable ! » répondait-elle avec le sourire. Puis elle changeait prestement de sujet, laissant son interlocuteur sur sa faim.

Depuis le succès des *Années sombres*, c'est différent. Elle a enfin l'impression qu'on s'intéresse à elle pour elle, et elle ne trouve plus les nombreuses questions qu'on lui pose aussi envahissantes. Au contraire, elle est ravie de parler de son film, d'accepter avec grâce les félicitations qu'on lui adresse, de répondre aux questions intéressées qu'on lui pose. La reconnaissance publique de son succès professionnel la réjouit autant que celle de son statut familial particulier lui pesait.

C'est surtout en compagnie d'Émile qu'elle est facilement reconnue. L'histoire du scénariste sans le sou devenu comédien par hasard plaît beaucoup, rappelant celle de Matt Damon et de Ben Affleck. Par contre, à l'opposé de ces derniers, Émile ne se voit pas demeurer acteur. C'était un accident de parcours, mais la vie devant les caméras n'est pas pour lui. Il a plutôt été fasciné par le travail de Jacques Martel et d'Éléonore, et rêve maintenant de réaliser lui-même son prochain scénario. C'est ce sur quoi il travaille jour et nuit, peaufinant son texte, préparant dans le plus grand secret le prochain projet qu'il veut présenter à Éléonore. Il aura besoin d'elle, de son expertise, de sa capacité à obtenir du financement. Elle a très hâte de voir ce qu'Émile prépare, le questionnant sans relâche, tentant d'obtenir un indice sur le sujet du scénario. Rien à faire, Émile demeure coi. Fidèle à son habitude, il ne veut faire lire son scénario que lorsqu'il le jugera absolument parfait. Il s'enferme donc des heures durant dans son appartement, retravaillant chaque ligne de dialogue et chaque idée de prise de vue. Éléonore le taquine un peu sur ce comportement d'artiste torturé, elle qui est femme d'affaires d'abord et avant tout, mais elle doit s'avouer que cet arrangement lui plaît: il lui permet de voir Émile quelques fois par semaine, mais de se consacrer à Mathilde le reste du temps.

Elle n'a pas encore intégré Émile à sa routine familiale. Elle hésite à le faire, aidée en cela par le fait qu'il n'en a pas encore manifesté le désir. Il s'enquiert poliment de Mathilde, mais sans plus, profitant plutôt des week-ends où elle est avec son père pour les passer avec Éléonore. De son côté, Éléonore veut protéger sa fille des aléas de sa vie amoureuse. Tant qu'elle ne sera pas convaincue qu'il est le bon, qu'il est là pour rester, elle ne présentera pas Émile à Mathilde autrement que comme un ami qu'elle croise occasionnellement. Cela signifie aussi qu'elle ne planifie pas d'emménager avec lui, ni à court ni à moyen terme, et cela lui offre une certaine liberté. Celle de profiter de cette relation naissante sans penser à l'avenir. Cette situation semble convenir à Émile aussi, qui profite de ses temps libres pour s'abrutir de travail.

Éléonore souhaiterait seulement que Malik fasse preuve de la même réserve. Mathilde est revenue d'un premier week-end à New York des étoiles dans les yeux, parlant sans cesse de Ruby qui lui a mis du vernis à ongles, «tout rose, maman, regarde comme c'est joli», Ruby qui lui a fait une tresse française, «ça tire, maman, mais j'ai rien dit, et c'était tellement beau», Ruby qui ne parle pas beaucoup le français, «mais papa traduit, alors on se comprend quand même».

Éléonore n'a pas l'occasion de faire part à Malik de son opinion, celui-ci maintenant sa résolution de ne pas entrer en contact avec elle. Les mois ayant passé depuis leur rupture, elle trouve qu'il exagère, mais elle sait que quand il a une idée en tête, il s'y tient. C'est en partie ce qu'elle admirait chez lui, mais c'est aussi ce qui le rendait parfois si difficile à vivre. Éléonore continue donc de déposer Mathilde chez les Saadi un vendredi après-midi sur deux, et d'aller l'y chercher le dimanche soir, une fois Malik reparti à New York. Elle continue à avoir de bons rapports avec madame Saadi, discutant avec elle des progrès de Mathilde, des problèmes survenus au cours du week-end, et Éléonore a parfois l'impression que c'est davantage avec elle qu'elle coparente qu'avec Malik. Mais elle sait que cette impression est biaisée et que Malik demeure un père très impliqué. Il s'en tient simplement à sa résolution de ne plus rien avoir à faire avec elle. Ce qui la blesse, bien sûr. C'est un homme qu'elle a profondément aimé, avec qui elle a passé plusieurs années de sa vie, avec qui elle a fait un enfant, merde! Elle considère qu'il devrait au moins avoir l'élémentaire politesse de discuter avec elle de leur fille. *Mais non*, se dit-elle, *il est aussi borné que moi. Chacun à vouloir les choses à notre manière.*

Entre-temps, elle continue de travailler d'arrache-pied. Mathilde fréquente maintenant la prématernelle le matin, et madame Gaston la ramène à la maison pour la sieste de l'après-midi. Cela permet à Éléonore de passer des journées complètes au bureau, sans avoir l'impression de manquer quelque chose ou d'abandonner Mathilde à son sort. Elle souhaite toujours conclure de nouvelles ententes de distribution pour les *Années sombres* à travers le monde et pour ce faire, elle est souvent appelée à voyager. Quand c'est le cas, Mathilde passe quelques jours chez sa mamie Jacqueline, et Malik essaie le plus souvent possible d'être là. Charlie, de son côté, n'a jamais fait mine de vouloir être impliquée, n'ayant pas plus envie d'être grand-maman gâteau qu'elle n'a été une mère présente. Claude est plein de bonne volonté, mais il ne quitte pas sa retraite. Éléonore est donc éminemment reconnaissante de la présence discrète mais continue de sa belle-mère. Ex-belle-mère. Qu'à cela ne tienne, son rôle dans la vie de Mathilde est le même. Elle fait montre de beaucoup de flexibilité : Éléonore sait bien qu'elle refuse d'accompagner son mari pour ses voyages d'affaires si sa présence est requise auprès de sa petite-fille. Elle espère que Jamel Saadi ne lui en voudra pas trop, mais il semble tout aussi épris de Mathilde et prêt à faire ses quatre volontés.

À quatre ans, Mathilde est une petite fille volontaire, enthousiaste, qui n'a pas la langue dans sa poche. Elle escalade les structures de jeu du parc Outremont comme un petit singe et dévale l'hiver les pistes enneigées du mont Royal, bien accrochée à la vieille luge de bois qui était celle d'Éléonore quand elle était petite. Elle a même commencé le ski, allant souvent au mont Tremblant avec son père. Éléonore ne l'a jamais encore vue en action, mais il lui tarde d'emmener Mathilde découvrir le Massif, lors d'une visite à son père dans Charlevoix. Sa fille est une vraie sportive, comme elle. Pleine d'énergie. Mais elle sait en même temps se passionner pour ses casse-têtes et ses jeux de poupée, ce qui fait qu'avec des sorties fréquentes au parc, leur appartement du Mile End ne lui semble pas encore trop petit.

Éléonore regarde sa montre. Il est temps d'appeler Nathalie. Elle lui fait le message, puis éloigne le combiné de son oreille lorsque la relationniste se met à hurler. Elle entend tout de même clairement ses protestations : « Mais elle ne peut pas faire ça ! Ça n'a pas d'allure ! Si elle disparaît de la *map* après ça, c'est toi qui vas avoir ça sur la conscience, Éléonore Castel. » Éléonore esquisse un sourire en raccrochant, comprenant pourquoi Allegra n'a pas voulu se soumettre à ce flot d'invectives, et souhaitant mentalement un prompt rétablissement à son amie ; parce que c'est bien de cela qu'il s'agit.

Chapitre neuf

— Breathe in. Let the air flow through your body, fill your lungs, bring presence of mind to every cell[8].

Allegra est assise en position du lotus, le soleil du matin lui tapant sur les épaules. A-t-elle pensé à appliquer de la crème solaire ? Elle chasse cette pensée intempestive de sa tête, la regardant flotter comme un nuage, puis disparaître. Pour laisser place au néant. À l'absence de pensée active, dans laquelle elle retrouve son moi profond. Elle expire lentement, sentant son diaphragme se contracter et les muscles de son abdomen expulser doucement l'air de ses poumons. Puis elle recommence. Inspiration. Expiration.

Lorsque la séance de méditation est terminée, elle se lève doucement, étire ses membres endoloris et se dirige vers le comptoir de bambou qui longe la piscine. Là, elle saisit avidement un jus de légumes frais. Le Mindfulness Retreat, où elle loge, n'offre à ses pensionnaires que des jus de fruits et de légumes, parfois enrichis d'herbes naturelles et de protéines végétales. Le tout selon les principes de l'alimentation vivante. Une semaine à n'ingérer que des liquides. Même si elle a dû, les premiers jours, se battre contre les maux de tête, Allegra aime beaucoup s'alimenter de cette manière. Elle ne continuerait pas ce genre de jeûne toute sa vie, cela va sans dire. Avec son passé

---

8. Inspirez. Laissez l'air parcourir votre corps, remplir vos poumons, faire voyager votre esprit jusque dans chaque cellule.

d'anorexique, elle se méfie des diètes trop restrictives. Mais elle aime beaucoup les principes de l'alimentation vivante et a découvert des recettes étonnantes dans les livres de cuisine qui peuplent la bibliothèque communautaire, aux côtés de livres de croissance personnelle et d'ouvrages dédiés au yoga et à l'art de la méditation. Elle planifie de faire le ménage de ses placards, en rentrant chez elle, et de se débarrasser de tout ce qui contient des additifs ou des agents de conservation. Elle mangera cru autant qu'elle le pourra : salades, poissons et viandes marinés, noix. Elle a même trouvé de délicieuses recettes de quiches et de gâteaux crus.

Elle apprécie l'énergie que lui procure cette façon de s'alimenter. Le corps n'étant pas perpétuellement en train de digérer des mets lourds et transformés, ses réserves d'énergie ne s'épuisent pas. Il est alors possible de profiter de longues journées d'activité, sans subir les hauts et les bas engendrés par une alimentation à teneur élevée en sucres et en gras. De plus, tous les minéraux, les vitamines et les acides aminés des aliments qu'elle mange demeurent intacts, au lieu d'être détruits ou modifiés par le processus de cuisson. Allegra n'entend pas devenir dogmatique ; elle se méfie des extrêmes et surtout du caractère antisocial de tout régime trop différent. Elle continuera à manger de tout au restaurant, chez les gens, mais chez elle, elle veut faire ce qu'elle peut pour continuer à ressentir très longtemps les bienfaits découverts pendant cette semaine de retraite.

Une fois son jus terminé, elle se dirige vers son accompagnatrice, Wayan, qui l'attend à la porte. Ensemble, les deux jeunes femmes vont marcher à travers la rizière avoisinante, admirant le vert luxuriant des champs dans le soleil du matin.

Wayan lui a déjà expliqué, à sa grande surprise, qu'il n'existe que quatre prénoms à Bali, et que chacun désigne l'ordre de naissance dans une famille. Toujours souriante, la guide a ajouté qu'elle s'appelle Wayan car elle est l'aînée, chez elle.

— Et si tes parents ont un cinquième enfant? a demandé Allegra.

— On recommence! Un jour, je te présenterai mon petit frère, Wayan.

Allegra est demeurée médusée, ne sachant pas si l'éclat de rire de sa compagne indiquait qu'il s'agissait d'une blague ou s'il n'était que le rire coutumier qui accompagne la plupart des déclarations à Bali.

Après cette promenade, Allegra décide d'aller errer dans la ville d'Ubud, située en plein cœur de l'île de Bali, une destination de prédilection pour les Occidentaux qui désirent découvrir les arts balinais traditionnels, tels la danse et le batik, ou en apprendre davantage sur la spiritualité hindoue, dont est empreinte chaque parcelle de la vie quotidienne, même la plus anodine. Les cérémonies et les célébrations abondent, de la naissance à la mort. Les temples sont partout. Des autels débordants de statuettes dorées et de fleurs sont érigés dans les jardins et les maisons. Allegra se balade dans les rues, s'arrêtant pour admirer une statue du Bouddha, dont le sourire énigmatique n'est pas sans lui rappeler celui de la Joconde. Mais, contrairement à cette dernière, le Bouddha semble si serein. Le secret que cachent ses yeux est celui du contentement, de la paix intérieure, alors que cette pauvre Mona Lisa a toujours semblé bien malheureuse, résignée. Ce qu'Allegra se promet de ne jamais être, quoi que la vie lui apporte.

Le lendemain, c'est un moine thaïlandais, vêtu de la longue robe traditionnelle des bouddhistes, qui mène la séance de méditation. Il est immobile de longues minutes avant de s'adresser à ses disciples. Dans un anglais approximatif, il leur parle du sourire.

– La Thaïlande, dit-il, est le Pays du Sourire. À quoi cela sert-il de sourire ? Le sourire a exactement la même fonction que la méditation et les postures les plus complexes du yoga. Quand on sourit réellement, de tout son être, on est placé entièrement dans le moment présent. On ressent la joie de l'existence et cela nous connecte à l'univers qui nous entoure.

Ces explications terminées, le moine les entraîne dans une méditation qui durera une heure, pendant laquelle il leur demande de sourire, les yeux fermés. Allegra a d'abord mal aux joues, ses muscles faciaux n'étant pas habitués à être si stimulés. Puis elle se détend, laisse l'idée du sourire pénétrer ses pensées, et c'est tout naturellement qu'elle esquisse un sourire spontané qui la remplit de joie, loin des grimaces du début de la séance. Elle a presque envie de rire, tant c'est simple et facile. Quand elle se relève et salue son professeur, les deux mains jointes devant elle, elle le regarde avec reconnaissance. Il lui sourit, le geste simple éclairant son visage comme une lumière de mille volts.

Allegra passe boire un jus de fruits au bar, puis plonge dans la piscine creusée dans un rocher naturel. Elle flotte à la surface, emplie de bien-être, laissant le soleil caresser ses joues. Elle repense au sourire du Bouddha. La spiritualité des bouddhistes est si gaie, si joyeuse. Tout le contraire de la sombre austérité des catholiques. Allegra fait peu de cas de la religion et n'entend pas se convertir à l'hindouisme ou au bouddhisme, mais elle est néanmoins marquée par le fait qu'il est possible d'être équilibré, en contact avec son moi profond, connecté à l'univers et à sa réalité spirituelle, sans nécessairement toujours être réservé, en retrait de la vie humaine, presque en punition. On peut s'amuser dans la vie sans perdre des yeux l'essentiel, voilà la leçon qu'elle en retire. Profiter de chaque bouffée d'oxygène de notre trop courte vie sur terre.

Elle se rend compte que c'est la réponse qu'elle cherchait. Depuis quelques années, effrayée par ses excès de jeunesse, ses flirts avec la drogue et l'anorexie, son désir de plaire maladif, Allegra s'est astreinte à une discipline de fer: thérapie, yoga, méditation. Mais elle trouve tout cela un peu barbant, à la longue. Comme un long chemin de croix. Une renonciation quotidienne pour se protéger de la tentation.

En y repensant, elle se dit que c'était évident que ça n'allait pas durer: comme avec n'importe quel régime trop contraignant, c'était sûr qu'elle allait rechuter, et de manière tout aussi spectaculaire que son mode de vie était strict. Ce qu'il lui faut, elle le voit maintenant, c'est vivre une vie sereine, équilibrée. Sans interdits, mais sans s'étourdir non plus. Vivre dans la joie. Dans le sourire. C'est si simple qu'elle éclate de rire, ce qui la fait caler dans la piscine. Elle se relève dans l'eau, plonge comme un dauphin et nage contre le fond du rocher, les yeux ouverts. Puis elle remonte à la surface, inspire profondément et recommence son manège, gaie comme une enfant.

Après une semaine au Mindfulness Retreat, elle se sent revigorée. En forme, reposée, calmée. Et surtout, sereine.

Lorsqu'elle quitte Ubud, Allegra se rend dans la petite ville de Kuta, un repaire de *backpackers* qu'elle a traversé rapidement en arrivant. Elle se trouve une chambre dans un hôtel assez central, pour la somme ridicule de cinq dollars par nuit. Et c'est un bel hôtel, en plus ! Enfin, mieux que certains dortoirs où s'entassent les jeunes voyageurs venus des quatre coins du monde faire la fête à Bali. Et la fête, ils la font. Anglais, Écossais, Allemands, Américains, ils sont partout, presque tous identiquement vêtus de shorts de surf et de t-shirts aux couleurs de leur équipe de rugby favorite. À manger des *fish and chips* comme s'ils n'avaient jamais quitté leur patelin, à boire des pintes de bière du matin au soir. Allegra ne se sent pas du tout sur la même longueur d'onde que ce troupeau d'ivrognes et il lui tarde de quitter la ville. Elle se rend dans une petite agence de voyages, où elle rencontre une autre Wayan, qui lui suggère les plages de la pointe sud de l'île. Un autobus chambranlant la mène à Bingin, sur la côte ouest de la péninsule de Nusa Dua, où elle trouve aisément une chambre dans une maison de bambou construite sur pilotis. L'immense terrasse surplombe la mer, et l'Irlandaise qui l'accueille y guide tous les matins une séance de Hatha Yoga. L'endroit plaît tout de suite à Allegra. Elle y retrouve le même mélange d'Australiens, d'Anglais et de Néo-Zélandais qu'à Kuta, mais ici ils lui semblent plus calmes. Ils sont attirés par les plages de surf légendaires que sont Dreamland, Impossible et Bingin. Et pour elle, le plus grand mérite des voyageurs qu'elle côtoie, c'est qu'ils n'ont jamais entendu parler des *Années sombres*, et encore moins d'Allegra Montalcini. Et elle tient à ce que cela demeure ainsi.

Elle a songé à s'inventer un pseudonyme, afin d'éviter que son prénom inhabituel fasse réagir quelqu'un, mais elle a entrepris ce voyage dans une quête de vérité et elle ne souffrirait pas de mentir sur un point aussi essentiel que son identité. Et puis, prénom inhabituel ou pas, elle est très loin de l'image que la plupart des gens se font d'une vedette de cinéma: bronzée, le nez rougi par le soleil, les cheveux brun doré délavés jusqu'à la couleur de la paille, retenus par deux simples tresses qui lui encadrent le visage. Elle voyage avec un sac léger et ne quitte pas l'éternel paréo turquoise qui lui ceint la taille, agencé à l'une des deux camisoles blanches qu'elle lave et porte en alternance. Un bikini noir, un pull pour les soirées fraîches, une brosse à dents et deux culottes qui subissent à tour de rôle le même lavage quotidien que ses camisoles, voilà tout son attirail. Un carnet pour noter ses pensées. Pas d'appareil photo. Elle préfère vivre le moment présent que de s'en éloigner pour tenter de le capturer. Les souvenirs n'en resteront que plus beaux dans sa mémoire.

Allegra dévoile donc son prénom lorsqu'elle rencontre d'autres voyageurs, mais quand on la questionne sur ce qu'elle fait pour gagner sa croûte, elle répond évasivement: «Serveuse.» Techniquement, elle ne ment pas: c'est en effet son boulot de serveuse qui l'a fait vivre, cette année. Elle n'a pas envie de commencer à expliquer son parcours quand elle peine encore à le comprendre elle-même.

Un soir, elle descend s'asseoir sur la plage et contemple le coucher du soleil qui illumine le ciel de ces roses et orangés qui semblent n'avoir été inventés que pour ça. Pour offrir tous les soirs un spectacle éphémère, bouleversant et complètement gratuit, à la portée de tous, enfin de ceux qui acceptent de se laisser toucher à sa vue. Allegra observe les reflets dorés sur les vagues dansantes, se sentant complètement en paix.

Elle perçoit plus qu'elle ne voit une ombre qui s'approche d'elle lentement. Étonnée de ne pas se sentir davantage brusquée par cette intrusion, elle lève les yeux, les masquant à demi de sa main pour les protéger de l'éclat du soleil couchant, et croise le regard franc d'un homme aux cheveux châtains, torse nu sur son short de surf rouge. Il s'accroupit à ses côtés et lui tend la main. Elle la serre, surprise par le contact de sa peau, sèche et chaude à la fois.

– *Mind if I take a seat*[9] ? lui demande-t-il avec un accent océanien.

– Pas du tout, répond-elle.

Elle a songé à faire une blague, lui dire que la plage était bien assez grande pour qu'il s'assoie ailleurs, le forcer à avouer pourquoi il a choisi de l'approcher, commencer ce jeu de séduction auquel elle a joué mille fois, mais qui lui semble maintenant si faux. Taquiner, agacer, faire de l'humour. Tout ça pour se flatter l'ego, se sentir désirée, belle. Une satisfaction bien illusoire, et qui dure bien peu de temps. L'inconnu semble apprécier son honnêteté. Il s'assoit à ses côtés et regarde le large, sans parler. Allegra aussi reprend sa contemplation silencieuse face à l'océan Indien.

Le soleil achève sa course. La boule de lumière s'approche de l'eau et rougeoie un instant, avant de se faire engloutir par la ligne de l'horizon. Allegra est toujours surprise de constater ce changement de rythme : le coucher du soleil semble durer éternellement, l'astre descendre très lentement vers la terre, puis, dans les derniers instants, ça se passe si vite qu'on pourrait manquer la disparition du soleil en clignant des yeux. Dans cette lumière féerique du début de la nuit, le ciel encore orné de roses et de bleus, la lune se levant à l'horizon, l'inconnu se retourne vers elle et lui sourit. Il a un sourire éclatant. Serein. *Comme le Bouddha*, se dit Allegra, malgré qu'elle trouve idiot de comparer une statue obèse et immobile à cet homme plein de vigueur, dont les muscles se découpent sous la peau dorée et lisse. *Il est superbe*, ne peut-elle s'empêcher de penser.

---

9. Ça te dérange si je m'assois ?

– Salut, je m'appelle Sean, dit-il en lui tendant de nouveau la main.

– Allegra.

Il l'invite à aller prendre un verre dans l'un des nombreux bars situés sur la plage, quelques centaines de mètres plus loin. Elle accepte avec plaisir. Sous la lueur de la lune, ils s'assoient, commandent chacun une Bintang, la bière locale, et se mettent à parler. Lentement, tranquillement, sans se presser. Sans surtout chercher à impressionner l'autre. Il lui parle de l'Australie, de la banlieue de Melbourne où il a grandi. Elle lui parle de Montréal, du Mile End, de la neige, de la luge sur le mont Royal et des oreilles rougies par le froid. Il raconte les parties de cricket qui durent trois journées entières, les wallabies et les kangourous, qui sont si dangereux sur les autoroutes que les voitures dans l'Outback sont équipées d'énormes pare-chocs juste en prévision d'une collision. Elle lui raconte la fougue des Québécois pour le hockey, les castors qu'elle avoue n'avoir jamais vus, les animaux urbains qui peuplent la ville. Il se remémore les étés sans fin de son enfance, les longues journées en bateau, les barbecues qui s'éternisent et qui remplissent toutes les soirées d'été d'une odeur de grillé et de plaisir. Elle lui avoue qu'elle l'envie, que son enfance à elle ne suscite pas de souvenirs aussi joyeux, aussi paisibles. Elle ne pense qu'aux éternels brunchs du dimanche chez son grand-père, où les critiques étaient distribuées aussi généreusement que les petits pains. Elle en ressortait diminuée, épuisée. Il l'écoute, ne semblant ni la juger ni la prendre en pitié.

Après deux bières pour elle et trois pour lui, ils retournent à pas lents vers la maison où loge Allegra. Sean habite quelques portes plus loin, dormant avec quelques amis à la belle étoile dans des hamacs installés en rangée sur une terrasse de bambou perchée dans les hauteurs, identique en tous points à celle où Allegra fait son yoga matinal. Les trois Australiens sont ici pour faire du surf et ils ont l'intention de continuer par la suite vers l'île de Java et le légendaire camp de surf G-Land. Sean lui parle longtemps de sa passion pour le surf, de la recherche sans fin de LA vague ultime, la vague parfaite. C'est cette quête qui le ramène encore et toujours dans la mer, qui fait gonfler son cœur d'espoir chaque fois que le mouvement le soulève, le fait voler, presque, sur l'eau. Il aime aussi la sensation de vivre avec les créatures de l'océan, les dauphins qui viennent le saluer, les tortues géantes qu'il voit passer sous ses pieds. Il apprécie presque la présence des dangers, les requins toujours à l'affût, les récifs de corail qui peuvent vous déchiqueter en cas de mauvaise chute.

– C'est grâce à tout cela qu'on acquiert le respect de l'océan, dit-il.

Elle l'écoute, subjuguée. Elle a envie de l'embrasser, elle a envie de lui demander de rester, mais elle se retient. Elle tente d'apprendre à vivre dans le calme, sans tout précipiter. Voilà un bon moment pour commencer. Elle le serre chastement dans ses bras, sentant leurs deux cœurs qui s'entrechoquent dans leurs poitrines, et lui dit « à demain ». Pendant qu'il surfera aux aurores, elle fera sa séance de yoga, puis ils se retrouveront à la plage pour aller faire de la plongée en apnée.

Le lendemain, Allegra déjeune d'une salade de fruits frais qu'elle agrémente de graines de tournesol et d'amandes concassées. Elle enfile son bikini, passe chercher son masque, ses palmes et son tuba et se dirige vers la plage. Sean n'est pas encore arrivé, elle en profite donc pour s'étendre au soleil et relaxer. Quel bonheur de se trouver ici, de goûter le sel sur sa peau chaque fois qu'elle s'humecte les lèvres, de sentir son corps si vivant et si calme à la fois. Quelques gouttelettes d'eau lui tombent sur le visage. Elle ouvre les yeux, surprise; le ciel était pourtant sans nuages il y a quelques minutes à peine. Il est toujours bleu, mais obscurci par l'ombre de Sean planté au-dessus d'elle et qui l'asperge de l'eau de sa bouteille. Bonne joueuse, Allegra se redresse vivement et lui lance à son tour un jet d'eau en appuyant sur sa bouteille d'eau à elle. Ils se retrouvent vite mouillés tous les deux et ils se lancent dans la mer. Allegra s'éloigne à la nage mais Sean a vite fait de la rattraper. Il la prend dans ses bras et se retourne sur le dos, afin de pouvoir continuer à avancer tout en la tenant. Leurs corps glissent dans l'eau et Allegra a l'agréable sensation d'être légère comme l'air, mais tenue fermement en même temps. Liberté et soutien. N'est-ce pas là ce qu'elle a toujours recherché sans le savoir? Sean coupe court à cette réflexion en l'embrassant. Toujours suspendus dans l'eau, ils nagent pour demeurer ensemble, collés, et s'embrassent chaque fois que le mouvement de la mer les pousse l'un vers l'autre, acceptant de s'éloigner un peu pour mieux revenir avec chaque vague. Les hésitations d'Allegra s'évanouissent. Embrasser éperdument, en pleine mer, cet homme qu'elle a rencontré la veille, lui semble soudain éminemment raisonnable.

Tout comme il lui semble raisonnable de passer chaque minute des quatre jours suivants en sa compagnie. D'aller marcher avec lui sur la plage au soleil couchant. De déguster des grands plats de *nasi goreng*, assise avec lui dans un boui-boui sympathique sur le bord de l'eau. D'aller découvrir la baie en bateau, arrêtant dans une crique pour y faire de la plongée. De s'essayer au surf sur la vague douce de la plage de Dreamland, Sean à ses côtés la soutenant. D'éclater de rire, euphorique, la première fois qu'elle sent la vague la soulever et l'emporter. D'être si heureuse de voler ainsi sur l'eau qu'elle en oublie de tenter de se lever sur la planche, préférant se laisser guider, béate, vers la plage. De rire encore et toujours plus, lorsque Sean la rattrape, alors qu'elle est couchée sur le sable, les vagues se brisant sur son visage, et qu'il mêle le goût de sa bouche à celui de l'eau de mer.

Allegra est heureuse, de manière fondamentale, presque physique. Le bien-être d'avoir fait le plein de soleil, d'avoir les cheveux entremêlés et couverts de sel, les muscles déliés par la nage et le yoga, l'appétit stimulé par le sport et le plein air, et surtout la sensation de la peau de Sean contre la sienne, de son corps sur le sien, de ses bras autour d'elle. Elle se sent légère et solide à la fois. Les pieds bien ancrés sur terre, la tête qui pourrait s'envoler. Elle n'est pas étourdie, prise par un tourbillon qui pourrait la perdre : elle est simplement bien, sereine. Joyeuse.

Mais la lune de miel ne peut durer. Vient enfin le matin fatidique où Sean a prévu quitter Bali avec ses copains, en direction de Java. Tom et Matt ont déjà fait preuve de compréhension, ne taquinant pas trop leur ami qui les a complètement abandonnés toute la semaine pour les yeux doux de cette Canadienne rencontrée sur la plage. La beauté d'Allegra crève les yeux, ils se sont donc contentés de pousser un sifflement d'admiration et de laisser Sean à son amourette, sachant que ni la plus grande amitié du monde ni la plus belle vague de l'Indonésie n'aurait pu l'arracher du lit de sa conquête. Mais ce jour-là, leur bateau s'apprête à partir et ils passent donc chercher leur copain qui fait ses adieux à Allegra sur la plage.

Ils sont enlacés et Sean lui chuchote à l'oreille :
– J'annule tout et je reste avec toi.

– Non, vas-y. C'est ton rêve, G-Land.

– Je te retrouve où, alors ?

– Où ?

– Après Bali ? Tu vas où ?

– Normalement, je rentre chez moi.

– Tu es pressée ?

– Non…

– Alors, reste plus longtemps. Rejoins-moi quelque part.

– Où ?

– Où tu veux. L'Inde ? La Thaïlande ? Le Cambodge ? Le Népal ? Tu choisis.

L'Inde ! Allegra a toujours rêvé de faire un séjour dans un ashram. Peut-être y aurait-il moyen, pendant que Sean est à G-Land…

– D'accord. Je t'envoie un courriel dès que je sais où je m'en vais. Je t'attends dans deux semaines, alors ?

Pour toute réponse, Sean l'embrasse passionnément, puis il saisit sa planche de surf, son sac à dos et part à la course rejoindre ses amis.

Encore sous le choc de ce qui lui arrive, Allegra rentre d'abord à la maison où elle loge pour faire une séance de méditation. Ensuite, elle nage longtemps dans la mer, longeant la plage puis revenant en sens inverse. Elle ne s'arrête que lorsque ses muscles endoloris demandent grâce. Elle mange une salade de papaye et de concombres avant de se rendre au petit café Internet de Bingin, une salle à aire ouverte où une dizaine de vieux ordinateurs sont placés au hasard, entourés de ventilateurs sur pied destinés à chasser les mouches. C'est la première fois qu'elle se connecte à Internet depuis son départ en catastrophe, il y a déjà trois semaines. Comme prévu, une longue liste de courriels de Nathalie, tous accompagnés du point d'exclamation rouge qui signifie « urgent ! ». « Urgent pour toi, peut-être », ne peut s'empêcher de maugréer Allegra. Elle ne les lit pas. Elle saute tout de suite au courriel d'Éléonore, titré de manière plus invitante : « Des nouvelles de ta chère amie ». Celle-ci parle de Mathilde, d'Émile, du temps qu'il fait à Montréal. Rien au sujet de leur film, rien au sujet des obligations professionnelles d'Allegra, qui lui en est reconnaissante et se dit que s'il y avait eu quelque chose de réellement urgent, Éléonore lui en aurait parlé. Allegra peut donc continuer son périple en paix. Elle a envie d'effacer d'un trait tous les courriels de Nathalie, mais elle songe que cela ne serait pas très responsable, et qu'il faudra bien un jour faire face à la musique. Mais ça attendra son retour.

Elle tape donc l'adresse de Google, puis commence à chercher un séjour dans un ashram en Inde. Elle trouve assez rapidement quelque chose qui l'intéresse, une retraite de dix jours avec yoga, méditation, menu végétarien, le tout sur le bord de la mer. Elle prend le numéro de téléphone en note. Ensuite, elle se rend à l'arrière de la boutique, où se trouve une rangée de cabines vitrées abritant chacune un téléphone. Elle ferme la porte, suffoquant vite de chaleur, puis compose le numéro. En quelques minutes, elle a réservé une place à partir du lundi suivant. Juste en donnant son nom, sans avoir besoin de fournir un dépôt ou un numéro de carte de crédit. La voix douce à l'autre bout du fil lui a simplement assuré qu'on l'attendait. Voilà qui lui plaît déjà.

Elle se dirige donc vers une petite agence de voyages, qui n'est rien de plus qu'une table avec deux chaises, un téléphone et un tableau blanc où les prix pour aller vers les principales destinations desservies par les compagnies aériennes basées à Denpasar sont inscrits au marqueur bleu. Allegra est étonnée de constater à quel point les prix sont raisonnables. S'il coûte cher de se rendre dans cette partie du monde, une fois qu'on y est, les déplacements sont vraiment abordables. Elle prend un billet pour Mumbai puis réserve déjà le trajet en autobus qui la mènera vers le sud. Ses arrangements pris, elle retourne au café Internet pour donner rendez-vous à Sean deux semaines plus tard à Goa.

Quand elle ouvre sa boîte de réception, elle est surprise de voir deux nouveaux courriels, l'un d'Éléonore et l'autre de sa mère, tous les deux marqués « Urgent ». Elle lit d'abord la missive d'Éléonore.

« Tu vas m'haïr de te faire ça, mais… j'ai besoin de toi. Tu sais que ça fait des mois et des mois que j'essaie de négocier une entente de distribution en Italie… Eh bien, c'est fait! Et ça va bouger vite. Ils te veulent, toi, toi, toi, leur grande star italienne, pour la première et pour la promo. Tu veux? Tu peux? Signé ta servante éternellement reconnaissante. »

Suit une liste de dates où la présence d'Allegra est requise à Rome, à Florence et à Venise. À partir de… la semaine suivante. Ouf.

Elle ne prend pas le temps d'y penser et ouvre plutôt le courriel de sa mère.

« Ma belle chouette, je suis désolée de devoir t'apprendre ça par courriel. C'est ton grand-père. Il nous a quittés cette nuit, ma belle. Il n'a pas souffert. J'espère que tu consultes tes courriels régulièrement, je n'ai pas de numéro pour te joindre. Les funérailles seront dans cinq jours, on essaie de t'attendre… Je t'aime, ma chouette. »

Allegra est sonnée. Son grand-père! Elle n'a jamais été très proche de lui, le vieil homme étant trop autoritaire pour susciter les élans d'affection. Mais elle a néanmoins grandi avec lui, a habité chez lui pendant les premières années de sa vie, et il a toujours continué à faire office de père dans sa vie. Un père exigeant, peu chaleureux, mais un père quand même. Enfin, une sorte de père. Et Nicole ! Comment doit-elle réagir, elle qui était fille unique et pour qui l'approbation de son père comptait tant ? Allegra se pose ces questions lorsqu'elle remarque un nouveau message dans sa boite de réception. De Chiara cette fois.

« P'tite sœur, t'as entendu la nouvelle ? Grand-père est mort. Maman est en lambeaux. Si elle te dit que tu n'as pas besoin de revenir, elle te ment. Grand-mère est guère mieux. C'est la cata, ici. Allegra à la rescousse ! Allez, le yoga attendra. Bisous. Grande Sœur. »

Allegra soupire, puis avant de retourner à l'agence de voyages prendre un billet pour Montréal, elle écrit un bref message à Sean, titré « *Sorry !* ».

Chapitre dix

Dans le taxi qui la mène vers le centre-ville de Lomé, la capitale du Togo, Yasmina ne peut s'empêcher d'exprimer sa surprise. Assis à côté d'elle, Loïc sourit avec indulgence : son étonnement était le même lors de son arrivée, quelques semaines plus tôt. Alors qu'ils passent devant le monument de l'Indépendance et se dirigent vers l'Hôtel du 2 février, Yasmina murmure :

– Mais c'est une ville… Une vraie grande ville.

Elle ne sait pas à quoi elle s'attendait. À un immense bidonville à ciel ouvert ? Quand même pas, mais pas non plus à ces grandes avenues bordées d'immenses palmiers, à ces immeubles imposants, témoignant d'un riche héritage colonial, et à ces noms de rues qui font croire qu'on est à Paris. Avenue de Gaulle, avenue Pompidou, rue de la Gare… En fait, elle est dépaysée par le fait de se sentir moins dépaysée qu'elle ne l'aurait cru.

Par contre, après avoir pris une douche pour se remettre de la fatigue du voyage et s'être lancée à la découverte de la ville avec Loïc, Yasmina constate qu'elle en a tout de même beaucoup à apprendre. Derrière les grandes avenues qu'elle a aperçues du taxi, on trouve des ruelles de terre battue, avec des commerces de fortune appuyés contre les murs, recouverts d'une bâche retenue par des bouts de bois disparates. Ces ruelles grouillent de monde, et on sent que c'est là que se déroule la vraie vie à Lomé. Plus tard, ils se rendent au marché aux fétiches d'Akodessewa; là, Yasmina se sent réellement ailleurs, au point qu'elle en est momentanément étourdie. Rangée après rangée, des tables exposent les produits à vendre: des crânes, des peaux, des cornes et des organes d'animaux, asséchés jusqu'à en être gris, qui seront les ingrédients de recettes et de rites vaudous. Le chauffeur que Loïc a engagé pour les y conduire explique, de sa voix saccadée, les pouvoirs énigmatiques de ces objets ainsi que la forte emprise de la sorcellerie sur la société togolaise. Yasmina ne sait plus si elle doit le croire ou s'il s'agit là d'un canular à l'intention des étrangers. Elle voit un homme passer, tenant un billot de bois sur ses épaules, comme Jésus tenait sa croix, sur lequel est attachée une série de petits animaux morts, chacun portant un collier de billes colorées autour du cou. L'homme la dévisage longtemps; Yasmina et Loïc sont les seuls étrangers au marché et leur présence ne passe pas inaperçue. Elle se sent frissonner: est-ce un présage? Puis elle se secoue, s'accusant d'avoir embarqué un peu trop vite dans toute cette histoire de sorcellerie, et elle demande à Loïc s'il est prêt à rentrer à l'hôtel.

Elle descend à la piscine faire quelques longueurs, heureuse (même si elle déteste s'avouer cette pensée) de se retrouver dans un environnement occidentalisé. Elle qui n'en boit jamais, elle demande un coca-cola avec de la glace, appréciant le caractère familier de cette boisson. Puis elle s'allonge au soleil.

Le père de Yasmina est Marocain. Elle s'est rendue à plusieurs reprises au Maroc quand elle était petite, a visité les villes de Casablanca et de Rabat, a passé ses vacances à la mer près de Tanger. Elle n'y est plus allée depuis plusieurs années, son père préférant passer les vacances en Italie et son oncle Mohammed lui rendant régulièrement visite à Paris. Elle croyait donc naïvement avoir déjà vu l'Afrique et elle ne s'attendait pas à un tel choc. Elle ne sait plus, au juste, ce qu'elle avait imaginé. Des lions qui bâillent au soleil couchant, sûrement. Des guerriers masaï avec leurs lances pointées vers le ciel. Tout sauf ça, un étrange mélange de connu et d'inconnu, une ambiance qui la déstabilise, qui remet en question ses manières de penser.

Loïc vient la rejoindre et remarque tout de suite son air songeur.

– Tu te demandes si tu as fait une erreur monumentale, c'est ça?

– Non, non. C'est un changement de mode de vie, c'est tout. Je vais m'habituer.

– C'est pas pour toujours, Mina… C'est une aventure.

– Je sais, je sais. On reste combien de temps à Lomé?

– Je fais ma formation sur les protocoles de soins tropicaux puis on part… Je dirais deux semaines?

– Deux semaines à l'hôtel, ça fait quand même long. J'ai hâte de m'installer.

– Allez, ça viendra. Courage!

Dès le lendemain, Yasmina commence sa routine de travail. Le matin, après avoir embrassé Loïc qui part très tôt vers l'hôpital où il suit sa formation, elle descend faire quelques longueurs à la piscine et déjeune sur la terrasse. Puis elle remonte à sa chambre et se plonge dans sa lecture. Comme ça lui semble étrange d'annoter un texte de Jacques Ferron et de réfléchir à l'utilisation du joual dans les romans-symboles de l'époque, pendant qu'elle regarde de sa fenêtre l'activité bourdonnante de la capitale togolaise. À l'heure du lunch, Loïc vient la rejoindre. Ils prennent un taxi et partent à la découverte de la ville, choisissant l'un des restaurants recommandés par les collègues de Loïc. On leur suggère presque toujours des restaurants français, mais Yasmina préfère les saveurs africaines et les plats plus relevés. Après quelques essais, ils décident donc de se fier plutôt à leur instinct et font de belles découvertes. L'après-midi, Yasmina rentre à l'hôtel travailler, retourne nager à la piscine en fin de journée, puis prend un verre au bar de l'hôtel en attendant Loïc. Celui-ci rentre crevé par ses longues journées à l'hôpital, où il semble toujours y avoir une nouvelle urgence. Même si certains cas ne relèvent pas directement de lui, peut-il réellement aller manger un bon repas tranquille à son hôtel, et laisser ces dizaines de patients à leur sort? Yasmina ne lui tient pas rigueur de ces longues journées de travail et le soir, ils choisissent souvent de manger un repas léger à l'hôtel avant d'aller se coucher.

Elle finit par s'habituer à cette routine solitaire, soit, mais qui n'est pas pour lui déplaire. Elle apprécie surtout l'absence de distractions qui lui permet de se plonger dans son travail. Seule dans sa chambre, il n'y a rien qui puisse la déranger, pas de vaisselle à faire, de courriels à consulter, de télévision à regarder. Juste elle avec ses bouquins, ses carnets de notes et son ordinateur portable. Le vrai bonheur de l'intellectuelle, l'équivalent du téléphone débranché. En permanence.

Yasmina se plonge avec tant de délices dans son travail, entrecoupé tous les midis d'une excursion avec Loïc, qu'elle est presque surprise quand, un mois plus tard, il lui apprend que son mandat en région a enfin été confirmé.

– Déjà?

– Yasmina, ça devait prendre deux semaines, ça en a pris quatre. Tu voulais rester à l'hôtel toute ta vie?

– Non, quand même pas, mais je m'étais habituée…

– Tu t'habitueras à Dapaong aussi. On part demain matin.

À l'aube, un vieux camion Toyota vient les chercher. À bord, leur conducteur, le sympathique Kossi. Il a une trentaine d'années, un sourire grand comme le monde, et semble rigoler le long de chacun des cinq cents et quelques kilomètres qui les séparent de Dapaong, principale ville de la région des Savanes, située au nord du Togo. L'autoroute, bien entretenue au départ de Lomé, devient cahoteuse après quelques heures. Les contrôles policiers incessants les ralentissent aussi beaucoup. En milieu d'après-midi, Kossi semble quelque peu nerveux de ne pas avoir progressé davantage, et semble réticent à terminer la route de nuit, expliquant de manière succincte que beaucoup de véhicules n'ont pas de phares. «Sans oublier les brigands sur la route», murmure Loïc, ce qui n'est pas pour rassurer Yasmina. Elle se met à compter les kilomètres avec le compteur de la voiture, remarquant à peine les montagnes et les forêts qu'elle traverse. Quand enfin ils arrivent dans la savane, Kossi pousse un soupir de soulagement, et ses passagers avec lui.

La plaine semble immense à Yasmina, parsemée de buissons et, au loin, de quelques huttes rondes qui ressemblent plus à l'idée qu'elle se faisait de l'Afrique subsaharienne. Le paysage défile vite et, en jetant un coup d'œil à sa montre, elle est surprise de constater que ça fait déjà une heure qu'ils roulent au milieu de cette savane interminable. Enfin, au loin, on aperçoit une ville. Kossi les guide vers leur maison, déjà choisie par le chef de mission de Loïc. Un mur de béton peint en blanc entoure l'habitation. Yasmina est abasourdie de découvrir à la grille un garde armé qui les laisse entrer. «Il sera là tous les jours?» chuchote-t-elle à Loïc. Celui-ci hausse les épaules, indiquant qu'il n'en sait rien. Yasmina ne sait pas si elle est contente de ce surcroît de sécurité, ou affolée à l'idée d'en avoir besoin. Elle trouve la végétation du jardin étonnamment abondante, après les plaines désertes qu'elle vient de traverser. Elle aperçoit un boyau d'arrosage et se dit que cette verdure n'est pas laissée au hasard. Elle pénètre dans la maison, pendant que Loïc aide Kossi à sortir les valises, malgré les protestations de ce dernier. Les pièces sont grandes et à peine meublées. Un fauteuil qui ne semble pas très confortable, une grande table de bois avec quatre chaises. Une lumière au plafond, revêtue d'un abat-jour gris. Dans la cuisine, l'exploration de Yasmina révèle deux chaudrons, une poêle et un couvert de base pour quatre. Dans la chambre, un matelas et un sommier de lit double, le même abat-jour gris au plafond. Les deux autres chambres sont vides. Dans la salle de bain, une toilette et une baignoire munie d'une petite douche téléphone. C'est simple, mais ça ira.

Les valises s'empilent dans le salon. Yasmina les regarde, se demandant comment ils ont bien pu faire pour transporter tout ça. On lui a bien dit d'apporter des draps, des serviettes, des produits de toilette de base. Elle a donc une valise pleine de tampons, de shampoing, de savon. Des vêtements pour toutes les saisons, car on l'a prévenue que les nuits peuvent être fraîches. Et, surtout, Loïc a plusieurs valises de matériel médical : pansements, onguents, antibiotiques, seringues, la liste est longue. Il réquisitionne tout de suite l'une des chambres vides pour y faire l'inventaire de sa pharmacie. Pendant ce temps, Yasmina fait le lit. Elle se rend compte qu'elle a apporté des draps *queen*, qui seront trop grands. Qu'à cela ne tienne, elle les tire sous le matelas et se dit qu'un petit lit ne pourra qu'encourager Loïc à la tenir dans ses bras quand ils s'endormiront.

Elle ouvre la penderie et voit une tringle mais pas de cintres… Voilà un détail auquel elle n'a pas pensé. Elle plie donc la plupart de ses vêtements et les range sur les deux étagères, plaçant ceux qui peuvent se froisser directement sur la tringle, empilés. Elle tentera de dénicher des cintres le lendemain. Elle part inspecter la salle de bain, dont le carrelage blanc est étincelant de propreté. Elle dispose fièrement ses bouteilles de shampoing et son gel douche au beurre de karité, de même que deux brosses à dents neuves et un tube de Colgate. L'aspect domestique du geste la fait sursauter : voilà qu'elle est en charge d'approvisionner Loïc en brosses à dents ! Même s'ils étaient pratiquement toujours ensemble, à Paris, ils avaient chacun leur chez-soi. Ce sera la première fois qu'elle partage ainsi le quotidien d'un homme. Elle ressent un mélange d'excitation et d'appréhension. Ils formeront enfin un vrai couple, qui affronte la vie ensemble, jour après jour. Mais cela signifie aussi que leur relation perdra un peu de son charme, de son romantisme, lorsqu'elle devra s'inquiéter de leurs réserves de papier hygiénique ou admonester Loïc parce qu'il n'a pas rincé son bol de café avant de le déposer dans l'évier.

Elle continue de faire la reconnaissance des lieux. Le réfrigérateur est vide. Le placard contient du café en poudre et du lait en poudre. Il faudra qu'elle aille faire les courses. Elle se demande où elle ira, ce qu'elle y trouvera. Se sentant oisive, maintenant qu'il n'y a plus rien à ranger, elle va rejoindre Loïc et offre de l'aider. Il répond distraitement qu'il aime mieux organiser ses affaires tout seul, afin de savoir où trouver ce qu'il cherche lorsqu'il en aura besoin. Penaude, Yasmina retourne au salon. Elle s'assoit dans le fauteuil au dossier dur et décide de sortir un livre ; elle peut toujours prendre de l'avance sur son travail du lendemain. Mais la lampe du plafond est trop loin et elle n'arrive pas à déchiffrer son texte. Elle tente de bouger le fauteuil mais il est trop lourd. Elle finit par s'asseoir en indien directement sous la lampe. C'est là que Loïc la trouve, une heure plus tard.

– Ça va, Mina ?

– Oh ! Tu m'as fait peur. J'étais vraiment concentrée.

– Ça se voit ! Ça va ? Qu'est-ce que tu fais, assise par terre ?

– La lampe est trop loin du fauteuil.

– OK. Ça nous prendrait une petite lampe de chevet et une table basse où la placer.

– Où on va trouver ça ?

– On verra ! Une chose à la fois. Pour le moment, commence à dresser la liste de ce qui nous manque. Je vais m'informer demain.

Demain ! Le lendemain, Loïc partira dès son café avalé. Il passera la journée en réunions avec son chef de mission et le reste de l'équipe. Il commencera à soigner des gens, d'abord à l'hôpital de Dapaong, puis sur la route. Il sera utile, entouré. Et elle… elle sera à la maison, entourée uniquement de ses livres. L'énormité de ce qu'elle a entrepris lui tombe dessus comme une tonne de briques. Elle a l'impression d'étouffer et combat une furieuse envie de se mettre à pleurer. Mais elle voit bien l'étincelle dans les yeux de Loïc, son bonheur d'être ici, son envie folle d'enfin contribuer à changer les choses. Elle se mord la lèvre et se jure qu'elle aussi, elle trouvera sa place.

Au petit matin, comme prévu, Loïc part pour l'hôpital. Il prévient tout de même Yasmina que la femme d'un de ses collègues de chez Médecins sans frontières viendra la rencontrer pour l'aider à se repérer dans la ville. Yasmina boit un café, n'ayant toujours rien d'autre dans la cuisine. Vers 7 heures, on sonne à la porte. Elle s'étonne que l'épouse du collègue soit là de si bon matin. Mais non, il s'agit d'une Togolaise d'une quarantaine d'années, venue dans un français approximatif offrir ses services domestiques pour la maison. Yasmina ne sait que répondre, elle prend en note le nom de la dame et la remercie. Quelques minutes plus tard, on sonne encore à la porte. Une autre femme qui offre ses services. Puis une autre. Yasmina commence à se demander ce que surveille le garde armé qui patrouille toujours devant la maison, s'il laisse approcher tout le monde sans rendez-vous. Puis elle rit de cette pensée ridicule, se disant que les éventuels malfaiteurs ne se déguisent sûrement pas en femmes de ménage cherchant emploi et que le garde, s'il est du village, doit connaître toutes les voisines.

Enfin la dame qu'elle attendait arrive, les bras chargés de victuailles. Juliette apporte du pain, de la confiture de fraises, des pommes de terre et un poulet rôti. Yasmina est ravie de faire un bon petit-déjeuner et invite Juliette à se joindre à elle. Elle prépare de nouveau du café et s'assoit à la table de la salle à manger. Juliette lui demande d'abord des nouvelles de Paris, des événements qui ont fait la une au cours des derniers mois.

– Même si on suit tout sur Internet, dit-elle, c'est dur de prendre le pouls de l'opinion publique, de l'air du temps, quoi.

Yasmina est bien mal placée pour répondre et avoue en riant être beaucoup plus proche de l'opinion publique du temps des révolutionnaires français que de celle de l'an 2000.

– Les gens parlent-ils de la situation en Afrique? demande Juliette.

– Non, pas vraiment. On a beaucoup parlé du Rwanda, puis après, on dirait que les gens ont fait une écœurantite aiguë. C'est comme si ça n'avait jamais existé.

– Rien n'a changé, alors. Je suis en Afrique depuis déjà quatre ans, je vois des trucs qui me bouleversent et quand je rentre chez moi, tout le monde s'en fout. Ils s'intéressent davantage à la grève des enseignants dans le Jura qu'à une famine ou à un génocide qui déciment des centaines de milliers de personnes.

Yasmina se rend compte à sa grande honte qu'elle est l'une de ces personnes qui se sont toujours beaucoup plus inquiétées de leur petit quotidien que des grands enjeux internationaux. *Mais enfin,* se dit-elle, *peut-on réellement vivre en s'inquiétant de tout, tout le temps ?*

Juliette passe aux aspects pratico-pratiques de l'installation de Yasmina et de Loïc à Dapaong.

– Tout d'abord, il te faut engager une femme de ménage, dit-elle.

– Vraiment ? Ce n'est pas si grand, on peut se débrouiller, non ?

– Tu as peut-être remarqué qu'il n'y a pas de machine à laver. Vos vêtements doivent être lavés et essorés à la main. De plus, tu n'imagines pas la poussière qu'il peut y avoir, ici, le grand ménage doit donc être fait tous les jours. Et puis, ce sera plus facile pour une femme d'ici d'aller au marché, de choisir les fruits et les légumes frais, de négocier avec les commerçants. Elle pourra cuisiner pour vous aussi, si tu le désires.

– Ah, ça, j'avoue que ce serait pas mal. J'ai toute une liste de femmes qui sont venues cogner à ma porte ce matin. Je prends la première ?

Yasmina tend sa liste.

– Marie-Jeanne ? Je la connais, elle est très sympathique, elle a travaillé longtemps pour le docteur Dupont avant son retour en France.

– Comment je la retrouve, alors ?

– Ne t'inquiète pas, elle va revenir demain. Tant qu'on ne saura pas que tu as engagé quelqu'un, elles vont revenir te voir.

– OK, alors j'attends Marie-Jeanne demain. Quoi d'autre?

– Vous allez acheter une voiture? Tu veux un chauffeur?

– Un chauffeur? Et une femme de ménage? Il ne faut pas exagérer, quand même.

– Ça coûte trois fois rien, Yasmina, et puis c'est un service à rendre à la communauté locale, une bonne façon de développer l'emploi dans la région. Et crois-moi, les routes sont quasi-impraticables, il vaut mieux ne pas s'y aventurer seule, surtout en cas de pépin.

– Tu as peut-être raison, je vais en parler avec Loïc.

– Alors, de quoi d'autre as-tu besoin?

Yasmina parle des cintres, de la lampe de chevet.

– Pour la lampe, on devrait trouver au magasin du coin, je ne te promets pas la lune, mais bon, quelque chose d'utilisable. Les cintres, tu peux les faire faire en bois. Autre chose?

– Je voudrais bien quelques meubles de plus, une commode avec des tiroirs dans la chambre, un bureau et une chaise pour travailler.

– Les meubles, il faut les faire faire. Je vais t'emmener chez un menuisier. Tu lui apportes une photo de ce que tu veux et il te le fabrique, mais je te préviens, ça peut prendre du temps. Tout prend du temps.

Yasmina et Juliette terminent leur café, puis se rendent au magasin du coin. En entrant, Juliette palabre longtemps avec le propriétaire, lui demandant des nouvelles de sa femme, de ses enfants et de ses petits-enfants. L'homme lui répond longuement. Quand enfin elles s'éloignent pour chercher ce dont elles ont besoin, Yasmina chuchote:

– Tu le connais ?

– Non, répond Juliette, mais ici, c'est comme ça. C'est une question de politesse. On ne peut demander directement ce qu'on veut, sans discuter quelques minutes auparavant.

– Ah bon ?

Yasmina est étonnée mais prend mentalement note de la consigne. Elle est contente de trouver une petite lampe, quelques conserves, du sucre, de la farine, du papier hygiénique. Elle achète aussi une bouteille d'huile d'acajou, du sel, du poivre et quatre gallons d'eau. Elle remercie chaudement Juliette, qui la raccompagne à la maison. Puis elle se remet à travailler. Quand Loïc rentre de l'hôpital de fortune où il fait sa formation, il a les yeux qui brillent. Il est fourbu, mais si enthousiaste face à ce qui l'attend. Il parle longtemps à Yasmina de ce qu'il a vu, des besoins criants de la population locale. Tout de la médecine le fascine de nouveau, des vaccins les plus simples aux opérations les plus complexes. Elle sourit de le voir si heureux, si à sa place. Ils préparent ensemble une salade de pommes de terre, qu'ils mangent avec le poulet rôti et quelques tranches de pain trempé dans l'huile. Yasmina raconte à son tour tout ce qu'elle a appris de Juliette.

– Maintenant, il ne me manque plus qu'Internet. On a de la chance, la maison est branchée, le locataire avant nous était journaliste. Mais il faut ouvrir un compte et réactiver la connexion. Juliette va passer me prendre demain et on va essayer d'arranger ça ensemble. Ah, et il faut décider si on veut un chauffeur. Qu'en penses-tu ?

– Je pense qu'ici, on peut se débrouiller. Ce sera plus amusant. Et si on part en expédition, on en engagera un.

– Ça me va.

Yasmina ne se reconnaît pas. Elle qui est restée longtemps chez ses parents, puis qui a vécu plusieurs années dans l'appartement de son oncle à Paris, c'est la première fois qu'elle joue le rôle de maîtresse de maison. Elle découvre avec étonnement que ça lui plaît beaucoup. Elle est active, décidée, aime agir dans le monde matériel et concret plutôt qu'uniquement dans celui des idées. Ça lui fouette le sang, de devoir organiser, décider, trancher. Se charger pour la première fois d'une organisation pratique d'envergure, celle d'une installation dans un nouveau pays, lui permet de découvrir qu'elle a plus de talent en ce domaine qu'elle ne le croyait.

Les jours qui suivent sont un tourbillon. Yasmina avait craint de se sentir isolée pendant que Loïc travaillerait, mais c'est tout le contraire qui se produit. Juliette est très présente, elle lui fait visiter la ville et lui explique où obtenir les victuailles dont elle aura besoin. Marie-Jeanne fait son entrée dans la maison, qu'elle transforme en un instant de sa présence constante et calme. Elle bouge lentement, de manière posée, comme si elle mûrissait longuement chaque geste. Mais elle est d'une efficacité redoutable. La maison est impeccable. Les vêtements sont propres et bien pressés. Les repas sont savoureux. Yasmina et Loïc découvrent avec plaisir la sauce d'adémé aux fruits de mer, le couscous de fonio au poulet fermier et la purée d'azinkokoui aux bloms. Marie-Jeanne répète souvent à sa patronne qu'elle connaît la cuisine française, qu'elle en préparait tout le temps pour son ancien employeur, mais Yasmina est heureuse de continuer ses découvertes culinaires et elle laisse libre cours à l'imagination de sa femme à tout faire.

Mais, surtout, ce sont les nouvelles rencontres qui tiennent Yasmina et Loïc occupés. Le cercle des expatriés de Dapaong s'abat sur eux comme un essaim d'abeilles. Leur vie devient rapidement une succession de brunchs, de barbecues, de soirées, d'excursions dans les environs. Un infirmier belge organise une visite des étonnantes grottes de Nano et de Maproug, une journaliste ghanéenne les mobilise pour aller voir les fameuses peintures rupestres de Namoudjoga et de Sogou, une envoyée de l'Unicef les entraîne dans la réserve de Mandouri, près de la frontière du Burkina Faso. Le reste du temps, on s'invite chez les uns et chez les autres, chaque petit événement de la vie servant de prétexte pour se rassembler. Les arrivées, les départs, les anniversaires, les naissances, les anniversaires des petits, les baptêmes, les fêtes nationales de leurs divers pays d'origine, les invitations se suivent et ne se ressemblent pas. C'est une réelle communauté qui les accueille et qui donne tout de suite un sentiment d'appartenance à Yasmina. Elle noue des liens d'amitié réels avec Juliette et se lie aussi d'amitié avec Clara, une infirmière qui travaille avec Loïc et dont le mari, Jean-Claude, est directeur de projet pour une ONG hollandaise. Ses nouvelles amies l'invitent à déjeuner, à prendre le thé, elles sont constamment chez l'une ou chez l'autre, se précipitant pour rendre service.

Au milieu de cette vie sociale riche et active, Yasmina continue à travailler tous les matins et tous les après-midi, du lundi au vendredi. La rédaction de sa thèse avance bien. Par contre, elle trouve qu'elle commence à manquer d'exercice. À Paris, elle avait l'habitude de marcher partout ; à Dapaong, la première et unique fois où elle a décidé de marcher pour se rendre chez Clara, les voisins ont appelé Marie-Jeanne pour vérifier si elle allait bien. On la dévisageait dans la rue, chacun la croyant perdue et s'approchant pour offrir de la ramener à bon port. Elle a vite appris sa leçon et se contente de faire quelques dérisoires redressements assis dans son salon lorsqu'elle se lève le matin. Quand elle raconte sa mésaventure à Juliette, celle-ci rit de bon cœur et lui avoue qu'elle possède toute une collection de vidéos d'exercice. Pilates, yoga, aérobie, abdos fessiers, bref, tout ce qu'on peut faire sans équipement spécialisé. Elles se donnent donc rendez-vous chez Juliette deux matins par semaine et se concoctent un programme d'entraînement maison.

Il y a bien des aspects de la vie parisienne qui manquent à Yasmina ; surtout lorsqu'elle cherche un texte ou une référence et ne peut simplement se rendre à la Grande Bibliothèque pour y trouver ce dont elle a besoin. Elle s'habitue donc à demander une copie des documents requis par Internet, ce qui implique des délais mais a le mérite de lui apprendre à patienter. Et puis, pendant qu'elle attend, elle découvre souvent de nouvelles pistes qu'elle n'aurait pas pris le temps d'explorer autrement.

Depuis qu'elle est branchée à Internet, elle peut prendre plus souvent des nouvelles des siens et développe vite un rituel avec Mathilde, le samedi matin. Quand la petite se réveille, aux aurores, Éléonore ou Malik, selon le cas, allume l'ordinateur et appelle Yasmina sur Skype. Ils installent ensuite Mathilde devant l'ordi avec son bol de céréales et la petite parle à sa tante pendant que papa ou maman retourne s'allonger quelques minutes. Comme à cette heure-là, c'est l'après-midi chez Yasmina, elle a l'énergie de poser des questions, de parler des histoires imaginaires des poupées de Mathilde, de répondre à ses interrogations philosophiques sur la provenance des chats ou le bleu du ciel. Après, quand Malik ou Éléonore se lève, il ou elle discute avec Yasmina en déjeunant. Cette routine permet à la tatie de demeurer partie intégrante de leur vie familiale et du quotidien de Mathilde. La petite reconnaît déjà tonton Loïc et, après quelque temps, elle ne semble pas se souvenir qu'elle ne l'a jamais rencontré en vrai. Éléonore s'étonne parfois :

– C'est complètement fou, non ? Quand on était petites, on pensait que parler à quelqu'un par vidéo, c'était du ressort de *Star Trek*. Et voilà que pour Mathilde, c'est complètement naturel.

– Ben oui, comme nous, on trouvait la télé complètement naturelle, alors que pour nos parents c'était encore gros. À bien y penser, pour Mathilde, Loïc doit avoir à peu près la même réalité qu'un personnage à la télé.

– Oui, quand elle va le rencontrer, ça va être comme si Passe-Montagne débarquait dans son salon !

– Vous faites quoi, aujourd'hui ?

– J'amène Mathilde glisser au parc. Toi ?

– On est invités à souper chez des amis, tu sais, Juliette et son mari… .

– Ta nouvelle meilleure amie, c'est ça ?

– Arrête ! Et en attendant, je travaille.

Leur conversation terminée, Yasmina se replonge dans son livre. Elle se sert un verre de limonade et déplace un peu le parasol afin d'être à l'ombre. Elle travaille souvent assise sur sa grande terrasse, d'où elle a vue sur la rue et les jardins des maisons avoisinantes. À quelques reprises, elle a remarqué une petite fille qui marche toujours à pas très lents, munie d'un bac vide à l'aller et portant le même bac rempli d'eau en équilibre précaire sur sa tête au retour. La petite semble vouloir étirer son trajet, dévorant des yeux les jardins et les villas qu'elle longe sur sa route. Elle croise parfois le regard de Yasmina, qu'elle soutient sans gêne avant de continuer son chemin.

Un jour que Marie-Jeanne se trouve dehors avec elle au moment du passage de la petite, Yasmina la questionne à son sujet. Marie-Jeanne lui explique qu'il s'agit d'une petite de la tribu des Peuls, peuple nomade qui est disséminé dans toute l'Afrique de l'Ouest. Minoritaires partout, ils ont tendance à ne pas se mélanger aux populations locales.

– Où vivent-ils? demande Yasmina.

– Ils ont un petit village, par là, à l'extérieur de la ville.

– C'est là qu'elle va à l'école?

Marie-Jeanne sourit.

– Ce ne sont pas tous les enfants qui vont à l'école. Ses parents ont besoin d'elle.

Bien que Yasmina veuille demeurer ouverte aux différents us et coutumes de son nouveau pays, cette idée la choque. Elle guette l'arrivée de la petite fille avec plus d'assiduité, annulant une séance d'exercice chez Juliette un matin où elle ne l'a pas encore vue passer. Ignorant les moqueries de Juliette («En fait, c'est que tu rêves d'avoir des poignées d'amour, c'est ça?»), elle se place sur la terrasse et épie les allées et venues du quartier. Quand elle voit la petite fille, elle se précipite. Le garde la laisse sortir, surpris. Avec des gestes et quelques mots de français, elle lui offre à boire. La petite ne se fait pas prier, de toute évidence curieuse de voir de plus près l'une des villas qui parsèment son trajet quotidien. Marie-Jeanne fronce les sourcils en la voyant entrer, mais lui sert gentiment une limonade accompagnée d'un biscuit. La petite se jette sur ce goûter, les yeux brillants. Yasmina discute avec elle, lui apprenant quelques mots de français que la petite ne connaissait pas, comme «limonade», «biscuit» et «merci». Elle se prénomme Batouly et dit avoir sept ans. Sa collation terminée, elle repart à la course et Yasmina la voit passer, une demi-heure plus tard, son bac d'eau en équilibre sur la tête. Elle crie: «Batouly!» et lui dit bonjour de la main. La petite répond d'un grand geste et poursuit son chemin.

Le goûter du matin devient vite une routine. Batouly s'enhardit au fil des jours et des visites, possédant rapidement assez de français pour bavarder avec Yasmina. Elle admire sa bibliothèque bien fournie, feuilletant les livres comme s'ils renfermaient des formules magiques qu'elle voudrait pouvoir déchiffrer. Décelant cet intérêt, Yasmina sort une feuille de papier et un crayon, et entreprend de tracer quelques lettres, puis quelques syllabes. « Ma », « ba », « da ». La petite comprend vite, malheureusement les mots « maman » et « papa », les premiers que Yasmina lui apprend à écrire, ne veulent rien dire pour elle. Yasmina persévère, lui apprenant le français en même temps que l'alphabet. Batouly est une véritable éponge et, au bout de deux semaines, elle reconnaît presque toutes les lettres et sait déchiffrer quelques mots simples.

Loïc écoute chaque soir le récit des progrès de la protégée de Yasmina. Il est heureux de voir Yasmina si enthousiaste, si impliquée dans son entourage au quotidien. Il avait craint qu'elle ne reste perdue dans ses livres, physiquement présente au Togo mais rêvant de Paris ou de Montréal; il est soulagé de constater qu'il n'en est rien. Elle a les deux pieds solidement ancrés à Dapaong, elle est totalement présente, tant dans les brunchs d'amis que dans ses leçons de français du matin. Entre Yasmina et Loïc aussi, tout est au beau fixe. Ils avaient craint tous les deux le passage à la vie de couple, avec sa routine parfois assommante qui sait si bien éteindre les passions. Mais leur couple n'en est que plus fort : ils vivent tous les deux des journées pleines et chargées, utiles, puis ont le plaisir de se retrouver le soir, de se raconter leurs réussites et leurs pépins, de sentir qu'ils font équipe l'un avec l'autre, quoi qu'il advienne, qu'ils sont plus forts à deux.

Et cette présence, ce soutien, fait exploser leurs sentiments l'un pour l'autre. Ils sont plus amoureux que jamais,
non plus fous de passion et de désir comme au début,
mais calmement, foncièrement, profondément amoureux.
Yasmina ressent son bonheur de la tête aux pieds, quand
elle croise son regard complice. Le bonheur d'aimer, de se
savoir aimée en retour, et de savoir que la vie les a menés
exactement là où ils doivent être.

Elle a rarement souri autant.

Chapitre onze

Quand Allegra a été rappelée à Montréal, d'abord pour les funérailles de son grand-père, puis pour un voyage de presse en Italie, elle a eu un choix à faire : le devoir ou le plaisir. Soutenir sa famille, remplir ses obligations professionnelles, ou tout balancer en l'air pour voyager à travers l'Asie en compagnie de Sean, un homme souriant, bien dans sa peau et, surtout, follement séduisant. En y repensant, elle esquisse un sourire. Le fait qu'elle a choisi d'être responsable plutôt qu'hédoniste lui semble plutôt bon signe.

Mais Sean ne l'a pas laissée disparaître si facilement. Lorsqu'il a appris qu'elle devait rentrer à Montréal d'urgence, il a tout de suite offert de la rejoindre là-bas. Mais Allegra était encore aux prises avec les émotions suscitées par le décès de son grand-père et la nécessité de soutenir sa mère. Elle ne s'imaginait pas négocier la présence de Sean au milieu de ce capharnaüm familial : le salon funéraire, la lecture du testament, les pleurs de la grand-mère et la foule d'amis, de collègues et de connaissances venus rendre un dernier hommage au grand juriste.

Déterminé, Sean a donc proposé de la retrouver en Italie quelques jours plus tard. Elle s'est encore sentie déchirée, imaginant les appels de Nathalie à toute heure du jour et de la nuit, la succession d'entrevues, les dîners, les cocktails avec la brochette d'hommes d'affaires qui financent le film. Elle n'avait pas envie de se sentir écartelée entre l'horaire relax d'un vacancier, si séduisant soit-il, et le rythme effréné de son travail, surtout en pleine tournée médiatique. Elle lui a écrit rapidement qu'elle partait en Italie pour promouvoir un film, mais comme elle lui a caché son métier d'actrice lors de leur rencontre à Bali, elle doute qu'il ait une idée de l'ampleur de ce qui l'attendrait.

Mais en elle a aussi germé le désir de vérifier si ce début de relation était autre chose qu'une idylle de vacances. L'envie de demeurer fidèle à la version d'elle-même qu'elle a découverte à Bali. Sereine, constante. Ne changeant pas d'idée et de chum comme une girouette, au gré des événements. Elle décide donc de se donner une chance. De répondre oui. Au diable les doutes et les hésitations.

Elle est tout de même nerveuse, assise dans le hall d'entrée de l'hôtel somptueux de Florence où elle loge, attendant l'arrivée de Sean. Elle a peur de le trouver à côté de la plaque, avec son look vaguement bohème, parmi les élégants Italiens. Peur qu'il ne trouve pas sa place dans son monde à elle, un monde axé sur les apparences et où règne trop souvent l'hypocrisie.

Le voilà qui entre, la cherchant du regard pendant que ses yeux s'habituent à la pénombre du hall, après le soleil aveuglant de la piazza. Elle ne bouge pas. Enfin, il l'aperçoit, assise sur un tabouret près du bar. Elle reconnaît tout de suite son sourire éclatant, le reconnaît jusqu'au fond d'elle-même. Soudain, plus rien d'autre ne lui importe, ni son sac à dos élimé sur lequel le portier de l'hôtel lève le nez, ni ses cheveux trop longs qui ont besoin d'une bonne coupe, ni ses sandales de plage qui détonnent dans l'établissement chic. Elle se jette dans ses bras. Il la serre fort contre lui, longuement. Elle respire son odeur, il sent le voyage, l'air frais et les contrées lointaines. Puis, un peu gênés, ils passent aux banalités d'usage : « Le vol a été long ? Tu as faim ? Tu es arrivée quand ? » Ils décident de monter à la chambre pour que Sean prenne une douche et commande un sandwich. Allegra lui montre la salle de bain puis s'assoit sur le lit, un sourire idiot sur les lèvres, attendant qu'il ressorte. Elle retrouve ses esprits le temps de saisir le téléphone et de demander un hamburger au restaurant de l'hôtel. Sean sort de la salle de bain, les cheveux mouillés, fraîchement rasé, désormais vêtu d'un jeans et d'une chemise blanche à peine froissée. Ses yeux gris-vert brillent quand il regarde Allegra. Il passe la main dans ses cheveux châtains et s'approche d'elle.

– Ton hamburger s'en vient.

C'est tout ce qu'elle trouve à dire. Elle, grande séduc-trice devant l'éternel, qui s'amuse avec les hommes mais ne s'attache jamais, voilà qu'elle cherche ses mots. Elle est trop occupée à le contempler pour trouver quoi que ce soit d'intéressant à lui raconter. Il semble être de même, fasciné de la revoir enfin après ces longs jours de sépa-ration. Il encadre son visage de ses mains, la regardant longuement. Enfin, il l'embrasse. Encore et encore. Comme s'il ne devait jamais s'arrêter. Elle tente de l'entraîner vers le lit, mais il l'arrête d'un geste. Pas encore, semble-t-il dire. Pas tant que je n'aurai pas goûté toutes les saveurs de ta bouche, caressé chaque cheveu de ta tête, chatouillé chaque parcelle de ton cou. Allegra frissonne dans ses bras. Soudain on cogne à la porte, et une voix forte retentit : « *Room service !* » Cela les dégrise instantanément et ils sont presque gênés tandis qu'Allegra ouvre la porte et que Sean fouille dans sa poche pour en extraire quelques euros de pourboire. Quand le serveur est ressorti, ils s'assoient face à face à la petite table ronde qui orne le coin de la chambre.

– Tu veux une frite ? demande Sean.

– Non, ça va.

Il est gêné de manger son énorme hamburger devant elle, pendant qu'elle le regarde, les bras croisés.

– T'es sûre ? Juste une frite ?

Elle en prend une, par politesse, même si elle ne mange plus de friture depuis belle lurette. Quand enfin il termine, elle lui demande :

– Tu connais Florence ?

– Non, je ne suis jamais venu en Europe.

– En Europe ? Toute l'Europe ? Vraiment ?

– Ne sois pas si *européocentriste*.

– C'est un mot ?

– Je ne sais pas, mais l'intention est la même. Toi, t'es allée combien de fois en Asie ? En Océanie ? En Australie ? En Amérique du Sud ? En Afrique ? Il n'y a pas que l'Amérique du Nord et l'Europe, tu sais.

– Je sais, je sais. Mais quand même.

– Tu connais bien l'Italie ?

– Assez, oui. J'ai une amie qui a une villa dans le nord-ouest. Je suis venue pour un festival de cinéma, il y a quelques mois. Et je suis à moitié Italienne.

– Vraiment ?

– Oui, mon père est Italien.

Avec cet échange presque accusateur, ils réalisent à quel point ils en savent peu l'un sur l'autre. Ils se sont tout raconté de l'essentiel, mais n'ont pas abordé les détails de leurs vies. Allegra n'a jamais raconté son parcours à Sean, elle ne connaît pas grand-chose du sien. Elle se sent étourdie tout à coup, se demandant comment ils vont bien pouvoir s'en tirer. Elle décide de l'emmener marcher dans les rues, émergeant près du Duomo, dont ils admirent le dôme immense. Puis ils se perdent de nouveau dans le dédale des rues, aboutissant sur une piazza éclairée de quelques lampadaires. Ils s'arrêtent sur une terrasse et commandent une bouteille de *prosecco*, accompagnée d'une carafe d'eau citronnée. Allegra boit peu. Elle se rend compte qu'il en est de même pour Sean. Ils sirotent leur eau fraîche, satisfaits de se regarder dans la nuit tombante.

– On recommence à zéro ? dit Sean.

– À zéro…

– On s'est connus en voyage, dans un lieu complètement idyllique. Ce n'était pas la vraie vie. Ici, c'est la vraie vie, pour toi du moins, puisque tu travailles. Alors, on se présente. Salut, je m'appelle Sean Taylor. J'ai trente-deux ans, je suis né à Melbourne, je fais du design technique, je préfère les transports en commun à la voiture, je suis fou de surf dans mes temps libres, je voyage plusieurs fois par année, surtout en Asie et en Océanie, je suis célibataire depuis trois ans, et je viens de rencontrer une fille absolument superbe qui ne quitte plus mes pensées. À toi.

Prise au jeu, Allegra répond sur le même ton sérieux de candidat dans un entretien d'emploi.

– Bonjour. Je m'appelle Allegra Montalcini, j'ai vingt-neuf ans. Je suis née à Montréal, j'ai une grande sœur qui s'appelle Chiara. Mon père a disparu quand j'avais environ quatre ans, il est rentré vivre en Italie et je n'en ai plus jamais eu de nouvelles depuis, et j'y pense très rarement. Ma mère est architecte. J'ai quitté l'école à dix-huit ans pour être mannequin à New York, mais j'ai eu des problèmes de drogue et d'anorexie. J'ai passé plusieurs années en convalescence à Montréal, j'ai fait des photos de pub, puis j'ai décroché une job de serveuse à temps partiel pour pouvoir payer mon loyer. J'adore mon appartement, qui est situé sur l'un des plus beaux parcs de Montréal. L'été dernier, je suis partie à New York suivre un cours d'art dramatique. Ah ! J'ai oublié de te dire qu'à seize ans j'étais comédienne dans une série télé à succès au Québec. Bon, donc l'été dernier, ma meilleure amie Éléonore, qui est productrice, m'a fait passer une audition pour son film. J'ai obtenu un rôle de soutien. À la Mostra de Venise, en septembre, j'ai gagné un prix d'interprétation et, depuis, le film est vendu partout dans le monde. J'ai commencé à me faire reconnaître dans les rues de Montréal et ça m'a fait *freaker*. J'adore le yoga et la méditation, je mange cru et végétarien si possible.

Un peu essoufflée, Allegra dévisage Sean, tentant de lire dans son regard sa réaction aux révélations contenues dans son petit discours. Drogues, anorexie, célébrité, voilà qui risque de faire fuir un homme qui recherche une vie simple et tranquille. Mais il ne laisse rien paraître de tel, continuant de la regarder avec le même air vaguement émerveillé. Il lui prend la main, puis demande :

– Alors ? C'est mieux comme ça ?

– Oui. Et toi, t'as des frères et sœurs ?

– Un frère, une sœur. Je suis l'aîné. Mes parents vivent à Byron Bay, un petit village côtier au sud de Brisbane. C'est l'été toute l'année.

– Et ce que tu fais, le design technique, c'est quoi exactement ?

– Je dessine des plans. Longtemps, ça a été pour des maisons, des rénovations, ajouter un balcon, une chambre principale, des trucs comme ça. Mais depuis quelques années, je fais surtout des prototypes de jouets. C'est très amusant. Je termine une collection de cerfs-volants pour tout-petits. Ils sont plus faciles à tenir et à faire voler.

– Wow ! Ça, c'est original, comme métier.

– Pas plus qu'actrice de renommée internationale, non ?

– Arrête !

– Je te taquine. Alors, on peut le voir où, ce film ?

– La première italienne a eu lieu il y a trois jours. On peut le voir partout. Mais il est doublé en italien.

– Encore mieux. Je ne verrai que toi. On y va ?

– Là ? Maintenant ?

– Pourquoi pas? Je vais passer la semaine à entendre parler de ce film, alors mieux vaut que je l'aie vu, non?

– OK! lance Allegra, amusée.

Ils demandent à la serveuse l'adresse du cinéma le plus proche. Ils arrivent juste comme une séance va débuter. Allegra se sent ridicule, achetant un billet pour aller voir son film dans un cinéma italien, incognito. Mais elle trouve le tout franchement amusant et Sean et elle rigolent comme deux écoliers en train de planifier un mauvais coup. Ils se glissent dans la salle, à la dernière rangée. Sean demande à Allegra de lui résumer l'histoire, ce qu'elle fait en chuchotant. Quand elle apparaît pour la première fois à l'écran, elle rougit, puis éclate de rire en entendant une sulfureuse voix italienne sortir de sa bouche. Elle n'a plus du tout l'impression de se voir à l'écran, mais plutôt celle d'assister à une pantomime. C'est donc sans gêne qu'elle décrit le scénario à Sean, le prévenant d'avance quand LA scène entre Ariane Montredeux et elle approche. Sean ne quitte pas l'écran des yeux, chuchotant: «Très convaincant» après la fameuse scène, mais sans plus d'allusions grivoises. Elle lui en sait gré.

Après le film, ils rentrent lentement à pied vers l'hôtel, main dans la main. Silencieux, ils se contentent de profiter de la nuit, observent les vespas qui sillonnent les rues, pointent du doigt tel ou tel monument mémorable. Ils ont assez parlé, à présent. De retour dans la chambre d'Allegra, la gêne qui alourdissait leurs rapports, il y a quelques heures, a complètement disparu. Ils se brossent les dents côte à côte, comme un couple établi. Allegra fait couler un bain chaud où elle verse un liquide moussant parfumé au miel. Elle tamise les lumières puis, sans dire un mot, elle laisse glisser sa robe, sa petite culotte, et se plonge dans l'eau. Elle est vite dissimulée par les bulles, mais elle sait que Sean n'a rien manqué de la seconde où elle était dénudée. Il enlève son jeans et sa chemise à son tour, puis son caleçon. Ses gestes sont lents, étudiés. Sans la toucher, il se glisse à côté d'elle dans l'immense bain rond de la chambre de luxe. Il appuie sa tête et ferme les yeux. Allegra fait de même, respirant lentement, perdue dans le moment et l'anticipation de ce qui s'en vient. Après quelques minutes, elle sent enfin une main savonneuse qui se glisse dans la sienne, un corps qui se rapproche du sien. Elle garde les yeux fermés, se laissant aller dans la chaleur enveloppante du bain. Sean embrasse lentement sa nuque, remontant jusqu'à son oreille puis à son visage, qu'il parcourt de légers baisers. Quand elle ouvre enfin les yeux, il est devant elle et la dévisage de ses yeux pénétrants. Elle contemple les reflets de ses yeux vert-gris. Il se penche, pose sa bouche sur la sienne, d'abord doucement, puis plus en profondeur. Il s'arrête, la prend contre lui dans ses bras, et lui dit, rappelant leur premier baiser : «J'aime t'embrasser dans l'eau.» En effet, leurs corps glissent l'un contre l'autre, Allegra pose ses mains sur lui en ayant l'impression de ne jamais pouvoir vraiment le saisir. Ruisselants, ils se lèvent, s'enroulent dans d'immenses serviettes blanches, puis se dirigent vers le lit. Couchés face à face, ils se regardent, ne pouvant croire à leur chance. Allegra frissonne vite au contact de l'air frais et Sean l'attire dans ses bras. Ils sont peau à peau maintenant, de la tête aux pieds. Il passe la main sur son dos, caresse le contour de sa hanche, descend sur la cuisse, puis remonte, effleurant mais sans jamais les toucher tous les endroits qui demandent à être saisis. Elle fait de même avec lui, le découvrant, le chatouillant, mais ignorant sciemment le membre qui fait pourtant sentir sa présence entre eux. Entre deux gestes, ils se sourient, conscients tous les deux du jeu qui les anime, se lançant silencieusement le défi de ne pas craquer le premier. Enfin, par un commun accord tacite, le rythme de leurs mouvements commence à changer, à devenir plus urgent. Allegra sent tout son corps s'embraser du besoin de le sentir bouger en elle. Quand enfin il la prend, c'est une boule de chaleur qui explose en elle et qui irradie tout son corps pendant un long moment. Ils se tiennent très fort, ne voulant plus se lâcher, et ils bougent de concert, les yeux dans les yeux.

Le reste de leur séjour en Italie se déroule à merveille. Ils font du yoga ensemble chaque matin, puis partent marcher dans la ville qui s'éveille. Quand Allegra commence à remplir ses multiples obligations de la journée, elle est déjà calme, reposée. Elle laisse Nathalie la guider d'entrevue en entrevue, de lunch en cocktail, n'attendant que le moment où elle pourra retrouver Sean. Celui-ci ne chôme pas, profitant de ses journées de liberté pour découvrir les sentiers de randonnée pédestre qui entourent les grandes villes italiennes qu'ils visitent l'une après l'autre. Le soir, il rentre souriant, les joues rougies par le soleil, débordant d'énergie. Cela fait du bien à Allegra et la protège du tourbillon de mondanités qui pourrait l'emporter. Ensemble, ils visitent les églises, quelques musées hors du circuit touristique habituel. Éléonore appelle tous les jours pour prendre des nouvelles de la tournée de promotion, à laquelle elle n'a pas pu se joindre, étant retenue par de nouvelles négociations pour voir le film distribué au Japon. Elle est d'abord étonnée de la présence de Sean, dont Allegra ne lui avait pas parlé lors de son bref passage à Montréal pour les funérailles de son grand-père.

– Un Australien que tu as rencontré à Bali ? Mais qu'est-ce qu'il fait en Italie ?

– Il est venu me voir.

– OK…

– Tu comprends pas, Élé. Il est vraiment extraordinaire.

– Et à la fin de la semaine, qu'est-ce qui va se passer ?

– Il faut qu'on en parle.

– Il vit où, cet Australien-là ?

– Il se promène pas mal. Je te l'ai dit, il faut qu'on en parle.

Mais ils n'en parlent pas, ou du moins, pas encore. Ils se contentent de vivre dans le moment présent, ce qui leur fait du bien à tous les deux. Ils se découvrent, sans exiger davantage l'un de l'autre que leur présence. Ils se racontent, se psychanalysent, tentent de visiter jusqu'aux confins des pensées de l'autre. C'est ainsi qu'un soir, Sean demande à Allegra, alors qu'elle est blottie dans ses bras :

– Et ton père, alors ?

– Quoi, mon père ?

– Parle-moi de lui.

– Je n'ai pas trop de souvenirs. J'étais petite, tu sais. Il s'appelle Matteo. Selon ma mère, c'était le plus bel homme du monde, mais sur les photos je lui trouve juste un air de moustachu des années soixante-dix, lunettes d'aviateur et pantalons pattes d'éléphant inclus.

– Il était comment ?

– Drôle, je me souviens. Je me rappelle qu'on faisait des batailles de chatouilles avec ma sœur, et qu'on se jetait sur lui. Il me faisait tellement rire que j'en avais mal, j'ai même fait pipi une fois, tellement je riais.

– Il semble avoir été un super bon père. C'est drôle qu'il ait disparu ainsi, sans donner de nouvelles.

– J'étais petite. Je comprends pas trop ce qui s'est passé.

– Tu n'as jamais posé la question à ta mère ?

– Pas vraiment… C'était un sujet un peu *touchy*. Quand j'ai eu l'âge de comprendre, de poser des questions, ma mère était dans une mauvaise phase. Accrochée à nous, dépendante. J'avais surtout envie de prendre l'air, pas d'entrer dans ses mélodrames. Maintenant elle va mieux, elle a Benoit dans sa vie, mais avec les années on dirait que j'ai arrêté d'y penser.

– Tu penses pas à lui, quand tu viens en Italie?

– Un peu. Surtout que les journalistes aiment le fait que je sois d'origine italienne, alors ils me posent toujours des questions là-dessus.

– Tu dis quoi?

– J'essaie de demeurer mystérieuse… Genre la diva qui ne dévoile pas sa vie privée.

– Et ça marche?

– Jusqu'à maintenant, oui. Croisons les doigts.

Allegra ne croit pas au mauvais œil, mais elle ne peut s'empêcher de se demander si cette conversation a servi à donner un coup de pouce au hasard. Le lendemain matin, à la première heure, elle reçoit un appel d'une Nathalie très énervée.

– Allegra! Matteo Montalcini, ça te dit quelque chose?

Allegra se fige.

– C'est le nom de mon père, pourquoi?

– Parce que j'ai un monsieur Matteo Montalcini qui m'a appelée ce matin. Il tentait de te joindre, mais l'hôtel me transfère tous les appels non autorisés. Ce monsieur prétend être ton père et il dit avoir été contacté par un journaliste du *Giornale di Roma*, qui écrit une histoire de fond sur toi.

– Mais comment ils l'ont trouvé?

– Je sais pas, Allegra, mais je veux que tu m'attendes, j'arrive. Ça risque de nous nuire, cette histoire-là.

– Pourquoi?

– On sait pas ce qu'il peut leur raconter, on sait pas ce qu'il est devenu. Je vais avoir besoin de toutes les informations que tu as à son sujet.

– Mais attends, il a dit quoi, mon père, quand il t'a appelée?

– Je peux même pas être sûre que c'était vraiment lui. Ils ont peut-être placé un faux appel, dans l'espoir de sortir de l'information.

– Il a dit quoi, Nathalie ?

– Qu'il veut te voir.

– Mon père veut me voir ?

– L'homme qui a appelé prétendant être Matteo Montalcini veut te voir. Ça pourrait aussi bien être un journaliste *undercover*, tu sais.

– Voyons, ils ne s'abaisseraient quand même pas à ça !

– Tu connais pas la presse italienne, Allegra. Ils ont inventé la presse à scandale. Il n'y a pas grand-chose qui les arrête.

– Quand même, s'entête Allegra, s'ils l'ont trouvé, ce serait normal qu'il m'appelle.

– C'est une situation trop potentiellement explosive pour prendre le risque. Laisse-moi gérer ça…

– Nathalie, l'interrompt Allegra, laisse-moi réfléchir une minute, OK ? Ne fais rien pour l'instant. Je te rappelle dans dix minutes.

– Mais…

Allegra a déjà raccroché.

En quelques mots, elle résume l'affaire à Sean. Celui-ci ne dit rien, il se contente de l'observer alors qu'elle tourne en rond dans la chambre, ne parvenant pas à mettre de l'ordre dans ses pensées. Puis, la sentant au bord des larmes, il la prend dans ses bras.

– Viens, ma belle, lui chuchote-t-il à l'oreille. On va sortir au soleil, dans le jardin de l'hôtel. Tout te semblera plus clair quand tu pourras respirer un peu.

En effet, dès qu'ils s'assoient dehors, en plein air, et qu'Allegra peut respirer l'odeur des fleurs qui ornent le jardin, elle se détend. Elle sourit à Sean.

– Alors ? demande-t-il.

– Alors je vais donner rendez-vous à mon père. Je veux le rencontrer.

– Et si ce n'est pas lui ?

– Je m'en rendrai compte bien assez vite. Je partirai.

Sean approuve d'un sourire. Nathalie est plus difficile à convaincre, mais Allegra lui rappelle qu'en bout de ligne c'est elle qui prend les décisions. La relationniste contacte donc le supposé monsieur Montalcini et lui donne rendez-vous à l'hôtel d'Allegra le lendemain matin.

Quinze minutes après l'heure convenue, Allegra se rend au restaurant. Elle a sciemment choisi d'être en retard, ne voulant pas subir l'ignominie de l'attente. Elle s'aperçoit tout de suite que c'est une erreur : elle est hésitante, scrutant les visages, alors que son père a tout le loisir de l'observer à sa guise. Elle aperçoit de loin un homme en fin de cinquantaine, les cheveux gris. Gagnée par l'anxiété, elle préfère s'adresser au maître d'hôtel plutôt que de continuer cette valse incertaine des regards. Celui-ci s'empresse auprès d'elle, obséquieux. Toute l'Italie adore Allegra Montalcini et la revendique comme étant l'une des siens.

– Pardon, je dois rencontrer monsieur Montalcini ?

– Par ici, madame.

Il la guide vers l'homme grisonnant qu'elle a aperçu tout à l'heure, puis s'éclipse discrètement. Allegra s'assoit. Elle ne lui tend pas la main, ne l'embrasse pas, incertaine du protocole en pareilles circonstances. Elle le dévisage. C'est fou comme il lui ressemble. Le même nez droit et fier. Les mêmes lèvres charnues et pleines. Les mêmes yeux noirs aux reflets doux. Allegra a l'impression de savoir enfin d'où elle vient, de manière viscérale, pour la première fois de sa vie. Chiara ressemble à Nicole, elles ont le même teint clair, les mêmes cheveux brun noisette, le même visage un peu arrondi, qu'elles tiennent toutes deux des Castonguay. Allegra, elle, n'a jamais ressemblé à personne. Jusqu'à aujourd'hui.

Matteo semble timide, hésitant. Allegra se sent pleine de compassion envers cet homme qui semble attendre quelque chose d'elle. Elle n'a rien à lui donner, se contente de lui poser des questions, d'écouter les réponses. Il parle de son village de l'Umbria, de son travail de charpentier. De sa mère, qui était si en colère lorsqu'il est rentré du Canada sans sa femme et ses enfants. Voilà le sujet épineux qui est abordé. Allegra ose enfin :

– Pourquoi tu es parti ?

La question est posée de manière claire, sans ambages, sans faux-fuyants. Elle le regarde de ses yeux bruns si semblables aux siens, attendant une réponse sans présumer, sans juger. Prête à tout entendre et à tout écouter. Matteo pousse un soupir, semble se détendre.

– J'avais trop honte en sortant de prison.

– De prison ?

Allegra s'attendait à tout, sauf à ça.

– Tu étais en prison ?

– Les temps étaient durs. Je n'arrivais pas à vous faire vivre, ta mère, ta sœur et toi. Ta mère commençait à bien gagner sa vie. Je ne l'ai pas accepté. J'ai… j'ai commencé à livrer des paquets pour un ami. Sans savoir ce que c'était. Oh, j'avais mes doutes, bien sûr, mais j'étais trop pressé de faire un coup d'argent. Je me disais que je ne faisais rien de mal. Je me suis fait arrêter, j'ai passé près de quatre ans en prison. Tu avais presque huit ans quand je suis parti. Tu étais tellement belle…

– Tu m'as vue, à huit ans ? Ça ne se peut pas, je m'en souviendrais.

– Je t'ai vue de loin, à la sortie de l'école. Juste une fois, tu comprends. Juste pour garder ton image en tête, et celle de ta sœur, avant de partir.

– Mais pourquoi ? Pourquoi tu ne m'as pas parlé ?

– Ton grand-père me l'avait interdit. Et j'avais honte, tellement honte. Je trouvais qu'il avait raison, que vous étiez bien mieux sans moi.

– Mon grand-père ?

– Il a épongé mes dettes, à condition que je disparaisse. Il ne voulait pas que vous grandissiez sous l'influence d'un criminel, il disait.

– Ah ! Le vieux salaud ! Et maman a rien dit ?

– Ta mère était débordée, à l'époque, Allegra. Il faut que tu comprennes, elle avait deux jeunes filles, se retrouvait seule, avec un mari en prison, elle aussi, elle a dû avoir tellement honte…

– Arrête avec ce mot-là ! Tu n'es pas parfait, t'as fait une erreur, t'as payé pour, et voilà ! On ne va pas en faire un plat vingt ans plus tard.

À ces mots, Matteo éclate en sanglots. Allegra ne sait que faire. Elle regarde cet homme rapetissé par les années, qui ne ressemble en rien au père fort et grand de ses souvenirs. Elle voudrait le consoler, mais ne sait même pas comment s'adresser à lui. « Papa » ? Elle en serait incapable. Il n'a pas rempli ce rôle dans sa vie, par sa faute à lui ou par celle des autres, mais il demeure qu'il ne mérite pas ce titre. « Matteo » ? Elle ne voudrait pas lui faire la peine du désaveu qu'une telle appellation impliquerait. Elle se contente donc de lui tapoter la main, pendant qu'il pleure à chaudes larmes, attirant les regards courroucés des serveurs et ceux, hautains, des habitués de cet hôtel de luxe.

Quand il se calme enfin, c'est à son tour de poser des questions. Il veut tout savoir d'Allegra et de Chiara. Quand il apprend que son aînée a eu un garçon, il éclate de nouveau en sanglots.

– *Nonno! Io sonno un nonno*[10]! s'exclame-t-il à travers ses larmes. *E mia madre è bisnonna*[11]!

Allegra sort de son sac à main la photo du petit Jasper qui ne la quitte jamais. Son père s'extasie devant le petit minois rabougri à moitié caché par une tuque de laine. Quand il a fini de s'exclamer, elle lui demande des précisions sur le journaliste qui l'a contacté.

– C'est comme ça que j'ai su que tu étais à Florence. Ma petite fille, une grande star! Je suis tellement fier!

Et il se remet à pleurer de plus belle. Allegra commence à en avoir un peu marre, de son cinéma. Elle lui redemande calmement ce qu'il a dit au journaliste et ce dont il entend lui parler.

– Rien, rien, je n'ai rien dit, tu dois au moins m'accorder ça! Je suis peut-être le dernier des crétins, le plus nul des pères, mais j'ai le sens de la famille, moi! Je ne leur ai rien dit et je ne leur dirai rien. Mais quand j'ai su que tu étais en Italie, je devais te voir. Au moins essayer.

Ils discutent quelques minutes encore. Matteo se lamente sur ce qu'il a perdu de son passé, mais parle peu de l'avenir. Il ne demande pas à la revoir et elle ne le lui propose pas non plus. Quand elle le quitte, Allegra accepte qu'il la serre dans ses bras, se sentant étrangement détachée de cet homme qu'elle a pourtant déjà appelé «papa».

Elle remonte retrouver Sean, qui la prend dans ses bras sans dire un mot. Quelques larmes s'échappent sur le visage d'Allegra. Elle les laisse couler.

– Raconte-moi.

Allegra lui raconte tout, sa nervosité, cette sensation bizarre de se reconnaître dans le visage d'un autre.

---

10. Grand-père! Je suis grand-père!
11. Et ma mère est arrière-grand-mère!

– Mais un autre qui serait un parfait inconnu, tu vois ? Un visage aussi familier et aussi étranger à la fois, c'est troublant.

– Tu vas le revoir ?

– Sincèrement ? Je n'en ressens pas le besoin. Je vais attendre de voir ce qu'en pense Chiara, c'est à elle aussi de prendre cette décision-là. Mais pour moi, c'est presque un soulagement : une zone d'ombre de moins dans ma vie. Mon père existe, les circonstances ont fait qu'il ne m'a pas élevée. Je suis qui je suis aujourd'hui malgré ça ou grâce à ça. Mais le résultat est le même. Je suis qui je suis et ça n'a rien à voir avec lui.

– Tu en veux à ton grand-père ?

– Ça ne sert à rien, il est mort.

– Quand même.

– Sérieusement, pas trop. Il était très vieux jeu, mon grand-père, assez rigide et, dans son esprit à lui, il a fait ce qu'il fallait pour nous protéger. Tant que ses intentions étaient bonnes, je ne peux pas le juger trop durement pour ses erreurs.

– Tu es admirable.

– Arrête avec les grands mots !

– Je suis sérieux, Allegra. Il n'y a pas beaucoup de gens qui auraient cette largesse d'esprit, ce sens du pardon. Envers ton père et ton grand-père. Tu ne ressens pas de rancune, tu avances dans la vie sans t'empêtrer dans le passé. C'est admirable, je te dis. C'est l'une des choses que j'aime le plus, chez toi.

– Que tu quoi ? demande-t-elle d'un air coquin.

– Que j'aime le plus, tu m'as bien entendu.

– Parce qu'il y en a d'autres ?

– Tu veux la liste ?

– Vas-y, je t'écoute.

Mais il la prend dans ses bras et l'embrasse, sans plus parler.

Quand elle revient de sa série d'entrevues, ce soir-là, Allegra est éreintée. Moralement et physiquement. Elle a besoin de prendre l'air et Sean l'entraîne dans la rue. Mais Allegra se rend compte qu'elle en a assez des églises, des monuments et des cathédrales. Elle n'a plus envie de marcher dans un musée ambulant. Elle a besoin d'arbres, de soleil, de la faune éclectique d'une ville moderne. Elle a besoin de Montréal. Elle fait part de ce désir à Sean, qui rigole :

– Tu sais, Melbourne c'est une ville très avant-gardiste, et directement sur la plage.

– Bon. Alors, c'est maintenant qu'on en parle ?

– Qu'on parle de quoi ?

– De nous. De géographie. De l'avenir.

– OK.

Ils se regardent, ne sachant qui doit commencer le premier.

– À toi, dit Sean, galant.

– OK.

Allegra prend une grande respiration.

– C'est sûr que ma job est assez flexible. Dépendant des tournages, je peux être envoyée à gauche et à droite. Mais il faut que je passe des auditions, que je rencontre des gens, que je sois présente. Plus ou moins. Et puis, Montréal, c'est mon port d'attache. J'ai besoin de stabilité dans ma vie. De ma sœur, de ma mère, d'Éléonore.

Sean sourit en l'entendant énumérer toutes ces personnes qu'il a hâte de rencontrer.

– OK, à mon tour. Je suis un nomade dans l'âme. J'aime bouger, découvrir. Je déteste la routine. Je travaille de partout avec mon ordinateur portatif.

– Alors c'est parfait !

– Mais je te préviens que je ne gagne pas beaucoup d'argent. Je ne prends que les contrats dont j'ai besoin pour vivre. Je crois fermement en ce précepte de Gandhi : « Si chacun ne conservait que ce dont il a besoin, nul ne manquerait de rien, et chacun serait satisfait de ce qu'il a. » Je n'accumule pas pour le plaisir d'accumuler. Ni l'argent ni les possessions matérielles.

– J'avais cru deviner.

– Penses-y bien, Allegra. Tu peux trouver ça drôle en voyage, mais trouveras-tu ça aussi drôle le jour où tu voudras une grande maison comme celles de tes amies ?

– Au contraire, j'ai besoin de ça, Sean. Besoin de me concentrer sur l'essentiel. Mon petit appart me suffit amplement. Mais t'as pas envie, des fois, d'économiser pour l'avenir ? Juste au cas où ?

– J'ai passé beaucoup de temps avec les aborigènes d'Australie. Dans leur tradition de peuple nomade, ils ont vraiment un respect pour la Terre. Ils savent qu'ils appartiennent à la Terre et non le contraire. Quand ils voient qu'un arbre fruitier commence à s'épuiser, ils bougent. Ils ne vont jamais cueillir le dernier fruit de l'arbre. Ils font confiance à la Terre qui leur fournira un autre arbre plus loin. C'est comme ça que je vis ma vie. Je fais confiance à l'avenir.

– Ce sont de bien beaux principes, le taquine Allegra. Mais dans l'immédiat, ça veut dire quoi ? Tu rentres à Montréal avec moi ?

– OK. J'ai un gros contrat le mois prochain, ça m'irait de me poser quelque part et de travailler sérieusement. Mais on fait un *deal* : chaque fois que tu es entre deux projets, on repart. J'ai trop besoin de l'océan, je ne pourrais pas vivre à l'intérieur des terres toute l'année comme ça.

– Exagère pas, Montréal, c'est une île !

– Il paraît qu'il y a un peu de surf, sur votre Saint-Laurent, mais ça ne me satisfera pas longtemps.

– OK, OK. On ira souvent à la mer.

– Tu viendras en Australie ?
– Oui.
– Ouf.
– On est d'accord ? Négociations closes ?
– On est d'accord.

Ils se serrent la main de manière formelle, puis rentrent à l'hôtel sceller leur entente de manière plus informelle.

Chapitre douze

– Quoi?

Chiara tombe pratiquement en bas de sa chaise. Le petit Jasper, nullement perturbé, se raccroche à son sein et se remet à boire goulûment.

– Calme-toi, tu m'as fait peur, dit Allegra.

– Je me répète. Quoi??? T'as vu notre père en Italie?

– Oui.

Allegra prend calmement une gorgée de tisane. Elle offre un muffin aux dattes à sa sœur, qui la regarde, éberluée.

– Et tu me dis ça comme ça?

– Comment tu veux que je te le dise? Que je place une annonce dans le journal?

– Je sais pas, moi, t'aurais pu sauter sur le foutu téléphone la minute que c'est arrivé!

– Je voulais pas en faire un *big deal*.

– C'est un *big deal*, Allegra, c'est un énorme *deal*! *Come on*!

– Sean trouve que…

– Oyoyoye. On est déjà dans le «Sean trouve que». L'heure est grave.

– Arrête!

– Allegra, c'est majeur. Notre père! Je le croyais mort.

– Ah bon? Pourquoi?

– Je sais pas. Je trouvais ça bizarre qu'on n'en ait plus jamais entendu parler. Je pensais que maman et grand-père nous avaient caché son décès, pour ne pas nous faire de la peine.

– Voyons ! Ils auraient pas fait ça !

– Bon, mais veux-tu bien cracher le morceau ? Tu l'as vu où, pourquoi, il était comment ? Raconte !

Allegra obéit. Elle décrit leur rencontre dans le menu détail, incluant la ressemblance étonnante qui l'a tant frappée. Chiara ne s'émeut pas outre mesure, même quand sa sœur lui raconte comment Matteo a réagi en apprenant qu'il était grand-père.

– Peuh ! Pour être grand-père, il faut commencer par avoir été père.

– C'est exactement ce que je me suis dit.

– Alors, on fait quoi, p'tite sœur ? On garde ou on jette ?

Allegra sourit d'entendre la formule qu'elles utilisaient toutes les deux lorsqu'elles passaient ensemble à travers leur garde-robe pour la mettre à jour.

– Poser la question de cette manière, c'est y répondre, dit Allegra.

– Bien d'accord. C'est bien beau, ses histoires mélodramatiques de raté qui a tout risqué pour être à la hauteur de son épouse fonceuse, mais il y a des limites. S'il avait voulu être présent dans nos vies, il l'aurait été. Il est un peu trop tard.

– Tu lis dans mes pensées.

– On le dit à maman ?

– Ton vote ?

– Non.

– Non pour moi aussi.

– Bon, maintenant qu'on a réglé ça, peux-tu bien me dire ce que « Sean trouve » de si extraordinaire ?

– Rien, arrête. La même chose que nous. Il trouve que ça sert à rien de perdre mon énergie avec une relation qui ne m'a jamais rien apporté de bon.

– Ouh, il a de l'allure, le Sean. Quand est-ce que tu me l'amènes ?

– Demain, si tu veux. Je voulais te parler de lui avant.

– Un mec qui débarque d'Australie en passant par Bali et l'Italie, j'avoue que c'est gros. Heureusement que j'ai les hormones d'allaitement pour me garder calme. Seigneur, Allegra, on peut pas dire que tu vas les chercher au coin de la rue.

Lorsqu'elle rencontre Sean chez Leméac, le lendemain midi, Chiara ne peut s'empêcher d'être séduite. Elle aurait aimé détester ce nouveau venu, le trouver louche, prétentieux, avoir une raison de retenir sa sœur qui, elle le sent, ne sera plus que de passage à Montréal entre deux projets et un voyage. Elle se méfie de ses théories à la noix de nomade qui n'accumule rien, trouvant que c'est une belle façon de se déresponsabiliser. Mais quand Allegra entre avec lui dans le restaurant bondé, Chiara constate deux choses. Premièrement, sa sœur semble complètement éprise, et deuxièmement, le fameux Sean n'est pas seulement beau, il dégage un pouvoir de séduction qui serait facilement détestable, si ce n'était le sourire franc qui accompagne chacun de ses regards. Échec et mat, se dit Chiara en riant de bon cœur. Sean poursuit son ascension fulgurante dans le palmarès des rares êtres humains appréciés de Chiara en demandant tout de suite s'il peut tenir Jasper dans ses bras. Chiara déteste ces hommes qui, à trente ans, prétendent avoir une sainte horreur des bébés, tout ça pour ne pas risquer de donner des idées aux pauvres blondes naïves et crédules qui font tout pour les accrocher. Elle lui tend donc son fils sans hésiter. Sean le tient entre ses mains maladroites, avant de le passer à Allegra qui roucoule comme toujours en câlinant son neveu adoré.

Après le repas, Allegra et Sean vont marcher sur le mont Royal, grimpant jusqu'au belvédère pour admirer la vue vers le Stade olympique.

– Il est super mignon, le bébé de ta sœur.

– Mets-en! C'est le plus beau bébé du monde.

– Tu en veux?

– Quoi?

– Des chapeaux melon.

– Hein?

– Mais non, des bébés!

– Ah. Euh, oui, en fait. Vraiment, vraiment, vraiment, et de plus en plus. Je regarde Éléonore avec sa fille, Chiara avec son bébé et je les envie vraiment. Ça me tiraille dans le fond du ventre. Ça te fait peur?

– Non.

– Ah bon?

– Pourquoi, c'est supposé?

– Ben, d'habitude, les gars...

– Si tous les hommes avaient si peur de la reproduction, l'espèce humaine ne se serait pas rendue très loin.

– C'est exactement ce que dit ma sœur!

– Je le savais, qu'on était faits pour s'entendre, elle et moi.

– Mais il me semble qu'avec ton mode de vie, tes voyages...

– Je ne fais pas ça par égocentrisme, au contraire. Je trouve ma vie extraordinaire et j'ai envie de la partager. Avec toi, avec des enfants.

– Je te jure, je commence à avoir tellement hâte que j'envie même les mères qui ont l'air complètement débordées, avec des marmots qui hurlent accrochés à elles. Je me dis qu'au moins elles savent ce que c'est. La grossesse, la maternité. Mais en même temps, j'hésite...

– Tu as peur?

– Non, c'est juste que je ne sais pas comment concilier ce désir d'enfant avec mon travail. Six mois sans être capable de tourner pendant la grossesse, la pression de reprendre ma ligne pour le prochain projet… Je démarre à peine dans le métier, il faut que je me donne une chance. Mais en même temps… J'ai besoin de me garder les pieds sur terre. D'avoir une vraie priorité, hors de ma carrière.

Sean sourit, de son sourire calme, comme toujours. Allegra ne s'est jamais sentie aussi totalement à l'aise avec un homme, s'est rarement mise à nu de cette façon. Elle a toujours été une personne foncièrement honnête, surtout avec Éléonore, avec qui elle n'a jamais eu de barrières. Mais avec Sean, les confidences vont encore plus loin : elles touchent à l'essentiel de ce qu'elle est et de ce qu'elle attend de sa vie. Étrangement, au lieu de se sentir vulnérable, elle se sent plus forte et en confiance après s'être révélée. Elle ose tout dire et tout demander.

– Alors, tes enfants, tu aimerais les avoir quand ?

– N'importe quand. Quand j'aurai une relation stable et profonde avec leur future maman. Dans… un an ?

– T'es sérieux ?

– Pourquoi pas ? On a l'âge de savoir ce qu'on fait. Si je veux attendre, c'est surtout pour profiter de toi, égoïstement, avant d'avoir à te partager. Faire les choses une à la fois.

– OK ! Dans un an. Ça veut dire qu'il faut que je me dépêche de trouver mon prochain projet pour avoir fini avant !

Ce soir-là, elle sort souper au Petit Italien avec Éléonore et lui raconte leur conversation.

– As-tu remarqué que les femmes parlent toujours d'avoir des bébés, et que les hommes parlent toujours d'avoir des enfants ? C'est marquant, tu trouves pas ?

– Élé! Franchement! Tu trouves pas ça plus marquant que mon nouveau chum, que tu n'as même pas encore rencontré, veuille faire un bébé avec moi dans un an?

– À vrai dire, non, ça ne m'étonne pas. J'ai toujours su que quand tu allais te brancher, tout allait se faire vite. Fallait juste que tu trouves le bon.

– Et tu penses que je l'ai trouvé?

– Pas si vite, je l'ai pas encore rencontré, mais on dirait.

– Et toi, Élé?

– Moi, quoi?

– Tu sais bien. As-tu trouvé le bon?

– On croirait Yasmina, elle m'a posé la même question la semaine dernière au téléphone.

– Alors?

– Écoute, est-ce que c'est si important que ça? C'est Mathilde, ma priorité, pas mes chums.

– C'était peut-être ça, le problème, marmonne Allegra.

– Quoi?

– Rien, rien. Donc, tu disais…

– Émile, il est super, on s'entend bien, on trippe cinéma ensemble, on se motive, on se pousse à travailler plus et mieux. C'est une facette de ma vie qui va super bien. Mais ça a peu d'incidences sur le reste.

– Sur ta vraie vie, tu veux dire.

– De quoi tu parles?

Elles sont interrompues par la serveuse. Elles ont leurs habitudes au Petit Italien et commandent sans regarder la carte. Éléonore choisit les linguines *buongustaio*, avec leur sauce au prosciutto, poulet braisé, raisins, basilic, ail et vin blanc. Allegra demande une sélection d'entrées crues, dont le *carpaccio di manzo* et l'assiette de *mozzarella di bufala, pommodori e arancia*. Elle boit un verre de San Pelligrino pendant qu'Éléonore s'offre un verre de pinot *grigio*.

– Bon! De retour à la confesse.

– Quoi ?

– Tu t'en tireras pas comme ça, Élé. Tu disais qu'Émile est super au travail, mais pas dans ta vie.

– Le travail, ça fait partie de ma vie.

– Euh, oui, si on veut, mais ta vraie vie, Élé, c'est ta fille, ta famille et tes amis. Le travail, c'est accessoire, ça change et ça ne te définit pas.

– Est-ce notre grande actrice qui parle ainsi ?

– Ah, moi, ne t'inquiète pas, j'ai assez galéré dans des jobs pourries pour savoir que mon travail ne me définit pas. C'est une phase dans ma vie, j'espère qu'elle va durer longtemps, mais ce n'est pas moi.

– Parlant de ça, tu penses à quoi pour ton prochain projet ?

– Encore à changer de sujet ! Je ne t'oublie pas, OK ? Mais pour le prochain projet, je ne sais pas, Élé, je sais tellement pas. Je veux quelque chose d'aussi bien, ou d'encore mieux.

– Je sais, c'est la même chose pour moi. C'est le problème, quand on commence fort comme ça. On se dit qu'on ne peut pas être aussi chanceuse deux fois.

– Un instant, avec ta chance. C'est le travail acharné qui nous a amenées à réussir.

Elles sont interrompues par une femme qui s'avance vers elles, gênée.

– Excusez-moi… Est-ce que je pourrais vous demander un autographe ? Je m'excuse de vous déranger dans votre souper, mais mon fils vous aime tellement, et il est atteint d'un cancer, ça lui ferait tellement plaisir…

Allegra sourit.

– Bien sûr, madame.

La dame s'éloigne, jetant un coup d'œil émerveillé à Éléonore qu'elle a aussi reconnue.

– C'est pas pour faire ma snob, dit Éléonore, mais on voit pas ça souvent sur la rue Bernard. J'ai passé ma vie ici avec mon père et tout le monde faisait toujours semblant de ne pas le reconnaître.

– Euh, non, désolée, c'est un commentaire de snob! Éléonore Castel! C'est pas ton genre.

– Coudonc, je passe au *cash*, moi, ce soir? Est-ce qu'il y a quelque chose d'autre que tu voudrais critiquer? Ma garde-robe, ma coiffure, mon petit doigt?

– OK, on se calme. Je suis désolée. Qu'est-ce que t'as, coudonc?

– Je sais pas. Depuis que je ne suis plus avec Malik, j'ai tout le temps l'impression qu'on me désapprouve. Parce que je ne suis plus dans la petite cellule familiale parfaite avec le père de mon enfant. C'est bien beau, faire des enfants, Allegra, mais c'est une décision qui va te suivre toute ta vie.

– Je sais!

Leur souper terminé, elles se quittent, songeuses. Éléonore a pourtant l'impression que tout va bien dans sa vie: un beau succès professionnel, une petite fille adorable et heureuse, un homme qui la stimule et la passionne. Pourquoi alors sent-elle constamment qu'il y a quelque chose qui manque? Elle n'arrive pas à se l'expliquer. Même Malik a cessé d'être un tel irritant; il semble plus à l'aise avec elle, avec leur situation et a même commencé à lui téléphoner de temps à autre pour poser les questions essentielles au sujet de Mathilde, au lieu de passer par sa mère. Ils ne se sont toujours pas revus, Éléonore continuant de déposer sa fille chez les Saadi le vendredi avant l'arrivée de Malik, et retournant la chercher le dimanche soir après son départ. Elle entend moins parler de Ruby, qui n'a toujours pas fait le voyage à Montréal. Éléonore n'en veut pas à Malik d'avoir trouvé quelqu'un, puisqu'elle a fait de même ; mais elle est soulagée de savoir que sa nouvelle blonde ne jouera pas un rôle important dans la vie de Mathilde. Ce n'est pas Mathilde qui a décidé de la séparation de ses parents, ce n'est donc pas à elle d'en subir les conséquences en étant soumise à un ballet de blondes et de chums successifs auxquels elle devra s'habituer, et plaire, chaque fois. Il semble que, pour une fois, Malik est sur la même longueur d'onde.

Éléonore se fait la réflexion qu'Allegra et son Sean ne semblent pas avoir de problèmes à ce niveau : ils veulent les mêmes choses en même temps, ce qui n'a jamais été son cas avec Malik. Ils veulent faire un enfant, si rapidement… Éléonore se demande depuis quelque temps si ce n'est pas ce qui leur a tant nui, à Malik et à elle. D'avoir eu à composer si vite avec la réalité d'un bébé, sans prendre le temps d'abord d'apprendre à se connaître, de bâtir une relation équitable et équilibrée. Les choses auraient-elles été différentes, entre eux, s'ils avaient pu prendre le temps de se connaître avant de faire un enfant ? D'établir une relation de confiance, d'égalité, avant qu'elle ne soit boule-versée par le déséquilibre inévitable de la maternité ? Elle comprend Allegra de vouloir vivre cette aventure, la plus extraordinaire du monde, surtout avec Mathilde et Jasper sous les yeux. Mais elle a peur que son amie ne prenne pas la pleine mesure du sacrifice qu'un enfant exige. Allegra vient de commencer une carrière extraordinaire, avec un prix prestigieux qui lui a donné tout de suite accès aux plus grands cinéastes du Québec et d'ailleurs. Éléonore ne voudrait pas qu'elle rate sa chance. Elle sait trop bien comme c'est difficile de concilier vie familiale et objectifs de carrière, surtout lorsqu'on débute. Elle se promet d'ai-der Allegra à dénicher rapidement son prochain projet, espérant la garder si occupée qu'elle retardera peut-être un peu son échéance. Le temps de s'établir en tant qu'actrice incontournable et non comme une sensation d'un soir. L'industrie est pleine de ce que les Américains appellent des « *one-hit wonders* » et Éléonore tient à ce qu'Allegra ne soit pas du nombre.

Allegra rentre chez elle pour y trouver l'appartement vide. Sean n'est pas encore rentré du cinéma. Elle écoute les messages dans sa boîte vocale.

« Salut, ma belle, c'est maman. Peux-tu m'appeler quand tu auras une minute ? »

« P'tite sœur, t'es dans la merde. Maman a appris que j'ai rencontré Sean avant elle. Elle est pas très contente. Je te conseille de ramener tes fesses chez elle à la première heure, le beau Sean à tes trousses. *Ciao !* »

Zut. Allegra n'avait pas l'intention de heurter sa mère, elle voulait plutôt protéger Sean, qui doit s'habituer à un nouvel appartement, à une nouvelle ville, à un nouveau groupe de copines et à une nouvelle belle-famille par-dessus le marché. Depuis leur arrivée à Montréal, Allegra passe beaucoup de temps seule avec lui, lui fait découvrir la ville, fait tout pour lui donner l'impression qu'ils vivent cette expérience à deux. Elle n'a pas envie qu'il se sente catapulté dans sa vie à elle, sans avoir eu le temps d'établir ses propres points de repère. Mais voilà qu'elle a sans doute trop attendu, ou plutôt enfreint elle ne sait quelle règle d'étiquette dictant que sa mère aurait dû être la première à faire la connaissance de son nouveau chum. Mais là encore, elle trouve que sa mère exagère. Elle croyait que Nicole s'était calmé les nerfs, en vivant avec Benoit. Et la voilà, avec ce ton presque larmoyant au téléphone. Franchement. Elle devrait comprendre que ce sera un peu intimidant, pour Sean, de la rencontrer. Il valait bien mieux commencer par Chiara, ne pas fragiliser indûment leur relation nouvelle en le jetant tout de suite dans la gueule du loup des attentes familiales. *Et puis*, s'indigne Allegra, *elle a mis combien de temps, elle, avant de nous présenter son Benoit ? Des mois !*

Elle décide donc, pour la première fois de sa vie, de ne pas accourir dès que sa mère ou sa sœur la siffle. Elle rappelle sa mère, discute avec elle calmement, lui donne des nouvelles, raconte ce que Sean et elle ont fait au cours des derniers jours, incluant le lunch avec Chiara. Nicole essaie de les inviter à souper, mais Allegra répond qu'ils sont très pris cette semaine. Finalement, Nicole n'en peut plus et laisse libre cours à ses émotions.

– Mais quand même, Allegra ! Je suis ta mère ! Tu vis avec ce gars-là, que t'as ramassé à Saint-Glin-Glin, pis j'ai même pas le droit de le voir !

– Maman, ça fait même pas une semaine que Sean est arrivé à Montréal, laisse-le respirer.

– Je demande pas la lune, Allegra. Passez juste prendre un café. Il y a rien là, un café !

– Ah oui ? Et toi, dans tes débuts avec Benoit, est-ce que tu es passée prendre un café avec moi ?

– C'est pas pareil ! Mélange pas tout.

– Il me semble, au contraire, que c'est exactement pareil. Tu vas le rencontrer, ne t'inquiète pas, il est là pour rester. Laisse-lui juste le temps de respirer un peu.

Nicole maugrée, mais Allegra tient bon. Pour une fois, elle fera les choses à sa façon.

Quelques jours plus tard, elle reçoit un appel d'une Éléonore hyper excitée.

– Allegra, tu devineras jamais !

– Surtout si tu ne me donnes pas d'indices.

– Jean Colombe est de passage à Montréal la semaine prochaine. Jacques et moi, on sort souper avec lui.

– Le cinéaste français ?

– Lui-même. La légende.

– Wow, Élé, c'est vraiment cool. Un rêve.

– Mais attends. Je t'ai pas tout dit.

– Quoi, tu vas faire son prochain film ?

– Non, quand même pas. Mais toi oui.

– Quoi???

– Ne t'énerve pas, je dis ça un peu à la blague. Mais il veut te rencontrer. Il m'a demandé de t'inviter au souper.

– Ta gueule!!!

Allegra est au septième ciel. Jean Colombe est un homme de soixante-dix ans, qui en paraît vingt de moins. Il a révolutionné le cinéma français dans les années soixante et il mène depuis une illustre carrière. Il est très discret, presque reclus. On le voit rarement dans les festivals, jamais dans les galas. Il ne tourne qu'un film tous les quatre ou cinq ans, choisissant chaque fois des projets innovateurs qui entretiennent le mythe. Cette chance de le rencontrer est unique, et Allegra ne tient plus en place. La veille du fameux souper, elle appelle Éléonore pour lui demander si elle peut aller se préparer chez elle.

– Je suis trop nerveuse, je ne sais pas quoi mettre, j'ai besoin de conseils.

Éléonore éclate de rire, avoue qu'elle aussi s'est longuement demandé quoi porter, mais suggère de se rendre plutôt elle-même chez Allegra, pour qu'elles puissent se préparer sans avoir Mathilde dans les jambes, qui voudra essayer tous les rouges à lèvres et appliquer le mascara de sa mère avec la meilleure volonté du monde mais pas trop de précision.

– OK. Tu rencontreras Sean en même temps, mais après je le mettrai à la porte pour qu'on puisse se préparer entre filles.

– T'es sûre?

– Oui, oui. Il ira au cinéma, il adore ça.

– Un bon match, on dirait?

– Oui, à part qu'il trippe sur les espèces de films de kung-fu asiatiques incompréhensibles. Je ne l'entraînerai pas voir Truffaut de sitôt.

– Tu l'emmèneras voir Jean Colombe.

– Tu veux rire, on vient de se claquer un véritable festival de Colombe sur DVD cette semaine. Demande-moi n'importe quoi sur ses films, je suis imbattable.

Quand Éléonore arrive chez Allegra, c'est Sean qui lui ouvre.

– Elle est encore dans la douche, dit-il.

Éléonore lui serre la main et le trouve semblable à ce qu'elle avait imaginé. Bronzé, à l'allure sportive et des yeux gris-vert éclatants qui lui rappellent ceux de son ami Matthew. Elle parie que ces deux-là s'entendraient bien et se promet de les présenter au prochain passage de Matthew à Montréal. Il pourra peut-être aider Sean dans sa démarche d'anglophone amateur de plein air qui essaie de se faire une place à Montréal. Éléonore et Sean discutent quelques minutes, de Bali, de l'Australie, de Montréal, en attendant qu'Allegra surgisse de la salle de bain, ruisselante ct enveloppée dans une serviette blanche.

– Élé! Je laisse mes cheveux bouclés ou je les sèche droits?

– Bon, je vous laisse, dit Sean en riant. Ce genre de question est au-delà de mon expertise. Bonne soirée, *and break a leg*[12], lance-t-il en embrassant Allegra avant de partir.

Allegra se retourne vers Éléonore.

– Alors, qu'en penses-tu?

– Il est vraiment bien.

– Pas Sean! Mes cheveux! Je fais quoi?

C'est au tour d'Éléonore de prendre sa douche pendant qu'Allegra sèche ses cheveux en leur laissant leurs boucles naturelles. Elle avait songé se faire coiffer et maquiller

---

12. Et casse-toi la jambe (expression anglaise qui veut dire «bonne chance », dans un contexte artistique notamment).

avant la soirée, mais son instinct lui dit que Jean Colombe préférera une apparence naturelle, qu'il doit être soûlé des beautés siliconées et botoxées qui rêvent toutes de devenir actrices. Elle opte donc pour un look sobre, mais pas trop classique. Ses cheveux dorés en boucle, une touche de mascara, de la crème hydratante sur les lèvres. Elle enfile un legging noir, des bottes hautes avec une boucle de métal et un grand chandail déstructuré d'un bronze qui s'agence à merveille avec son teint. Elle ne porte pas de bijoux, sauf un large bracelet doré qu'elle a acheté pour quelques dollars chez H&M. Elle a l'air urbaine, jeune, mais sans prétention. Éléonore l'applaudit, pendant qu'elle opte pour un ensemble plus business : un pantalon noir, un t-shirt blanc, et un veston noir ajusté, la sévérité de l'habit étant atténuée par un long collier argent et turquoise qui fait ressortir le bleu de ses yeux. Elle a relevé ses cheveux noisette en queue de cheval et a appliqué une touche de maquillage. Voilà, elles sont prêtes.

– À nous !

– À nous !

Elles trinquent à l'eau minérale, Allegra ne souhaitant pas consommer d'alcool avec ses nerfs déjà trop à vif. Elle remarque que son amie semble songeuse.

– Ça va, Élé ? Tu as l'air un peu moins énervée que la dernière fois que je t'ai parlé au téléphone.

– Ça va, ça va. C'est Émile.

– Quoi, Émile ?

Émile qui a fait des pieds et des mains pour être invité, ce soir-là. Qui a toujours parlé de Jean Colombe comme étant l'une de ses idoles, qui a été grandement insulté quand il a appris qu'Allegra était du nombre et pas lui, qui a longuement insisté pour qu'Éléonore fasse demander au cinéaste s'il pouvait se joindre à eux. Et qui a beaucoup, beaucoup boudé quand Éléonore a refusé, jugeant que cela ne serait pas professionnel.

– Tu sais que je ne veux pas mêler ma vie personnelle et ma vie professionnelle, Émile. Tu veux que je te fasse inviter à quel titre, comme scénariste et acteur, ou comme mon chum ? Si c'est comme scénariste, c'est pas à moi de forcer ça. Si c'est comme chum, je m'excuse, mais les conjoints ne viennent pas ce soir. Allegra n'emmène pas Sean, et Jacques n'emmène pas sa femme.

C'est là qu'Émile est devenu plutôt agressif.

– Tu veux me garder sous ta botte, c'est ça ? Que je sois juste ton ti-chien-chien qui fait tes projets, pis le reste du temps je me ferme la gueule ? J'ai du talent, beaucoup de talent, Éléonore Castel, et tu me garderas pas enfermé.

– Il ne s'agit pas de ça, voyons ! Si tu veux souper avec Jean Colombe, vas-y, mais compte pas sur moi pour te décrocher une invitation. C'est pas de mes affaires.

– Pis tu t'occupes juste de tes affaires à toi, hein, pis pas de celles des autres ? T'es tellement égoïste, ça a pas d'allure. Toi, t'as eu un méchant gros *break*, avec la compagnie de ton père, t'as tout eu tout cuit dans le bec. Pis t'es pas capable d'aider les autres.

– C'est pas juste, ça. J'ai travaillé hyper fort et tu le sais très bien.

Tout de même, le reproche d'Émile a blessé Éléonore. Elle sait qu'elle est extrêmement chanceuse, dans une industrie comme la sienne, de porter un nom que tout le monde connaît, d'avoir pu apprendre aux côtés de Jacques Martel quand elle était toute jeune. Elle a fait un examen de conscience et s'est demandé si les récriminations d'Émile étaient fondées. Elle n'est pas arrivée à trouver qu'elles l'étaient, mais n'était pas assez sûre de son bon droit pour l'envoyer promener. Elle a essayé de l'amadouer, lui a promis qu'elle parlerait de lui et de son prochain scénario au cours du souper. Émile a grogné mais a fini par l'embrasser avant qu'elle parte.

Quand elle raconte cette scène à Allegra, Éléonore capte tout de suite son regard désapprobateur. Elle tente donc de donner meilleure figure à Émile, expliquant ses débuts difficiles, son talent, ses rêves d'enfant. Mais Allegra ne semble pas convaincue. L'heure avance, elles descendent donc et prennent la voiture d'Éléonore pour se rendre à la Chronique, sur Laurier, un restaurant qu'Éléonore a jugé assez intime pour leur rencontre, tout en étant assez huppé pour faire honneur à leur invité.

Elles arrivent les premières. Éléonore choisit le menu de dégustation de poisson pour tous les convives : sept services à base de poisson, chacun accompagné d'un vin qui s'accorde au met. Turbot, homard, foie gras, saumon sauvage, le tout est un délice. Ils passent tous les quatre une excellente soirée, Jacques Martel et Jean Colombe rivalisant d'anecdotes et d'observations sur leurs premières armes au cinéma, dans les années quatre-vingt et soixante, respectivement. Éléonore et Allegra les écoutent avec avidité, mesurant le chemin parcouru par l'industrie. Elles apportent à leur tour le point de vue de la jeunesse, des idées originales qui font rêver d'avenir. Quand le dessert arrive, une sélection de gâteaux et de petits fours accompagnée de café, Allegra est surprise de constater qu'elle a mangé sept services. Les portions étaient légères mais absolument savoureuses. Les vins étaient excellents, bien qu'elle se soit contentée de siroter une gorgée de chaque verre, voulant garder toute sa tête.

Quand Jacques s'esquive pour appeler chez lui, voulant souhaiter bonne nuit à ses enfants, et qu'Éléonore va aux toilettes, Allegra se retrouve en tête-à-tête avec le grand homme. Loin d'être intimidée, elle profite de cette complicité qui s'est dessinée entre eux au cours du repas et continue de discuter avec lui sans gêne aucune. Ils parlent de leurs idées, de leurs projets, des scénarios intéressants qu'ils ont lus. Jean Colombe demande à Allegra ce qu'elle a en tête comme prochain projet. Elle lui répond qu'il lui importe de faire un film majeur, puisqu'elle souhaite par la suite prendre un bref temps d'arrêt et veut partir sur une bonne note. Cela intrigue le cinéaste, il lui demande donc des précisions. Rougissante, elle lui avoue son désir d'enfant. Il éclate de rire. Offusquée, Allegra lui demande ce que ça a de si drôle.

– Ma chère, nous étions faits pour nous entendre.

Et Jean Colombe de lui révéler qu'il a dans ses tiroirs depuis des années un scénario percutant, dont le personnage principal est une femme enceinte.

– Mais il faut qu'elle soit réellement enceinte, vous savez. Pas de coussin sous les vêtements. C'est un regard très intime, très pointu, sur elle, sur les rapports qu'elle entretient avec les deux hommes de sa vie, son mari et son amant. Un film empreint de tension, de beauté. Et aussi tout un défi technique. Une véritable mise à nu. Chaque scène devra être filmée dans l'ordre, au fur et à mesure que le ventre pousse, sans possibilité de reprises. Un projet que je rêve de mettre au monde depuis des années, si vous me passez l'expression.

– Alors pourquoi ne pas l'avoir encore fait?

– Il me fallait trouver l'actrice. Je n'ai jamais voulu le suggérer à qui que ce soit, je ne pourrais vivre avec sur la conscience la naissance d'un enfant qui n'a peut-être pas été voulu, qui n'a été conçu que pour faire avancer une carrière, pour la gloire de travailler avec le grand Jean Colombe… J'ai voulu choisir une actrice déjà enceinte, mais en règle générale on n'apprend qu'elles attendent un bébé que lorsque la grossesse est assez avancée. Trop pour mon film. Voilà donc pourquoi j'ai attendu, en espérant un jour que le hasard me permettrait de rencontrer la perle rare.

– Et vous croyez que…

– Tout à fait, ma chère. Vous seriez superbe.

Sur ce, Jacques et Éléonore reviennent s'asseoir et la conversation diverge vers des sujets d'intérêt général. Allegra peine à contenir son excitation. En la quittant, Jean Colombe lui fait la bise, puis lui dit d'attendre de ses nouvelles, il lui enverra le scénario dès son retour à Paris. Éléonore les regarde, médusée, n'ayant pas soupçonné que leur discussion pendant sa brève absence avait été aussi fructueuse. Elles sont à peine arrivées à la voiture qu'Allegra lui déballe tous les détails. Son bonheur saute aux yeux, Éléonore s'en veut donc de devoir se faire l'avocat du diable.

– Mais, Allegra… Es-tu certaine de vouloir vivre ta première grossesse de manière aussi publique? Et il me semblait que Sean voulait attendre au moins un an.

– Bah, je suis sûre qu'il va être content de se lancer plus rapidement. Et pour le film, non, ça ne me dérange pas du tout. C'est une démarche artistique hallucinante. Imagine, quelle expérience unique!

– Une première grossesse est déjà une expérience unique. C'est fou mais on a toutes l'impression d'être la première à qui ça arrive. Ça chamboule les émotions, tu sais… Ça va pas te mettre à l'envers, de jouer des trucs intenses?

– Tu le dis, justement, j'aurai les émotions à fleur de peau. Imagine la performance!

– Allegra… Pense à toi, à ton bien-être, à Sean, au futur bébé… C'est pas évident.

– Arrête, Éléonore! J'ai tout ce que je voulais d'un coup: le film percutant, le cinéaste de renom et le bébé, sans nuire à ma carrière! Tu devrais être contente, c'est toi qui avais peur que je devienne une maman de banlieue qui fait des trempettes et des gâteaux.

– Il y a un juste milieu. Je veux simplement que tu comprennes bien dans quoi tu te lances. Une grossesse, c'est un défi dans le meilleur des cas. Je peux pas m'imaginer passer à travers ça sous la loupe d'une caméra. Tu sais même pas comment va être ton état de santé !

– T'es optimiste, coudonc ! Je vais être enceinte, Élé, pas malade ! L'espèce humaine n'aurait pas survécu longtemps si chaque grossesse était la catastrophe que tu m'annonces ! C'est un état parfaitement naturel.

– Oui, mais c'est pas parce que c'est naturel que ça ne t'affectera pas. Les règles aussi, c'est naturel, et ça met quand même à l'envers.

– Mais on travaille quand même, quand on a nos règles ! Tu vois !

– Essaie pas de m'avoir en dénaturant mes arguments. Bon, *anyway*, je repars à zéro : Allegra, je suis incroyablement fière de toi et contente pour toi. Jean Colombe t'envoie un de ses scénarios, c'est extraordinaire. J'espère que tu pourras travailler avec lui un jour. Je veux juste pas que tu te mettes la pression de tout faire en même temps.

– J'ai besoin de faire un bébé, Élé. J'ai besoin de garder les pieds sur terre, d'avoir quelque chose dans ma vie de mille fois plus important que les *games* de célébrité.

– En tout cas, réfléchis bien et parles-en à Sean, à ta mère et à ta sœur avant de te décider. C'est tout ce que je te demande.

En l'occurrence, Éléonore est déçue de la réaction des autres proches d'Allegra. Elle croyait que Sean refuserait de participer à ce cirque ; que Nicole s'inquiéterait du bien-être mental de sa fille ; que Chiara, si récemment maman, la découragerait d'entreprendre un parcours aussi ardu en y ajoutant encore des embûches. Mais ce n'est pas le cas. Sean éclate de rire et accepte de tenter l'aventure, séduit par son côté saugrenu. Nicole est au septième ciel que sa cadette songe à devenir maman et s'inquiète peu du pourquoi et du comment. Chiara applaudit l'audace de sa sœur, lui prédisant un avenir glorieux.

Éléonore demeure donc seule avec ses doutes, qui se confirment quand Allegra lui fait lire le scénario. Le film sera beau, certes, mais dur aussi. Le personnage principal est marié et a une aventure avec le meilleur ami de son mari. Elle développe une passion malsaine pour cet homme, lui aussi marié et peu disponible. Elle en devient presque folle, le traque et le harcèle, tombant enceinte et prétendant que le bébé est de lui. Il n'ose pas la repousser, craignant que la vérité n'éclate et que son épouse ne l'apprenne. On le voit donc se forcer à continuer de lui faire l'amour jusqu'à la fin de sa grossesse, alors qu'il ne ressent que de la répugnance pour cette femme complètement détraquée. Dans une scène particulièrement forte, elle est en fin de grossesse et le pousse tellement à bout, par ses récriminations constantes, qu'il la gifle. Elle tombe et se plie en deux, sentant une première contraction.

Éléonore ne peut honnêtement s'imaginer que quiconque veuille tourner une scène pareille quand elle est elle-même enceinte de neuf mois. Les effets spéciaux ne vont pas si loin : Allegra devra réellement se faire gifler et tomber, à répétition s'il faut plusieurs prises. Éléonore se dit que Sean ne doit pas avoir lu le scénario. Puis elle se rappelle qu'il ne l'a évidemment pas lu, puisqu'il est en français ! Mais elle ne se sent pas le droit de pousser l'ingérence jusqu'à lui en parler. Il verra bien en temps et lieu.

Chapitre treize

– Hummm… Une salade… Une bonne salade. J'en rêve.

– Moi aussi! répond Loïc. De la roquette, des copeaux de parmesan, une huile d'olive vierge…

– Non! dit Yasmina. Moi, tant qu'à y être, je voudrais une bonne salade César… Avec des croûtons et du bacon.

– Une vraie Américaine! rigole Loïc.

– La salade César, c'est une institution québécoise aussi, tu sauras! Tu devrais goûter à celle de chez St-Hubert…

– C'est le resto de poulet, ça, celui d'où tu te fais envoyer ces sachets de sauce dégueulasse?

– Dégueulasse? La sauce du St-Hub? Hérésie! Bon, mais c'est vrai qu'elle est moins bonne en sachet. Faudrait que tu l'essaies au resto. Hummmm… Un quart de poulet cuisse de chez St-Hubert… Là, vraiment, j'ai l'eau à la bouche.

– T'aurais pas plutôt envie d'une bonne baguette? Une vraie, bien croustillante?

– Pfft! Un vrai Français! Un croque-monsieur, avec ça?

– Humm, là c'est toi qui parles. Un vrai gruyère suisse, bien fondu… Miam!

Confortablement assis sur leur terrasse, Yasmina et Loïc partagent un pichet de limonade en admirant le coucher du soleil. Ils sont à Dapaong depuis déjà six mois, et ressentent tous les deux des envies irrésistibles des aliments de chez eux, qu'ils ne peuvent trouver en Afrique. Malgré toutes ses blagues sur le St-Hubert, Yasmina s'avoue que c'est réellement la salade qui lui manque le plus. Impossible de manger de légumes crus, à moins de les avoir soigneusement lavés dans une solution désinfectante, et même là, elle préfère ne pas s'y risquer. Elle en a marre des légumes bouillis ou grillés, rêve plutôt d'un céleri croustillant ou d'une bonne carotte croquante.

Elle ne s'attendait pas à ce que son mal du pays se manifeste de manière aussi prosaïque. Ses parents et son frère lui manquent, Éléonore aussi. Même si elle était habituée d'être loin d'eux à Paris, ici la distance lui semble bizarrement plus grande. Les communications téléphoniques sont moins claires, le trajet est plus compliqué. Il ne s'agit plus de se rendre à Roissy et de sauter dans l'avion, il faut suivre une route cahoteuse des heures durant, braver les intempéries, les crevaisons, les dangers de la route. Puis il faut plusieurs vols, avec des escales. Yasmina se sent psychologiquement loin des siens.

Elle voudrait bien qu'ils viennent lui rendre visite, mais elle sait que ce sera difficile. Éléonore et Malik partagent tous les deux leur temps entre leur travail et Mathilde; ils ne veulent pas exposer la petite au risque d'attraper la malaria pour quelques semaines de vacances, et aucun des deux ne veut partir sans elle. De plus, leur fille a commencé la maternelle cet automne et prend très au sérieux son rôle de « grande fille qui va à la grande école ».

De leur côté, les parents de Yasmina ont décidé récemment de limiter leurs déplacements : Jamel Saadi a ressenti quelques étourdissements au cours des dernières semaines et son docteur lui a recommandé le repos. Jamel refuse de laisser ses affaires en plan. Sans sa présence avisée, la moitié des transactions sur lesquelles il travaille tomberait à l'eau. Il n'a donc d'autre choix que de minimiser toute autre forme d'effort, jusqu'à ce que les médecins aient trouvé de quoi il retourne. Yasmina s'inquiète de savoir son père en mauvaise santé et parle parfois de prendre le premier avion pour Montréal, mais sa mère lui répète qu'il ne sert à rien de s'alarmer et qu'il vaut mieux attendre d'en savoir plus.

Au quotidien, Yasmina continue de passer des journées et des semaines si pleines qu'elle en perd le fil du temps. Juliette et Clara demeurent aussi présentes dans sa vie, organisant une multitude d'événements sociaux au gré des saisons, des arrivées et des départs. Leur groupe d'amis change fréquemment, les nouveaux arrivants apportant un vent de fraîcheur et les préservant de l'ennui. Loïc, quant à lui, déborde de joie et d'enthousiasme. Son travail le passionne, il se sent enfin utile, réellement utile. Ses longues années de médecine lui semblent enfin avoir servi un but. Les difficultés de pratiquer la médecine de brousse, la dureté de certaines scènes dont il est témoin, la frustration de devoir laisser mourir un patient qu'il aurait soigné en cinq minutes à Paris, tout cela l'affecte, bien sûr, mais n'atténue en rien sa conviction de fournir un service absolument essentiel. Il répète souvent: «Mieux vaut moi sans équipement, que personne du tout.» Il se concentre sur ses victoires plutôt que de s'apitoyer sur ses échecs. Yasmina et lui ont aussi beaucoup de plaisir à vivre ensemble; loin de Paris ou de Montréal, ils ont la chance de se bâtir une vie à deux, qui leur ressemble.

Yasmina continue à rédiger sa thèse et elle est assez contente de ses progrès. Mais depuis quelque temps, elle constate que le cœur n'y est pas. Elle s'assoit pour travailler, ouvre ses livres, entame une lecture, puis… quelques minutes plus tard, un mot qu'elle lit au détour d'une page fait surgir une idée dans sa tête et voilà qu'elle sort ses cahiers de français, préparant sa prochaine leçon. Parce que Batouly vient tous les jours chez elle, y passer une demi-heure ou parfois même une heure. Yasmina lui fait la lecture, la dictée et lui apprend l'orthographe et la grammaire. Rapidement, elle passe aussi aux premières notions des mathématiques et des sciences, même si ce n'est pas sa spécialité. La petite est trop curieuse. Une vraie éponge. D'une question à l'autre, Yasmina finit par parler de la course de la Terre autour du Soleil, des saisons, Batouly écarquillant les yeux quand Yasmina essaie de décrire la neige. Elle apprend rapidement et s'intéresse à tout. Après quelques semaines de ces cours particuliers, Yasmina a appelé sa mère et lui a demandé de lui envoyer ses cahiers de formation pédagogique, qu'elle a gardés depuis ses études en éducation. Autant Yasmina a détesté être professeure au secondaire, passant plus de temps à faire la discipline qu'à enseigner, autant elle s'épanouit au contact de cette petite à l'intelligence vive et assoiffée de savoir.

Et quand le devoir l'appelle, et qu'elle hésite entre une heure passée sur sa thèse ou une autre à préparer des dictées, elle ne peut s'empêcher de trouver que ses efforts auprès de Batouly sont tellement plus... nobles. *Bon, voilà que Loïc déteint sur moi, maintenant*, se dit-elle en riant. Mais il demeure qu'ici, à Dapaong, voyant Batouly passer tous les matins avec sur la tête son vieux contenant rouillé à remplir d'eau, elle se demande à quoi peuvent bien servir les grandes thèses d'universitaires quand il y a tant d'enfants dans le besoin à travers le monde. Elle sait bien que ce n'est pas si simple, que dans la vie, ce n'est pas noir ou blanc, que chaque métier a son utilité, mais elle, ici, avec cette misère sous les yeux, ne réussit pas à s'en détourner pour se consacrer à des études portant sur des sujets aussi abstraits que l'analyse de la littérature pendant les révolutions.

Un matin, alors que Yasmina a préparé un exercice de lecture et de vocabulaire utilisant les noms des oiseaux et des arbres communs dans la région, Batouly se présente à l'heure habituelle, gênée. Yasmina lui demande ce qu'il y a. La petite avoue en chuchotant qu'elle a une amie qui voudrait bien aussi venir apprendre à lire. Yasmina est soulagée qu'il n'y ait rien de plus grave et acquiesce tout de suite à sa requête. La petite disparaît immédiatement et revient quelques minutes plus tard en traînant par la main une autre fille de son âge, encore plus maigre qu'elle mais tout aussi souriante. Yasmina installe Batouly devant un exercice de grammaire pendant qu'elle enseigne les rudiments de l'alphabet à la nouvelle venue.

Bientôt, elles sont six. Yasmina a dû demander à Batouly si elle avait encore des amies à amener, entre autres parce qu'elle n'a pas assez de chaises, mais surtout parce qu'elle ne veut pas retarder tout le groupe en recommençant chaque fois à zéro avec la dernière arrivante. Batouly répond qu'il y en aurait bien d'autres, mais elles n'ont pas toutes le prétexte de devoir aller chercher de l'eau pour quitter le village à la bonne heure.
— Tu veux dire que vos parents ne sont pas au courant?
— Non.

Yasmina se demande longtemps quoi faire de cette information. Elle croit en l'éducation, est fermement convaincue que ces fillettes auront un avenir meilleur en sachant lire et écrire et en étant exposées à diverses manières de réfléchir et de voir le monde. Mais le fait d'agir dans le dos des parents la met mal à l'aise. L'idée germe en elle de demander à les rencontrer. *Et puis*, s'emballe-t-elle, *qui sait si je ne réussirais pas à tenir une deuxième classe, qui pourrait convenir aux autres petites filles, peut-être l'après-midi?* Elle sait que son enthousiasme est au mieux naïf, mais elle ne peut s'empêcher d'élaborer mille scénarios et lignes d'attaque.

Elle lit la frayeur dans les yeux de Batouly quand elle parle de rencontrer ses parents. Elle sait donc qu'il faudra user de diplomatie et procéder de la bonne manière. Elle est assez humble pour reconnaître que les us et coutumes du peuple peul lui sont complètement étrangers et qu'il vaudrait mieux demander de l'aide avant d'approcher qui que ce soit.

Loïc l'encourage dans sa démarche, la prévenant simplement que ce qu'elle entreprend risque d'être assez compliqué. Il la met en contact avec une employée d'une ONG dédiée au bien-être des enfants, de passage dans la région pour y recueillir des données. Prita est Indienne et se consacre aux droits des enfants depuis des années. Elle dit tout de suite à Yasmina que si elle veut enseigner à cinq ou dix fillettes, il vaut mieux pour elle carrément fonder une école.

– Une école ?

– Ce sera une démarche attestée. Tu pourras espérer avoir le soutien du gouvernement, du moins officielle-ment, peut-être même obtenir des fonds, militer auprès des ONG et des fondations caritatives privées.

– Mais je n'avais pas vu si loin. Je travaille sur une thèse de doctorat, je voulais simplement aider les petites filles du village, mais pas dans le dos de leurs parents.

– Je doute que tu obtiennes l'autorisation des parents du village s'il s'agit d'envoyer leurs filles dans la maison d'une Occidentale inconnue au lieu d'aider aux travaux. Et même si tu l'obtenais... ça te compliquerait encore davantage la vie. Que feras-tu si trente fillettes se présen-tent, un matin ? Soixante ? Tout est possible, tu sais.

Prita soulève des problèmes que Yasmina n'avait pas envisagés, plongée qu'elle était dans l'immédiat. Mais plus elle y pense, plus la solution lui semble aller de soi. Il y a un manque criant d'écoles dans le nord du Togo. Elle est elle-même enseignante et détient toujours son brevet d'enseignement. Elle n'a que quelques années d'expérience en milieu scolaire, mais pour paraphraser Loïc, mieux vaut Yasmina et son peu d'expérience que personne du tout.

Elle est consciente de l'ampleur du défi qu'elle doit relever. Obtenir les autorisations requises, le financement, trouver où construire un local, amadouer les parents, tout cela prendra du temps. Mais soudain, elle s'aperçoit qu'elle n'a que ça, du temps. Un doctorat à finir, soit, mais cela ne presse pas dans l'immédiat. Rien ne lui semble aussi urgent que le sort de ces petites filles qui grandissent à vue d'œil et pour qui la chance d'avoir une éducation ne se présentera pas deux fois.

Chapitre quatorze

– Excusez-moi, j'ai une question. Dans votre sandwich aux poivrons grillés et au gouda, est-ce que le gouda est pasteurisé?

– Je vais vérifier à la cuisine, je vous reviens tout de suite.

Allegra a invité Éléonore à manger chez Soupe Soup, sur la rue Duluth. Le mois de novembre la rend frileuse et elle s'est réveillée ce matin-là avec une furieuse envie de soupe chaude. Éléonore la dévisage.

– Pourquoi tu me regardes comme ça?

– Du fromage pasteurisé, hein?

Allegra ne peut empêcher un sourire satisfait de se dessiner sur son visage.

– Je suis pas encore en retard, mais je suis sûre que ça y est! On l'a fait pile dans les bonnes dates, juste la veille de ma hausse de température, et le mucus était parfait. Et là, je me sens vraiment différente, je sais pas comment t'expliquer. Mes seins sont vraiment tendres.

Allegra en cogne un du bras pour illustrer son propos.

– Pas étonnant qu'ils soient tendres, si tu passes ton temps à les malmener comme ça.

– Très drôle. Je te le dis, Élé, cette fois-ci, ça y est.

Éléonore ne répond pas, se contentant de sourire. Puis elle passe à autre chose, demandant à Allegra des nouvelles du week-end de randonnée pédestre qu'elle a passé avec Sean au Vermont.

– C'était super beau! Si t'avais vu les couleurs, elles durent vraiment plus longtemps qu'ici. Je vais te dire un secret, c'est même là qu'on a conçu le bébé. Au sommet de Killington Peak! C'est romantique, hein?

Pas moyen de la faire changer de sujet. Éléonore voudrait bien lui parler de son travail, mais cela la ramènera encore à sa grossesse hypothétique, puisqu'elle n'attend que les deux petites barres bleues sur le bâtonnet blanc pour commencer à filmer. Toute l'équipe est prête, il ne manque plus qu'elle. Éléonore essaie donc autre chose.

– Comment va ta mère?

– Super bien. Je lui ai pas encore dit que je pensais que ça y était, je veux pas lui donner de faux espoirs. Chiara aussi a super hâte, elle veut que mon bébé soit proche de Jasper en âge, pour qu'ils puissent jouer ensemble. Penses-tu que je vais avoir un garçon ou une fille?

Rien à faire. Éléonore mord dans son sandwich et se résout à écouter les suppositions d'Allegra pendant le reste du repas.

Allegra rentre chez elle à pied, toute guillerette. Sa sœur lui a bien répété de demeurer active en début de grossesse, disant que ça aiderait à réduire les nausées et surtout à la garder plus en forme au fur et à mesure que son ventre prendra de l'ampleur. Allegra a tellement hâte. Elle ne sera pas comme ces femmes qui tentent de dissimuler leur ventre le plus longtemps possible, au contraire; elle le portera fièrement et le soulignera autant qu'elle le peut, que ce soit avec des robes moulantes ou des chandails à taille empire. Elle se sent toute drôle, d'imaginer ces cellules qui se multiplient déjà en elle. Ce matin, elle a regardé de quoi avait l'air un embryon juste après la conception, posant la main sur son ventre pour y caresser de loin ce petit être qui ne ressemble encore à rien. Quelle sensation étrange! Elle se dit qu'il faut faire confiance à son corps, qu'il saura mener à bien ce rôle pour lequel il a été conçu, mais c'est tout de même un peu angoissant d'imaginer qu'un travail si important s'exécute en elle, sans qu'elle puisse y faire quoi que ce soit.

En arrivant à la maison, elle appelle sa mère. Elle se mord la langue pour ne rien lui dire, se contentant plutôt de lui demander des nouvelles de son week-end à Québec avec Benoit. Nicole jase longtemps, décrivant dans le détail les restaurants où ils sont allés et les magasins qu'ils ont visités. Puis elle demande des nouvelles de Sean. Depuis leur rencontre, qui a finalement eu lieu dix jours après l'arrivée de Sean à Montréal, Nicole est folle de son gendre. Elle le trouve poli, beau et assez fou pour suivre sa fille dans ses aventures. Elle parle beaucoup de lui à ses amies, au point que Johanne lui a demandé, une fois, méchante : « Coudonc, c'est toi qui sors avec lui ou c'est ta fille ? » Mais Nicole sait bien qu'une certaine jalousie se cache derrière ce commentaire acerbe. Certains des enfants de ses amies ont des carrières enviables, mais aucun n'a atteint le niveau de reconnaissance et de notoriété internationale d'Allegra. Une star dans la famille, qui s'apprête à jouer dans le prochain film de l'énigmatique Jean Colombe, ça impressionne. Nicole n'a nullement pitié de ses amies, se plaisant à tourner le fer dans la plaie en leur racontant dans le détail les offres qui pleuvent sur sa fille.

Ce jour-là, Allegra ne se fait pas prier pour raconter à sa mère les allées et venues de Sean, ainsi que les demandes d'entrevues qu'elle a reçues récemment. (« Ah non, pas le *Allo-Potins*, de dire Nicole. Je les trouve trop quétaines. ») Elle espère ainsi que sa mère ne lui posera pas de questions au sujet de son cycle menstruel, et son pari réussit. Quelques minutes plus tard, elle voit l'heure, dit au revoir à sa mère puis raccroche avant de sauter dans la douche.

Elle sort souper avec Sean ce soir-là et lui a promis qu'elle serait prête à son retour. Ils veulent aller bouquiner au Chapters du centre-ville avant leur souper dans un restaurant italien de la rue Saint-Mathieu.

Lorsqu'il arrive, Sean appelle Allegra de la porte, n'ayant pas envie d'enlever ses bottes avant de devoir repartir. Quand elle ne répond pas, il a un bref mouvement d'humeur, se disant qu'elle n'est pas encore prête. Il se déchausse et marche jusqu'à la salle de bain, où il entend la douche couler.

– Pas avoir fini de te coiffer, c'est une chose, mais tu es encore dans la douche ! dit-il en entrant.

Elle ne répond pas. Il ouvre le rideau et la trouve assise dans le bain, la douche coulant sur sa tête, pleurant à chaudes larmes.

– Allegra ! *Sweeheart, what's the matter*[13] ?

Elle le regarde, les larmes sur sa joue se mêlant au jet de la douche.

– Je ne suis pas enceinte. Regarde !

Sean voit un filament rouge qui s'échappe vers la bonde. Il ne fait ni une ni deux, il entre dans la baignoire tout habillé. Il ferme le robinet de la douche d'un coup sec et s'assoit derrière Allegra, l'appuyant contre lui entre ses genoux et l'enlaçant de ses bras.

– Chut, chut, ma belle… Chut… Ça va aller. Ça va aller.

Quand Allegra a pleuré tout son soûl et qu'elle commence à frissonner, Sean la soulève et l'emmène dans leur chambre. Il la dépose sur le lit et l'enveloppe dans une couverture. Après quelques minutes, Allegra se calme. Elle termine sa toilette et enfile un chaud pyjama de coton molletonné.

– Tu veux commander une pizza ? demande Sean.

– Mais je voulais tellement un risotto aux légumes de la Pizella…

---

13. Ma chérie, qu'est-ce qui se passe ?

– Si tu y tiens, je vais aller te le chercher, ton risotto.

– T'es sérieux ? L'aller-retour en métro ?

– Pourquoi pas ? Allez, j'y vais ?

– Mais je ne veux pas rester toute seule.

L'envie de risotto gagne malgré tout.

– Je vais appeler Éléonore.

Elle saisit le combiné. Éléonore répond après quatre sonneries et on entend Mathilde qui parle en arrière-plan.

– Élé ! Élé, tu pourrais venir ? demande Allegra, sentant de nouveau les larmes poindre.

– Mon Dieu, qu'est-ce qui se passe ?

– Je suis pas enceinte, Élé, j'ai eu mes règles.

– Ah, ma chouette, je suis vraiment désolée.

– Est-ce que tu peux venir ?

– Bien sûr. Donne-moi juste le temps d'habiller Mathilde. Va falloir que je trouve quelque chose à lui donner à souper, j'allais commencer à le préparer.

– Sean s'en va me chercher un risotto, il pourrait vous rapporter quelque chose si tu veux.

– Sean est là ?

– Ben oui, mais il part me chercher à souper au centre-ville et je veux pas rester seule.

– Scuse-moi, là, je pensais que t'étais toute seule. Si Sean est avec toi, je vais venir te voir demain soir à la place, si ça te dérange pas. Malik sera ici, j'aurai pas Mathilde, ce sera plus relax pour parler.

– Mais t'as dit que tu viendrais !

Éléonore commence à s'impatienter.

– Oui, quand je pensais que tu étais seule et en détresse ! Mais si tu as besoin d'une gardienne pendant que ton chum court la ville pour tes caprices, c'est différent. Je sais pas si tu réalises, Allegra, mais c'est un soir d'école. Mathilde vient de rentrer d'une grosse journée, elle a faim, c'est pas juste que je la traîne à l'autre bout de la ville pour un risotto. Commande-toi quelque chose.

– T'es tellement sans cœur ! Après ce qui vient de m'arriver !

– Mais justement, Allegra, il t'est rien arrivé ! T'as pas perdu un bébé, t'étais pas enceinte ! Je sais que ça doit être décevant, mais si tu te montes un bateau comme ça chaque mois, tu vas être malheureuse longtemps !

– Ah, parce que tu penses que ça va prendre encore longtemps ? Merci bien !

– Allegra, c'est pas moi, c'est la nature, c'est comme ça ! Ça peut prendre six mois, un an, et c'est tout à fait normal.

– Je peux pas faire attendre l'équipe du film aussi longtemps. Faut que ça se fasse plus vite.

– C'est justement pour ça que je trouvais que c'était pas une bonne idée, ce film ! Ça t'ajoute un stress qui n'est vraiment pas nécessaire.

– Merci de ton soutien pareil. Tu sais, Éléonore Castel, il commence à être temps que tu fasses un examen de conscience. Malik trouvait que tu pensais juste à toi, Émile t'accuse d'être égoïste et de pas l'aider, là c'est rendu que tu lâches tes amies quand elles ont besoin de toi. Tu trouves pas qu'il commence à y avoir un *pattern* ?

Allegra raccroche, ne laissant pas à Éléonore le temps de répondre.

Sonnée, Éléonore met plusieurs minutes à entendre le cri de Mathilde qui l'appelle.

– Maman ! Ma-man !

– Quoi ?

– J'ai fait un dégât !

Bon. Et quoi encore.

– T'es où, Mathilde ?

– Dans la salle de bain. Je voulais donner le bain à mes poupées dans le lavabo et ça a tout débordé.

– Ah, Mathilde !

Rageuse, Éléonore saisit deux serviettes de bain et tente d'éponger le dégât. Mathilde ayant eu l'ingénieuse idée d'ajouter du liquide moussant au bain de ses poupées, le plancher de la salle de bain est tout collant. Chaque fois qu'Éléonore ajoute de l'eau, ça mousse de plus belle. Mathilde la regarde, les yeux écarquillés, consciente qu'elle a poussé sa mère à bout, mais ne sachant que faire pour réparer sa faute. Éléonore voit le remords dans ses yeux et s'empresse tout de suite de la rassurer.

– Viens ici, cocotte. La prochaine fois, tu feras attention, OK ? Mais je suis pas fâchée contre toi.

– T'es fâchée contre qui, alors ?

Ça, c'est plus compliqué. Contre Allegra ou contre elle-même ? Éléonore n'en est pas sûre. Elle termine son ménage, donne un bain à Mathilde qui y entraîne ses poupées déshabillées, lui raconte deux histoires de plus qu'à l'habitude, prolongeant le câlin pour se faire pardonner sa saute d'humeur.

Quand Mathilde est couchée, Éléonore allume la télé, mais aucune émission n'arrive à capter son attention. Le roman qui traîne sur sa table de chevet depuis des mois ne l'accroche pas davantage. Elle décide d'ouvrir son ordinateur, ayant passé plus d'une soirée solitaire à répondre à ses courriels une fois sa fille au lit. Elle trouve parfois lourd de passer ses soirées à la maison, avec pour toute compagnie un enfant endormi ; elle aime entrer en contact avec le monde extérieur, même si ce n'est que par l'entremise de son travail. Mais ce soir, la longue liste de courriels dans sa boîte de réception ne l'attire pas davantage que le roman ou la télévision. Elle referme l'ordinateur d'un coup sec, sans les lire. C'est bien la première fois que ça lui arrive. Elle se sent frustrée et seule. Elle a besoin de parler de ce qui lui arrive, de ces accusations qu'Allegra a portées contre elle. Mais à qui ? Éléonore commence à avoir peur de se mettre tout le monde à dos. Elle ne voit Émile que les week-ends où Mathilde est chez son père. Bien sûr, elle apprécie leur routine, leurs sorties au cinéma, leur habitude de faire la grasse matinée le samedi, puis de lire *La Presse* avec un café au lait et un Spécial Bonjour à la Croissanterie. Ils s'enflamment toujours autant tous les deux, discutent pendant des heures, mais Éléonore se demande si Allegra n'a pas raison. A-t-elle été égoïste ? A-t-elle volontairement exclu Émile de sa vie ?

Et avec Malik ? Leur échec est-il réellement sa faute à elle ? Était-ce à elle de faire des compromis, de céder ? Éléonore tente de chasser ces pensées oiseuses. Malik ne fait plus partie de sa vie, il ne sert à rien de ressasser de l'histoire ancienne. Mais tout de même... Allegra est pourtant toujours la première à pousser Éléonore vers l'indépendance, à l'encourager à s'affirmer. Si même elle croit qu'elle a peut-être été trop dure avec Malik...

Mais comment savoir ? Où tracer la ligne ? Éléonore ne souhaite pas être une personne égoïste, ni recréer le même scénario que sa mère qui ne pensait qu'à elle, au détriment de sa famille. Mais elle ne veut pas non plus se faire marcher dessus par un homme, se faire imposer une vie qui n'est pas la sienne. Elle préfère demeurer foncièrement elle-même, fidèle à ses rêves. Mais en se concentrant sur ce désir d'indépendance, a-t-elle oublié de faire des compromis ?

Tout cela la tracasse grandement. Et il y a la colère d'Allegra, maintenant. Éléonore ne s'inquiète pas outre mesure, elle sait que son amie se fâche facilement et se calme tout aussi rapidement. Et puis, il fallait que quelqu'un lui dise de revenir sur terre. Elle n'est ni la première ni la dernière femme à décider de faire un bébé, elle ne peut entraîner tout son entourage dans un mélodrame chaque mois. Éléonore s'inquiète surtout pour son amie, qui semble obnubilée par son envie d'avoir un bébé. C'en est presque malsain. Elle se promet de lui en parler la prochaine fois qu'elles se verront, de manière plus posée cette fois.

En attendant, elle continue son examen de conscience. Ne partage-t-elle pas une assez grande part de sa vie avec les autres ? Est-elle trop fermée, trop centrée sur elle-même ? Sur un coup de tête, elle appelle Émile.

– Élé ! Ça va ? Il y a un super documentaire, à RDI, sur les conquistadors espagnols du temps des Mayas. Si c'était pas d'emblée hors budget, ça donnerait envie de faire un long métrage là-dessus. Dépêche-toi, ça vient juste de commencer.

– Émile ?

– Oui ?

– Veux-tu venir chez moi ?

– Quand ? Ce soir ?

– Oui.

– Ta fille est là ?

– Oui.

– Tu veux que je vienne quand même ?

– Elle dort.

– Pis si elle se réveille ? T'es sûre que tu veux qu'elle me rencontre comme ça ?

– T'as peut-être raison. Demain alors ? Ah, non, demain elle est avec son père. Lundi prochain ?

– Éléonore, qu'est-ce qui se passe ?

– Émile, me trouves-tu égoïste ?

– Euh… est-ce que je suis obligé de répondre ?

– Niaise-moi pas !

– Ben, je sais pas, Élé. T'es une fille à son affaire. C'est une des choses que j'admire chez toi.

– Mais t'es mon chum. Me trouves-tu fermée ? Trouves-tu que je suis là pour toi ?

– Ça sort d'où, ça ?

– Quelque chose qu'Allegra m'a dit. Réponds !

– Comme je t'ai dit, t'es à ton affaire. Mais c'est correct.

– Bon, tu m'aides pas vraiment.

– On va prendre les choses une à la fois. Ce soir, repose-toi, regarde le super documentaire sur les conquistadors. En fin de semaine, on parlera. Et je rencontrerai Mathilde la semaine prochaine si tu y tiens.

– OK.

Quand Éléonore raccroche, elle n'est toujours pas apaisée. Elle tourne en rond dans son appartement, se demandant qui appeler. Il est trop tard pour joindre Yasmina, qui doit dormir. Elle n'a pas parlé à Matthew depuis des siècles, se contentant de lui envoyer des photos de sa filleule tous les trois mois. Il a fait sa vie, maintenant, rencontré une gentille géologue avec qui il parle de faire des enfants. Elle ne se sent plus le droit de l'accaparer, surtout pas à distance. Il doit bien y avoir quelqu'un d'autre à qui elle puisse demander conseil… Une idée surgit dans sa tête. Ce n'est pas dans ses habitudes de lui parler de sa vie privée, mais… pourquoi pas. Le téléphone sonne longtemps.

– Allo ?

– Papa ?

– Éléonore ! Que me vaut l'honneur ?

– Je t'appelle quand même pas si peu que ça ? Pas toi aussi, papa ?

– Moi aussi quoi ? Je comprends rien. Ne t'inquiète pas, ma puce, tu m'appelles bien assez souvent, c'est moi qui suis un gros ours bourru perdu dans sa tanière. Mais je m'apprête à en sortir, du moins par la voie des airs.

– De quoi tu parles, papa ? Là, c'est moi qui comprends rien.

– Attends, toi d'abord. Tu m'appelais pour me dire quelque chose ?

– Pas vraiment. Juste pour te parler.

– OK. J'écoute.

– Papa… c'est compliqué.

– Tout semble toujours compliqué, dans la vie. Tire sur un fil à la fois, la bobine va finir par lâcher.

– C'est du Confucius, ça ? demande Éléonore en riant.

– Non, c'est du Claude Castel. Attends, elle est pas pire, celle-là, je vais la prendre en note. Janine va aimer ça.

– C'est qui, Janine ?

– Je vais te raconter ça tantôt.

– T'as une nouvelle blonde ?

– Ben non, un vieux bonhomme comme moi. Ma prochaine chance d'en rencontrer une, ça va être au bingo du centre pour personnes âgées. Non, non, je t'expliquerai. Continue.

– OK. Un fil à la fois, hein ?

– Oui, n'importe lequel.

– Je me demande si je me suis trompée, avec Malik.

– Ah bon ?

– C'est qu'il me poussait à être quelqu'un que je ne suis pas. Il voulait que je travaille moins, que je fasse un autre bébé tout de suite, que je le suive à New York, que je voyage avec lui… C'était pas moi, cette vie de cocotte de luxe.

– Alors, où est le problème ?

– J'ai l'impression que… que si je lui avais fait plus de place dans ma vie, il aurait peut-être pas ressenti le besoin de m'attirer dans la sienne. On aurait pu construire une vie à deux.

– Ah!

– C'est tout ce que tu trouves à dire?

– Je te trouve très sage, ma fille. Y a rien à rajouter.

– Bon, je fais quoi avec ça?

– T'as le choix. Tu peux lui en parler, t'excuser. Ou tu peux simplement apprendre de ton erreur et ne pas la répéter à l'avenir.

– Ben justement, ça m'amène à mon prochain fil. J'ai peur de faire la même chose avec Émile. Je lui ai même pas présenté Mathilde. Je veux la protéger, tu comprends, pas lui présenter une succession de chums dans ma vie.

– Parce que tu prévois déjà qu'il va y en avoir une succession?

– Justement! C'est ça le message que j'envoie à Émile, non? Mais quand j'ai parlé de lui présenter Mathilde, il a pas eu l'air chaud, chaud.

– Ah!

– Peut-être que lui aussi me voit comme étant de passage parmi sa succession de blondes?

– Ça se peut. Tu fais quoi?

– Je sais pas. Je veux pas le présenter à Mathilde tant que c'est pas solide, mais peut-être que ça deviendra jamais solide si je l'exclus de ma vie?

– Ma belle, tu penses à ta fille d'abord, pis c'est ben correct. Ton Émile, il a d'autres manières de te prouver qu'il est sérieux.

– Merci, papa, ça me fait du bien. J'avais peur d'avoir tout faux partout.

– Ça, c'est rare que ça arrive, dans la vie.

– OK, à ton tour. Parle-moi donc de la fameuse Janine.

– Janine, c'est une amie de Georges, ce grand homme qui me fait l'insigne honneur de continuer à m'héberger. C'est aussi l'éditrice des Éditions du Pellette-Nuages.

– Ça existe, ça?

– Ris pas. C'est tout à fait sérieux et ils veulent me publier.

– Te publier?

– Un recueil de mes lettres. Tu sais que pendant que j'hiberne, j'écris des lettres à mes proches?

– Je pensais que c'était juste à moi, dit Éléonore à la blague.

– Bon, Georges a montré les siennes à Janine, elle m'a demandé d'en lire d'autres, et elle veut en faire un recueil. Elle les trouve très inspirantes, très motivantes. On cherche un titre, justement, et tu me donnes l'envie d'appeler ça *Un fil à la fois*. Ça résume assez bien ma philosophie de vie.

– Je sais pas quoi dire. Je suis fière de toi.

– Il reste pas mal de travail à faire, hein, faut formater les lettres pour les rendre anonymes, que le lecteur ait l'impression que c'est à lui que j'écris. Mais c'est du beau travail. Je gosse les mots comme on gosse le bois.

– Ah, papa, je suis vraiment contente. C'est pour quand?

– Dans trois mois. Ils veulent me faire un gros party pour le lancement à Montréal, que je fasse le tour des talk-shows pis des journaux, mais j'ai dit non.

– Pourquoi?

– Ah, j'ai expliqué à Janine que ma sagesse vient de mon hibernation. Si elle amène l'ours au cirque, je vais perdre la matière brute et il y aura pas de suite. Sérieusement, j'ai pas envie de faire face à tout ça. Je suis bien, dans le bois, pis j'ai l'intention d'y rester. La seule chose qui me manque, c'est de pas voir ma fille et ma petite-fille plus souvent.

– Je sais… C'est dur, Malik est presque tout le temps là le week-end pour voir Mathilde et je veux pas lui enlever ça… Ni à elle en fait, elle est folle de son père! Mais tu peux venir nous voir quand tu veux, tu sais.

Éléonore discute quelques minutes encore avec son père. Elle est surprise de ce revirement, mais en y pensant bien, elle n'est pas vraiment étonnée. Elle savait bien que son père avait plus d'un tour dans son sac et que sa renaissance professionnelle ne serait pas celle qu'on imaginait. Claude Castel, auteur de livres de croissance personnelle! Il y a dix ans, elle se serait étouffée de rire si on lui avait prédit ça. Alors qu'aujourd'hui rien ne lui semble plus normal, idéal même pour son père. Il aura le meilleur des deux mondes: le plaisir de travailler, de faire quelque chose pour le public, qu'il a toujours profondément aimé, mais sans devoir quitter ce refuge où il est si bien. Comme quoi tout le monde évolue et qu'on peut être surpris du chemin parcouru, quand enfin on arrive à destination.

Elle ne peut s'empêcher de se demander si elle est sur la bonne voie.

Chapitre quinze

– Prendriez-vous quelque chose à boire ?

– Un café, merci.

Yasmina soupire d'aise. Dès l'embarquement sur le vol d'Air Canada, elle se sent chez elle. L'accent des agents de bord, leurs manières, leur gentillesse bon enfant. Elle se cale dans son fauteuil, heureuse. Elle ouvre son sac et passe en revue ses achats. Après onze mois en Afrique, elle est devenue presque folle pendant sa brève escale à Charles-de-Gaulle. Ce ne sont pas les foulards Hermès ou les boutiques de luxe qui l'ont attirée, non, ce sont simplement les cafés, les librairies. Elle s'est jetée sur un croissant au fromage, sur les journaux, les magazines. Elle a acheté pas moins de six nouveaux romans. Elle sait bien que c'est ridicule, qu'elle peut tout aussi bien se procurer le dernier Amélie Nothomb à Montréal, mais c'est l'abondance qui lui a fait perdre la tête.

Elle se demande comment elle a pu laisser passer autant de temps avant de prendre des vacances. Peut-être est-ce l'absence de saisons, mais elle n'a pas la même notion du temps qui passe, à Dapaong. Les semaines ont davantage tendance à se ressembler. Et puis, son projet d'école l'a tellement absorbée, ces derniers mois, qu'elle n'a eu le temps de penser à rien d'autre. Elle s'est perdue dans un dédale bureaucratique qui lui rappelle *Les douze travaux d'Astérix*. D'abord auprès des autorités togolaises, municipales et gouvernementales, puis auprès des ONG œuvrant dans la région. Elle souhaitait que son projet soit chapeau-té par un organisme caritatif ou une fondation. Un tel partenariat aurait donné une certaine crédibilité à son œuvre, aidant à faire débloquer les fonds et autorisations nécessaires. Mais ça a été plus compliqué que prévu. Un choix naturel aurait été l'une des missions catholiques qui sont présentes dans le pays, mais les Peuls sont en grande majorité musulmans. Yasmina a refusé de demander l'aide d'un organisme islamiste, préférant fonder un établissement résolument laïque et laisser aux parents le soin de l'éducation religieuse de leurs enfants. Après plusieurs détours et fausses pistes, elle en est donc venue à la conclusion que si elle voulait faire exactement ce qu'elle avait en tête, il fallait le faire seule. Demander des dons, des subventions, oui, mais au nom d'une fondation créée spécifiquement pour son école.

Quand est venu le temps de nommer officiellement son projet, Yasmina a décidé de rendre honneur à sa mère, celle qui lui a la première enseigné les bons principes qu'elle espère à son tour transmettre à ses élèves. Par contre, elle n'a pas souhaité utiliser le nom de famille Saadi, pour qu'on ne l'accuse pas d'avoir des idées de grandeur en donnant son propre nom à l'école, et afin d'éviter toute étiquette musulmane. Elle a songé un instant au nom de jeune fille de sa mère, Besnard, mais elle n'aime pas la connotation colonialiste d'un nom aussi français. Elle a donc opté pour « École de maman Jacqueline ». Pas conventionnel, elle le sait, mais mignon.

La voilà donc en route pour Montréal, avec dans ses valises tous les plans concernant la future École de maman Jacqueline. Le cursus scolaire, le nombre d'élèves prévu, les besoins en fournitures scolaires, en aliments et en uniformes, le nombre de professeurs à engager, la liste du personnel de soutien, les dimensions et les spécificités du bâtiment à construire. Elle a travaillé plus dur qu'elle ne l'avait jamais fait de sa vie et elle est convaincue que son dossier saura impressionner ceux à qui elle le présentera. Enfin, elle l'espère... Elle a répété son discours maintes fois devant Loïc, qui lui a offert plusieurs suggestions et l'a chaudement applaudie. Mais elle sait aussi qu'elle s'en va complètement ailleurs, que les gens qu'elle rencontrera à Montréal auront d'autres soucis et d'autres objectifs, et qu'ils n'ont pas chaque jour sous les yeux ces enfants assoiffés de savoir et sans aucune perspective d'avenir.

Une fois arrivée à Dorval, fourbue, Yasmina doit encore patienter dans la longue file pour passer à la douane, récupérer ses valises et faire la queue de nouveau, avant de pouvoir enfin sortir. Elle scanne rapidement les visages dans la foule, cherchant ses parents. Sa mère a été plus rapide qu'elle et s'avance déjà, le visage éclairé par un énorme sourire. Elle lui dit à peine bonjour avant de la serrer dans ses bras, murmurant:
– Ma fille... ma petite fille.
Puis elle la regarde et ses yeux s'emplissent de larmes.
– Maman! s'étonne Yasmina. Ça va? Je sais que ça fait un an qu'on ne s'est pas vues, mais quand même... Papa est où?
– Viens, dit sa mère. On parlera dans la voiture.

Quand elles sortent, l'air glacial du mois de janvier frappe Yasmina au couteau. Sa mère lui a apporté tout ce qu'il fallait: une doudoune épaisse, une tuque, un foulard, des mitaines, des bottes. Mais même emmitouflée comme le bonhomme Michelin, Yasmina sent l'attaque du froid, qui la heurte en pleine poitrine. L'intensité de l'hiver la surprend. Le blanc de la neige est aveuglant et les quelques secondes nécessaires pour se rendre au stationnement suffisent pour que le froid lui pique le nez.

Assises dans la voiture, elles s'éloignent de Dorval en direction de la 40. Sur Côte-de-Liesse, Yasmina observe les mornes édifices gris couverts de neige, bordés par des autoroutes sans âme. Elle se rappelait Montréal autrement, plus vibrant, moins soviétique. Les abords de l'autoroute Décarie ne font rien pour changer cette impression. La poudrerie uniformise le paysage. Une fois passé le viaduc Beaumont, quand elles entrent dans Outremont, Yasmina reconnaît le quartier de son enfance. Les maisons en rangée, les vitraux qui surplombent les galeries avant, les dignes juifs hassidiques qui déambulent en redingote noire, ornés de leurs gros chapeaux cerclés de fourrure. Puis, en traversant Côte-Sainte-Catherine, elle arrive dans le Haut-Outremont, là où les maisons cossues rivalisent d'élégance et où les décorations lumineuses d'un blanc de bon goût soulignent l'éclat de la neige. Ici, l'hiver n'est jamais sale, jamais terne ; il ne sert qu'à rehausser le charme des augustes maisons de pierre et de brique. Après Dapaong, ce luxe discret, presque retenu, la choque.

Toute à ses pensées, elle ne remarque pas que sa mère gare la voiture à un coin de rue de la maison. Elle ne coupe pas le moteur mais se retourne vers sa fille.

– Ma belle, je t'ai dit que je voulais te parler dans la voiture. C'est ton père.

Le sang de Yasmina se glace dans ses veines. Un seul mot sort de sa bouche.

– Papa ?

– Ne t'inquiète pas. Enfin, pas trop. Tu sais que depuis quelques mois, il ressentait une fatigue inexpliquée, qu'il a dû prendre du repos ?

– Oui.

– Tu vas voir aussi qu'il a beaucoup maigri. Les médecins lui ont fait passer une batterie de tests avant de trouver.

– Qu'est-ce qu'il a ?

Yasmina ne souhaite pas entendre l'historique de l'enquête médicale, seulement son résultat.

– Un cancer de la prostate.

Yasmina accuse le choc. Le mot « cancer » la remplit d'effroi. Elle sent son ventre qui se noue, elle a mal au cœur soudain, elle voudrait quitter cette voiture trop chauffée.

– Mais on l'a attrapé dès le début, ma belle, et ses chances de survie sont excellentes. Quelques mois difficiles à passer, mais ça devrait aller.

– On parle quand même de survie, ici. Ce qui veut dire que ça se peut qu'il n'y survive pas.

– Il n'y a pas de garantie. Mais ton père est bien entouré, son oncologue est le mari de Myriem, tu sais, la cousine de ta tante Soraya ? Ils sont venus de Paris il y a six mois.

– On a beau le connaître, ça ne fait pas de lui le meilleur des médecins.

– Yasmina, il vient d'un hôpital renommé, à Paris, et il est très respecté de ses collègues.

– Bon. Alors, qu'est-ce qui va se passer, maintenant ?

– Tout d'abord une radiothérapie. Ensuite, on verra. Ça veut dire deux mois de traitements, quelques mois de repos. Mais je voulais te prévenir avant que tu le voies. Tu vas le trouver amaigri.

Jacqueline démarre la voiture pour s'arrêter de nouveau un coin de rue plus loin. Yasmina sort sa valise, silencieuse. Ce retour à la maison n'est pas celui qu'elle avait espéré. Elle avait imaginé son père saisissant la lourde valise d'une main, serrant sa fille dans ses bras, ouvrant ses meilleures bouteilles pour accompagner le gigot d'agneau que Jacqueline aurait mis au four.

Mais la maison est silencieuse, l'éclairage tamisé, et l'on sent déjà cette odeur diffuse de maladie, qui n'est peut-être que celle de la peur. Tout semble fragile, tout à coup, temporel, même les meubles, même le portemanteau qui a monté la garde dans l'entrée de toute éternité, enfin depuis les plus vieux souvenirs d'enfance de Yasmina. La maison de ses parents, un havre immuable, lui semble soudain menacée.

Tout s'apprête à changer et cela la perturbe autant que l'annonce de la maladie de son père. Pas par égoïsme, simplement parce que le moment où la vie change la donne, où l'on réalise qu'on s'apprête à devenir le parent de nos parents, qu'on ne bénéficiera plus de leur soutien inconditionnel, qu'on devra plutôt le leur offrir à eux, ce moment est toujours un choc immense, auquel on ne peut réellement se préparer. Yasmina n'est plus une jeune fille qui rentre se faire chouchouter chez ses parents ; elle est une femme de trente ans qui vient s'occuper de son père malade. Cette onde sismique la bouleverse, alors qu'elle sent sa vie entière qui se réorganise autour d'elle. Ses priorités devront changer ; elle ne sait pas encore comment, mais elle le sent.

Elle regarde autour d'elle, cherchant instinctivement la présence de Loïc. *J'aurais dû insister, lorsqu'il a offert de m'accompagner*, se dit-elle. Deux des collègues de Loïc étant absents, sa présence est très précieuse à l'hôpital et Yasmina n'a pas voulu le soutirer à ses patients. Elle le regrette maintenant.

– Viens, dit sa mère. Ton père se repose dans la salle de télé.

Cette pièce est le cœur de la maison, celle qui a abrité ses jeux d'enfance comme ses soirées d'adolescence. Elle n'a pas changé, arborant toujours le même tapis persan et les mêmes collections de la Pléiade qui ornent les murs. La lumière douce d'une lampe antique éclaire le fauteuil où se trouve son père. Malgré les avertissements de sa mère, Yasmina a un choc lorsqu'elle le voit. Comment a-t-il pu changer autant en un an? Il est maigre, fatigué. Yasmina retient un sanglot, s'efforce d'injecter un peu de bonne humeur dans sa voix.

– Bonjour, papa!

Elle l'embrasse.

– Ma fille!

La voix de son père trahit une émotion qui ne lui est pas coutumière. Yasmina parle quelques instants avec lui, puis le laisse se reposer jusqu'au souper. Jacqueline annonce qu'elle s'esquive pour préparer le repas, voulant malgré tout que la venue de leur fille se déroule sous le signe de la fête.

– Éléonore vient souper avec Mathilde, dit-elle.

– Quoi? C'est vrai? Merci, maman, c'est tellement gentil. Ça te met pas mal à l'aise? Vous avez pas l'habitude de la recevoir, à moins que je me trompe?

– C'est une occasion spéciale. Et puis, Éléonore n'est pas seulement l'ex de Malik, c'est d'abord la mère de Mathilde et ta meilleure amie.

– Super!

Yasmina est ravie. Elle aura le plaisir de revoir sa grande amie, doublé de celui de retrouver sa nièce chérie qui a tant grandi, si elle en croit les photos que sa mère lui envoie religieusement tous les mois. Leur présence aura aussi l'avantage d'égayer un peu cette soirée, que Jacqueline craignait morose.

Yasmina appelle Loïc pour lui dire qu'elle est bien arrivée et lui transmettre les nouvelles au sujet de son père. Elle est déjà plus calme en lui parlant. Loïc revêt tout de suite sa mante médicale, expliquant en termes clairs à Yasmina la portée de ce type de cancer. Il se fait rassurant. En fait, il répète exactement ce que Jacqueline a dit : Jamel a selon toute probabilité quelques mois difficiles devant lui, mais il devrait s'en tirer. Loïc demande aussi :

– Alors, ça veut dire que tu resteras plus longtemps à Montréal ?

– Peut-être, oui. Je vais voir. Mais j'ai des réunions, à Dapaong, pour l'école. Enfin, on verra. Il faudra aussi que je pense à autre chose, pour ma recherche de financement. Je n'ai pas envie d'assommer mon père avec ça en ce moment.

– En effet. L'essentiel, c'est qu'il se repose. Allez, je t'embrasse, Mina, et appelle-moi s'il y a du nouveau. Et si tu as besoin de moi, j'arrive, hein ?

Yasmina prend une douche rapide puis elle se rend à la cuisine, attirée par des odeurs d'ail et de romarin. Comme elle en avait rêvé, c'est un gigot d'agneau qui trône au centre du four, entouré de pommes de terre nouvelles et de carottes nantaises. Le plat des dimanches de son enfance. Elle salive et propose à sa mère de préparer la salade. Elle lui raconte ses folles envies de crudités et mord immédiatement dans une carotte crue. Elles parlent ensemble quelques instants, quand une porte claque et un cri retentit dans la cuisine.

– Yaya !

C'est Mathilde qui entre telle une tornade. Elle a déjà cinq ans et n'a plus rien du bébé, tout de la petite fille. Élancée comme sa mère, avec les yeux d'un brun profond qu'ont en commun Yasmina et son frère. Yasmina a l'impression furtive de se regarder dans le miroir, quand elle avait cet âge-là. Les mêmes couettes de chaque côté du visage, les mêmes yeux presque noirs, ronds comme des billes. Mais quand le visage de Mathilde s'anime, qu'elle commence à parler, cette impression disparaît aussi vite qu'elle est venue. Forte, vive, débordante d'énergie, Mathilde n'est en rien semblable à la petite fille timide qu'était sa tante à son âge. Elle a tout de sa mère : l'enthousiasme, la joie de vivre et le caractère.

C'est au tour d'Éléonore de se jeter dans les bras de Yasmina. Un an sans se voir, c'est beaucoup trop long. En présence des parents de Yasmina, les grandes conversations qu'elles désirent avoir devront attendre, mais elles ont au moins le plaisir d'être ensemble et de se parler, et cela permet à la nièce et à la tante de se retrouver. Le repas est bref, Jacqueline ne voulant pas fatiguer son mari. Cela fait l'affaire d'Éléonore, qui aime bien mettre Mathilde au lit de bonne heure les soirs de semaine. En partant, elle invite Yasmina à venir prendre un verre chez elle ce soir-là, une fois la petite couchée.

– Tu veux vraiment me faire sortir dans ce froid ?

– Exagère pas, il fait juste moins sept.

– C'est vrai ? C'est quoi à moins trente, alors ?

– Dois-je te rappeler que t'as grandi ici comme les autres, Yasmina Saadi ?

– Après un an d'Afrique, on oublie toute la neige du monde. Et puis, je suis d'origine nord-africaine, moi. J'ai le sang chaud. Je suis pas faite pour ce climat.

– T'entends ça ? dit Éléonore en faisant rouler ses doigts. C'est le son du plus petit violon de la terre. Je t'attends à 20 heures.

– OK, ronchonne Yasmina, mais t'es mieux de me préparer un café chaud.

– Je mettrai même une larme de whisky dedans.

– *Deal !*

Victime du décalage horaire, Yasmina tombe de fatigue à 20 heures, mais rien ne l'empêchera de rendre visite à son amie. Elles s'installent confortablement, Yasmina allongée dans le fauteuil blanc du salon, Éléonore assise en tailleur à même le sol, appuyée sur un gros coussin couleur crème. Yasmina raconte l'annonce de la maladie de son père. Éléonore avait bien sûr remarqué que monsieur Saadi avait beaucoup maigri et elle n'est pas surprise du diagnostic.

– Mais Loïc dit qu'aujourd'hui ce n'est plus si grave. Une étape difficile à passer. Ça m'encourage… Quoique lui, il voit des trucs tellement affreux, un cancer de la prostate, c'est de la petite bière à côté.

– Raconte…

Et Yasmina de raconter l'Afrique, enfin, comme on peut raconter l'Afrique à ceux qui ne l'ont pas connue. Une contrée mystérieuse, tout en extrêmes, qui suscite des réactions au plus profond de soi, encore et encore. Un pays où elle sera éternellement «l'autre» et où elle apprend à s'y faire. Un endroit où les rêves les plus fous se heurtent aux réalités les plus sauvages, mais parfois les contournent et créent de petits miracles. Éléonore perçoit l'enthousiasme débridé dans la voix de son amie, surtout lorsqu'elle parle de Batouly, de ses amies, de son projet d'école qui portera le nom de sa mère. Elle sourit, éminemment heureuse de voir que Yasmina a trouvé sa place. Par hasard, en suivant un homme, mais sa place tout de même.

– Et Loïc? demande-t-elle.

Yasmina lui raconte le bonheur de Loïc, faisant écho sans le savoir aux mots qu'Éléonore avait en tête il y a quelques instants à peine: «Il a trouvé sa place.» Éléonore sourit.

– Et vous deux?

Eux deux, c'est le bonheur, ce bonheur tranquille et sans histoire des couples heureux, difficile à décrire, encore plus à saisir, fait de fous rires partagés dont les causes sont indéchiffrables pour les autres, d'une routine amoureuse apaisante, d'une présence indéfectible et d'amour, tout simplement. Yasmina respire le bien-être et Éléonore l'envie. Pas de manière mesquine, non, il serait plus juste de dire qu'elle l'admire : sans faire de bruit, sans attirer l'attention d'autrui, Yasmina a su faire son petit bonhomme de chemin et trouver sa place.

Elle lui fait part de ce sentiment et est surprise quand Yasmina soupire.

– Quoi ? lui demande-t-elle. J'ai pas raison ?

– Oui, t'as raison, bien sûr que t'as raison. Mais…

Éléonore attend sans dire mot. Yasmina soupire de nouveau, puis elle continue.

– Des fois, je me demande ce qui m'a pris de choisir l'exil. Quand je vois combien Mathilde a changé en un an, et surtout…

Elle retient un sanglot.

– Ton père ? s'enquiert Éléonore avec une douceur peu coutumière dans la voix.

– Oui ! Même si je suis positive, que je suis sûre qu'il va s'en sortir, il demeure que mes parents ne rajeunissent pas. C'est malheureusement pas la dernière fois que je vais avoir des mauvaises nouvelles au sujet de leur santé. Je peux faire quoi, moi, d'Afrique ?

– Malik est plus près.

– Oui, mais tu sais très bien que c'est la fille qui finit par s'occuper de ses parents, pas le fils.

– Je sais pas. Ton frère est responsable, non ?

– Oui… Je pense que c'est surtout moi qui culpabilise. Mes parents ont été tellement… incroyables. Il me semble que c'est la moindre des choses de les soutenir quand ils seront malades, ou tout simplement vieux.

– Oui…

– Et Mathilde… On a beau se parler sur Skype, c'est pas la même chose.

– Je comprends. Tu peux peut-être essayer de venir plus souvent ?

– C'est vrai.

– Yasmina, c'est sûr que ton choix a des conséquences, toutes les décisions de vie en ont. T'es loin de ta famille, mais t'accomplis des choses tout à fait extraordinaires. Ça vaut bien le sacrifice, ça, non ?

– Tu penses ?

– Allez, courage. Commence par partir ton école, et tu verras après. C'est pas dit que vous serez en Afrique toute votre vie. Loïc ou toi pouvez vouloir vivre ailleurs un jour. Profites-en pendant que tu y es, non ?

– Tu as bien raison. Et je vais profiter de Mathilde à fond pendant que je suis à Montréal.

– Tu es ici jusqu'à quand ? lui demande Éléonore.

– Je devais rester deux semaines, le temps d'essayer d'obtenir du financement, mais avec mon père, je sais pas… Je vais essayer de rester plus longtemps.

– Ce qui voudrait dire…

– Que je serai là pour ta fête ! J'ai manqué tes trente ans l'an dernier, je me rattraperai cette année.

– T'es mieux ! L'an dernier, c'était plate à mort, Mathilde a attrapé une gastro et au lieu de sortir souper, j'ai passé la soirée à changer des draps et des pyjamas pleins de vomi.

– Trop de détails !

– C'est ça, les enfants, tu sais. Parlant de ça, c'est pour quand ?

– Oh, je sais pas…

– *Come on*, pas de mini-Yasmina ou de mini-Loïc ? Des super missionnaires qui sauveront le monde ?

– Ha, ha. Très drôle. Je sais pas, Élé. Il me semble que j'ai tellement à donner, à tellement d'enfants, je ne me vois pas me limiter seulement aux miens. Pas encore, en tout cas.

– Et Loïc ?

– La même chose. Je pense qu'il voudrait qu'on adopte. Mais même là, comment en choisir un, ou deux, quand il y en a des milliers dans le besoin ?

– Hum, je t'admire. Mais je ne voudrais pas que tu t'oublies, là-dedans.

– Au contraire, je pense que le monde a besoin que les gens s'oublient un peu plus. Surtout dans les sociétés occidentales. C'est vraiment un scandale, Élé. Comment on vit, ici, alors qu'il y a tant de misère ailleurs.

– Tu sais, Yasmina, aider les gens, ça se fait à plusieurs niveaux. Il y en a qui commencent par leur voisinage.

– Je sais, je sais. C'est juste dur, quand on découvre cette réalité-là, de la mettre de côté et de penser à autre chose. Mais je juge personne. Crois-moi, jusqu'à il y a un an, il y avait personne au monde de moins utile à l'humanité que moi. Un doctorat en littérature comparée, faut le faire !

– Yas ! Ça a une utilité, ça aussi. Ça fait avancer le savoir humain, et l'art, la littérature, ça a une valeur intrinsèque ! Ne serait-ce que celle de divertir les gens et de les détourner de leur misère.

– Ouin. On est *heavy*, ce soir.

– C'est ta faute ! Moi j'étais prête à te raconter tout plein de potins, mais c'est tant pis pour toi.

– Des potins ? Sur qui ?

– Ah, Nicolas Sansregret, par exemple.

– Nicolas Sansregret ? Mon grand amour de jeunesse ? Raconte !

– Eh bien, Allegra l'a revu récemment, et il paraît qu'il est bedonnant et qu'il cale.

– Non ! Déjà ? On en est déjà rendus là ? Bon, je vais remercier le ciel des beaux cheveux touffus de mon mec, alors.

– Bah, il peut les perdre, comme tout le monde.

– Nan, nan, ils poussent bien drus. OK, quoi d'autre ?

– Devine avec qui il est marié ?

– Nicolas ? Avec qui ?

– Julie Mercier !

– Non ! Elle trippait tellement sur lui, au cégep ! Elle a même arrêté de me parler quand j'ai commencé à sortir avec. Et ils ont fini ensemble. Je sais pas si c'est romantique ou pathétique.

– En tout cas, c'est pas toi et Allegra qui êtes allées chercher vos chums à Brébeuf, hein !

– Elle va comment, Allegra ?

– Pas super. Elle essaie de tomber enceinte et ça prend du temps. Mais tu dis ça à personne, hein ?

– Déjà ? Me semble qu'elle vient de le rencontrer, son Sean.

– Que veux-tu, c'est l'amour. Et c'est aussi un peu plus compliqué que ça, mais bon, je t'en parlerai une fois que ce sera chose faite.

– OK, les secrets !

– Je te jure que…

– Quoi ?

– Toi, tu sautes sur un potin comme une hyène sur une carcasse, hein ?

– Merci !

– Ben non. J'allais dire, je te jure que ça a pas l'air facile, leur affaire.

– Comment ça ?

– Elle vire un peu folle avec son envie de tomber enceinte. Jusqu'à maintenant, Sean est patient, il est plutôt du genre relax, mais à un moment donné il va se tanner. Mais tu dis ça à personne, hein ?

– Ben non, à qui tu veux que je le dise ? Alors, ils ont des problèmes ?

– Non, pas encore… C'est moi qui m'inquiète. Sean, c'est un gars très terre à terre. C'est bien pour ça que ça marche aussi bien entre eux. Il la stabilise. Mais un jour, il pourrait en avoir assez, des drames d'Allegra.

– Il serait pas le seul.

– T'es pas fine ! Elle a des vrais problèmes.

– Je sais, je sais. Parlant d'elle, est-ce qu'elle a revu son espèce de riche héritier, là, celui qui avait retonti à Venise le lendemain du festival ?

– Non. Lui, je te jure, malgré tous ses grands discours, il voulait juste sortir avec une fille connue. Là, il paraît qu'il sort avec Isabelle Vézina.

– La fille de MusiquePlus ?

– Non, enfin, oui, elle a commencé là, mais elle est devenue une animatrice connue, elle fait plein d'émissions à Radio-Canada.

– Bon débarras, alors. Et ta mère ?

– Ma mère file le parfait bonheur. Elle le file surtout à West Palm Beach. Mike a acheté une maison là-bas et il passe son temps à jouer au golf.

– Donc tu la vois pas beaucoup…

– Pas trop, mais pas beaucoup moins qu'avant. C'est surtout dommage pour Mathilde. Demande-moi pas pourquoi, mais elle adoooore Charlie.

– C'est parce qu'elle est aussi coquette qu'elle. Elles doivent s'échanger leurs rouges à lèvres !

– Arrête, tu me fais peur. Veux-tu bien me dire comment j'ai fait pour élever une fille aussi *girly* ?

– Ça, c'est un mystère. Et Émile ?

– Coudonc, tu me fais un interrogatoire en règle, toi, ce soir ?

– Mes questions te mettent mal à l'aise ?

– Mais non, voyons ! Émile va bien, il travaille comme un fou. On va beaucoup au cinéma ensemble, en fait, on se voit surtout les week-ends où Malik prend Mathilde.

– Il vient souvent, mon frère ?

– Minimum une fin de semaine sur deux, mais quand il peut, il vient toutes les semaines. Il est présent, ça c'est sûr.

– Vous vous entendez bien ?

– On se voit jamais. Mais on se parle, des fois.

– Jamais, tu veux dire jamais ?

– Non. Je dépose Mathilde chez tes parents avant qu'il arrive et je vais la chercher quand il est parti. Tu savais pas ?

– Ben, je savais que c'était comme ça au début, mais je présumais que les choses avaient évolué depuis.

– Non ! Toujours pareil. À croire que j'ai la peste.

– Ça te dérange ?

– Pas vraiment, non. À vrai dire, après tout ce temps, ça ferait bizarre de le revoir.

– Ma fille, je commence vraiment à cogner des clous. Tu m'en veux à mort si je rentre me coucher ? Il est genre 5 heures du matin, pour moi.

– OK, petite nature ! On se reprend ?

– Tous les jours, si tu veux.

Yasmina fait la bise à sa grande amie et rentre chez ses parents, fourbue mais contente.

Le lendemain, une autre surprise l'attend. Sa mère annonce au déjeuner qu'elle retourne à l'aéroport.

– Comment ça ?

– Je vais chercher Malik.

– Malik ? Il vient pas le vendredi, d'habitude ?

– Oui, mais je l'ai appelé pour lui dire que j'avais à lui parler. Je veux lui apprendre la nouvelle de vive voix, pour ton père.

– Le pauvre, il va paniquer tout le long du trajet !

– N'oublie pas qu'il a vu l'état de ton père s'aggraver, au cours des derniers mois. Je crois qu'il sera comme moi, soulagé que les médecins aient trouvé quelque chose et qu'on puisse enfin réagir.

En effet, quand Malik retrouve sa mère, qu'il la serre dans ses bras, et qu'il l'écoute parler, il est plus soulagé qu'affolé. Un cancer de la prostate, ça se soigne. Il avait craint pire. Il prend le volant pour rentrer à la maison.

– Tu n'avais pas à venir me chercher, maman. Tu sais bien que je loue toujours une voiture.

– Je voulais te parler avant que tu arrives à la maison. Te laisser le temps de te préparer avant de voir ton père. Et aussi…

– Quoi?

– Je ne sais pas comment dire.

– Dis, tout simplement.

– C'est les affaires de ton père.

– Qu'est-ce qu'elles ont? Ça ne va pas?

– Non, au contraire, ça va très bien. Il s'apprête à clore une transaction importante avec ton oncle Mohammed et deux autres partenaires. Le problème, c'est qu'il va devoir beaucoup, beaucoup se reposer au cours des prochains mois, tout mettre sur la glace pendant ses traitements, et je ne sais pas s'il est prêt à faire ça. Pourrais-tu lui en parler?

– Je vais lui parler.

– Il se soucie tellement de nous, mais vraiment, Malik, j'aime mieux le voir en santé qu'avec des millions en banque. Vous, vous êtes grands et moi, j'ai besoin de rien. Enfin, si peu…

– Ne t'en fais pas, maman. Je vais lui parler.

Quand il arrive chez ses parents, Malik serre sa sœur dans ses bras, puis il s'enferme dans la salle de télévision avec son père, qui y a plus ou moins élu domicile. Une heure plus tard, il en ressort et retrouve sa mère et sa sœur à la cuisine. Il s'essuie un œil.

– Ça va, mon chéri? s'enquiert sa mère.

– Ça ira mieux quand je prendrai le temps de saluer ma sœur comme du monde!

Il serre de nouveau Yasmina dans ses bras.

– T'es même pas bronzée!

– Heille, je suis pas en vacances au Club Med, je te ferais remarquer.

– On se calme. Je te taquine. C'est bien de te voir, sœurette.

– Toi aussi. Quoique j'ai déjà vu la meilleure partie de toi-même hier…

– Mimi? Elle est super, hein? T'as vu comme elle a grandi?

– Une vraie terreur.

– J'ai toujours dit qu'elle retenait de sa mère.

Yasmina fait une mine faussement scandalisée et donne une taloche à son frère, qui rétorque en lui tirant la queue de cheval.

– Les enfants! s'écrie madame Saadi. Vous avez trente ans ou vous en avez sept?

– C'est lui qui a commencé! lance Yasmina.

– Elle m'a provoqué! répond Malik.

Et ils éclatent de rire tous les deux.

Ce soir-là, Jacqueline est heureuse de retrouver ses deux enfants à la table familiale. Elle les écoute parler. Ils se taquinent, se questionnent, se racontent. Qu'elle est heureuse de constater cette belle complicité chez ses enfants. Elle n'est donc pas offusquée lorsque, dès le dessert avalé, ils annoncent leur intention de sortir prendre un verre.

– Vous allez où? se contente-t-elle de leur demander.

– Ça doit faire trop longtemps que je ne vis plus ici, répond Yasmina. Malik me traite en touriste, il m'amène dans le Vieux-Montréal.

– En effet, ça fait trop longtemps que tu es partie, tu ne sais vraiment pas de quoi tu parles. Je t'emmène pas voir les amuseurs publics sur la place Jacques-Cartier, là, je t'emmène au Garde-Manger. Y a rien de plus *in* que le Vieux.

– Ça reste à voir.

– Allez, viens!

Une fois dans le Vieux-Montréal, Yasmina doit s'avouer qu'elle est complètement désorientée en suivant son frère. Les façades grises sont illuminées de guirlandes de lumières blanches, les calèches passent, transportant des passagers emmitouflés sous d'énormes couvertures rouges. Malik s'engage dans une petite rue étroite, puis, sans préavis, pousse une lourde porte anonyme. Pas d'affiche, ni d'écriteau. Derrière la porte, un minuscule hall d'entrée, puis un épais rideau de velours qu'il faut traverser pour entrer. À l'intérieur, Yasmina cligne des yeux, tant la scène la surprend. Un lieu minuscule, intime, un immense chandelier de bois, une ambiance postindustrielle reproduite en miniature, et surtout cette faune éclectique des beaux endroits de Montréal, qui ne ressemble à aucune autre. Des filles superbes, mais sans être stéréotypées ou siliconées; des gens qui ont de l'attitude à revendre et un look résolument incopiable.

Dès qu'ils sont assis, Yasmina s'extasie sur la musique, un mélange hétéroclite de tous les styles.
– J'avais tellement besoin de ça! s'exclame-t-elle en haussant le ton pour se faire entendre dans le tohu-bohu du restaurant.
– Quoi?
– Une soirée dans un endroit comme ça. Quelque part de branché. Mettons que ça me change de Dapaong!
– Tu vois, tu peux toujours compter sur moi.
– Pour savoir où sortir, oui! Mon frère est vraiment le roi.
– Je préfère qu'on me dise avant-gardiste.
– Pfft, toi! T'es le gars le plus conservateur que je connaisse. Mais c'est vraiment parfait, ici, moi qui me cherchais un endroit pour la fête de… En tout cas, c'est vraiment super.

– La fête d'Éléonore, tu peux le dire. Yas, je suis sorti avec elle pendant quatre ans, je sais que sa fête est à la fin janvier.

– Oui, OK, c'est pour la fête d'Élé.

– C'est pas un secret d'État, tu sais! La semaine prochaine, j'emmène Mathilde magasiner pour acheter son cadeau. Il paraît que cette année, Éléonore veut une maison de Barbie pour sa fête. « Juré, craché », dit Mathilde.

– Tu vas lui acheter ça?

– Ben oui, parce que c'est trop drôle. Mais je vais rajouter quelque chose d'autre aussi. Elle aime le magasin Anthropologie à New York, je vais ramasser quelque chose là.

– Mon Dieu, c'est intime, votre affaire!

– Oui, ça doit bien être l'aspect le plus étrange de la séparation, quand on a un enfant. On continue d'acheter des cadeaux de fête et de Noël à son ex. Tiens, mon écharpe, c'est Élé qui me l'a donnée à Noël. Via Mathilde, bien sûr.

– Malik! s'écrie Yasmina de la voix stridente d'une ado qui a aperçu un membre de son *boys band* favori.

– Quoi, qu'est-ce qu'il y a? demande-t-il en sursautant.

– Sur le menu! Il y a de la poutine au homard. De la pou-ti-ne! Sais-tu combien de temps ça fait que j'en ai pas mangé?

Pendant que Yasmina dévore sa poutine au homard en se pourléchant les babines, Malik déguste un plateau d'huîtres. Ils partagent une bouteille d'un excellent sauvignon blanc.

– Maman serait insultée de nous voir manger autant, remarque Yasmina. Après le souper qu'elle nous a servi!

– Elle a d'autres choses en tête en ce moment, crois-moi.

– Qu'est-ce que tu veux dire? La maladie de papa?

– Oui, et autre chose. Ils sont en train de se parler, à la maison. C'est pour ça que je t'ai invitée à sortir. Papa voulait lui parler en tête-à-tête.

– Moi qui croyais que c'était pour le plaisir de ma conversation. Ils se parlent de quoi ?

– Tu sais peut-être que papa s'apprête à clore une énorme transaction avec tonton Mohammed et deux autres partenaires ?

– Euh, non, personne ne me dit jamais rien, à moi.

– Bon, toujours est-il que ça représente énormément de travail et de déplacements. Les deux autres hommes d'affaires sont en Suisse et le projet qu'ils veulent acheter est au Venezuela.

– C'est quoi, comme projet ?

– C'est confidentiel.

– Malik !

– OK, mais tu répètes pas ça. C'est une centrale d'électricité.

– Quoi ? C'est méga, ça, non ?

– Oui. C'est pour ça que ça stresse beaucoup papa. Il a pensé demander à tonton de le représenter, mais il ne lui fait pas confiance.

– Voyons ! Tonton Mohammed !

– C'est pas qu'il ait peur de se faire avoir. C'est juste que, selon lui, tonton manque d'instinct. Parce qu'il est l'aîné, il a hérité de tout, tandis que papa, lui, a construit tout ce qu'il a en partant de rien. Alors, des fois, ça rend tonton un peu mou, tu vois. Papa l'a souvent tiré d'affaire.

– OK… Alors, qu'est-ce qui va arriver ? Papa doit passer des mois en convalescence, si j'ai bien compris.

– Je vais m'en charger à sa place. C'est ce qu'il annonce à maman ce soir.

– Malik ! Comment tu vas faire ça ? Et ton travail ?

– Je démissionne. Demain matin. Je reviens à Montréal.

– C'est vraiment ce que tu veux faire ?

– Oui et non. Est-ce que j'ai envie de travailler avec mon père et mon oncle tous les jours ? Non. Renoncer à mon indépendance, à ma vie à New York ? Non. Mais en même temps… il faut bien passer à autre chose, un jour. Les fonds spéculatifs, c'est une *game* de jeunes.

– Malik… T'es sûr? Peut-être que c'est moi qui devrais revenir m'occuper de papa.

– Sans vouloir t'insulter, Yaya, je vois pas comment tu pourrais l'aider à se soucier moins de ses affaires. C'est surtout de ça dont il a besoin. Avoir l'esprit libre, pouvoir se reposer. Il faut faire baisser son niveau de stress, le médecin l'a bien dit à maman.

– Ouin.

– Et puis, il y a Mathilde, surtout. Je suis tanné de la voir juste une fin de semaine sur deux, ou tous les week-ends, au mieux. Je manque trop de choses dans sa vie. Son spectacle de ballet, son costume d'Halloween. Je veux être plus présent.

– Si tu vas à ses spectacles de ballet, ça veut dire que tu vas voir Éléonore, aussi. As-tu pensé à ça?

– Yaya, ça fait presque deux ans que je n'ai pas posé les yeux sur elle. À un moment donné, faut que j'en revienne. Ça n'a pas marché entre nous, il est temps de passer à autre chose.

– Parlant de passer à autre chose, et Ruby?

– Quoi, Ruby?

– Elle va dire quoi, elle, de ton déménagement à Montréal?

– Je sais pas. On pourra faire la navette les week-ends…

– Malik, un des buts de ton déménagement, c'est justement d'arrêter de faire la navette les week-ends!

– Je sais, je sais. Mais une chose à la fois, OK? Et ma priorité, c'est mon père et ma fille, pas ma blonde. Ça, ça a toujours été clair. On verra. Si ça marche, ça marche. Si ça marche pas, ça marche pas.

– Ouin, la grande passion!

– On ne peut pas tous être aussi chanceux que toi, p'tite sœur…, dit Malik avec un sourire en coin.

Yasmina rougit.

– Arrête! Mais sérieusement, ça va vraiment bien avec Loïc.

– Tant mieux. Ça m'amène à l'autre sujet dont je voulais te parler. Ta fondation. Papa me dit que tu voulais lui présenter le projet?

– Euh… oui, mais là j'ose pas trop, je veux pas le fatiguer.

– Moi, je t'écoute.

– Là, maintenant? J'ai toute une présentation Power-Point.

– Demain, dans la salle à manger, à 15 heures, ça te va?

– Parfait!

Le lendemain, Malik avoue être impressionné par le sérieux de la démarche de sa sœur. Il accepte de contribuer personnellement un montant important et d'en ajouter autant de la part de leur père. Puis il quitte la pièce un instant. Quand il revient, il annonce:

– Tu veux venir à New York la semaine prochaine?

– New York? Pourquoi?

– Je t'ai obtenu un rendez-vous avec mon patron, Daniel Cohen. S'il y en a un qui peut faire débloquer des fonds, c'est lui. Présente-lui ça comme tu l'as fait avec moi aujourd'hui, et tu n'auras aucun souci.

– Mais voyons, pourquoi il accepterait de m'aider? Il n'y a pas de profits, là-dedans.

– Yasmina, t'es quand même pas si naïve. Les dons à des œuvres caritatives, c'est déductible du revenu imposable. Ils ont des budgets énormes alloués à ça chaque année, c'est juste une question de choisir lesquelles financer. C'est aussi une manière de bien paraître, pour eux, en s'associant publiquement à des causes populaires. Là, un projet mené par la sœur d'un de ses directeurs, ça va lui plaire.

– Ex-directeur, non?

– Oui, mais pour eux, c'est comme si je prenais ma retraite. Je ne pars pas travailler pour leur compétiteur. Ils ne m'en veulent pas, je continue à faire partie de la famille. Alors, ça te dit ? Tu pourras m'aider à déménager.

– Déjà ?

– On perd pas de temps, à New York. Mes dossiers ont déjà été transférés à un de mes collègues. Il est content, si tu savais ! Je lui passe pas n'importe quoi. Il va se claquer un de ces bonis, à Noël !

– Ça va pas te manquer, ça ?

– Bof. À la fin, ça devient un peu comme de l'argent Monopoly. Un peu plus ou un peu moins…

– Pfft ! Tu devrais venir dire ça à mes Togolais.

– C'est pour ça que j'accepte de t'aider. Allez, tu vas pas faire la baboune ?

Yasmina fait non de la tête, mais lui tire la langue de manière tout aussi enfantine.

Les jours qui suivent sont emplis d'émotions. Jamel a des rendez-vous médicaux tous les jours et se prépare à entamer sa radiothérapie. Sa femme et sa fille l'accompagnent partout, chacune lui tenant la main, se donnant l'impression de le soutenir à elles deux.

Assise dans la salle d'attente avec sa mère, Yasmina feuillette distraitement un vieux magazine. Les recettes de salades et de grillades d'été ne l'intéressent pas trop, surtout en plein mois de janvier. Du coin de l'œil, elle s'aperçoit que sa mère se raidit imperceptiblement. Yasmina lève la tête : elle voit son père qui s'avance vers elles. Elles s'empressent de l'entourer, le couvrent de sollicitude, et le ramènent à la maison. Les jours qui suivent la première séance de radiothérapie sont durs. Jamel est fatigué, des troubles digestifs l'accablent, et Jacqueline ne sait que faire pour le soulager. Il n'y a rien d'autre à faire que d'attendre, que le pire passe et que le tout recommence la semaine suivante.

Entre-temps, Yasmina est appelée à se rendre à New York. Malik a tenu sa promesse et lui a obtenu une rencontre avec son patron, Daniel Cohen, un Montréalais d'origine qui a gagné des fortunes sur la scène des investissements spéculatifs à New York. Nerveuse, Yasmina se présente au bureau de son frère un mardi matin. Malik l'accueille puis la guide vers le bureau de Daniel. Yasmina a peur un instant que son frère assiste à sa présentation ; elle se sentirait mal à l'aise d'arborer un visage professionnel et sérieux devant celui qui la taquine depuis son plus jeune âge. Mais Malik s'esquive une fois les présentations faites.

Daniel Cohen ne ressemble en rien à ce que Yasmina avait imaginé. Rien d'ostentatoire, de carnassier. C'est un homme d'allure frêle, aux cheveux brun pâle frisés, qui porte un col roulé et un veston noirs. Il invite Yasmina à s'asseoir. Prenant une grande respiration, celle-ci se lance.

– Monsieur Cohen, tout d'abord, permettez-moi de…
– Daniel, s'il te plaît, l'interrompt-il.

En vivant en France et en Afrique, Yasmina a perdu cette habitude toute nord-américaine de tutoyer les gens et de s'adresser à eux par leur prénom. Cela la gêne, mais elle se plie à la requête de son interlocuteur.

– Daniel, permets-moi d'abord de te remercier d'avoir accepté de me rencontrer. Je suis ici dans un but bien précis : solliciter des dons qui permettront à ma fondation de construire une école primaire pour fillettes dans le nord du Togo, à Dapaong.

– Pourquoi pas pour garçons aussi ?

– Tout simplement parce que le besoin est plus criant chez les filles. Les statistiques démontrent que le taux de scolarité des filles est beaucoup plus bas, ce qui est causé entre autres par…

Une fois lancée, Yasmina maîtrise à fond son dossier et sa gêne s'évanouit. Une heure plus tard, quand elle lui serre la main, Daniel lui a promis un montant faramineux qui servira, avec ce que son père et son frère ont donné, à couvrir les frais d'exploitation de la première année, ainsi que les coûts afférents à la construction de l'école. Yasmina est au septième ciel ; jamais elle n'aurait cru régler ses problèmes de financement de manière aussi expéditive. Elle remercie chaudement son frère, qui est heureux que ses nombreux contacts aient servi à aider sa sœur.

– Bon, pour me remercier, tu m'aides à faire des boîtes ?

– T'engages pas quelqu'un pour faire ça ?

– Le gros du travail, oui. Mais il faut quand même que je passe à travers mes effets personnels. En fait, je te taquine, je n'ai pas vraiment besoin d'aide, plus de compagnie. De la musique, un verre de vin, ça te dit ?

– Ce soir ?

– Ben oui, pourquoi ?

– Malik, je vis dans un village perdu d'Afrique depuis un an. Je viens de passer la semaine la plus angoissante de ma vie avec papa. J'ai obtenu un méga financement pour ma fondation. Je pense que j'ai besoin de me défouler un peu.

– OK. Demain, alors, pour les boîtes. Ce soir, Pastis ?

– Là, tu parles !

– J'invite Ruby ?

Après quelques secondes d'hésitation, Yasmina répond oui. Elle décide d'emblée qu'elle ne parlera pas à Éléonore de cette rencontre, tout comme elle n'a pas parlé à Malik d'Émile. Si l'un des deux la questionne, elle ne mentira pas, mais elle n'abordera pas le sujet.

Elle est très curieuse en voyant arriver la copine de son frère ce soir-là. Ruby est une grande blonde, aux cheveux lisses et brillants, et elle semble tout droit sortie d'une publicité de Calvin Klein. Yasmina se fait la remarque que tout sur elle est lisse. Ses cheveux, son teint, son vernis à ongles impeccable, ses vêtements simples et élégants, son sac à main griffé. Cela dit, elle est sympathique et gentille, posant beaucoup de questions à Yasmina, laissant le frère et la sœur mener la conversation, sachant quand s'effacer et quand raconter une anecdote distrayante. *Ce sont donc ces bonnes manières qu'elles apprennent dans les* finishing schools, se dit Yasmina en riant intérieurement. Ruby est pendue aux lèvres de Malik, riant de toutes ses blagues, le regardant d'un air admiratif quand il raconte un de ses bons coups au travail. Même quand le sujet épineux de son déménagement est abordé, le soutien indéfectible de Ruby ne fait pas défaut ; elle se borne à dire que Malik doit bien sûr être auprès de sa famille dans ces moments difficiles. *Coudonc, même sa personnalité est lisse*, finit par se dire Yasmina en mordant dans un énorme croque-monsieur à la béchamel qui ferait pâlir Loïc d'envie, tandis que Ruby chipote la salade stéréotypée du genre de fille qu'elle est.

Leur repas terminé, Malik embrasse Ruby avant de la guider galamment vers un taxi. Puis il invite sa sœur à marcher un peu dans le Meatpacking District avant de rentrer.
   – Alors, t'en as pensé quoi ?
   – Très gentille.
   – Mais...
   – Tout le contraire d'Éléonore.
   – Oui, hein ? répond Malik d'un air mystérieux.

De retour à Montréal, Yasmina oublie vite son escapade new-yorkaise. Son père a subi une nouvelle séance de radiothérapie. Il est de plus en plus épuisé. Ses troubles digestifs le mettent de mauvaise humeur. Yasmina travaille surtout à soulager sa mère, qui passe ses journées à répondre aux appels de son mari. Jamel a sans cesse besoin d'un glaçon, d'une couverture, d'un oreiller plus mou ou plus dur. Jacqueline ne lui reproche pas ces exigences et court les satisfaire. Pendant ce temps, Yasmina se charge de l'épicerie, elle cuisine des mets simples et surtout elle approvisionne ses parents en livres, en films et en séries télé qui contribueront à les distraire. Elle leur fait découvrir la nouvelle télésérie américaine de l'heure, *Mad Men*, dont Ruby lui a chanté les louanges à New York.

Pendant ce temps, Loïc lui manque beaucoup. Elle se rend compte à quel point elle s'est habituée à sa présence quotidienne. Quelqu'un à qui se confier, avec qui rire, parler. Leur relation s'approfondit au fil des années et elle n'arrive parfois pas à croire sa chance d'avoir trouvé quelqu'un d'aussi… d'aussi parfait pour elle. Il lui tarde aussi de repartir à Dapaong afin d'amorcer le processus de construction de son école. Maintenant que le financement a été obtenu, c'est une course contre la montre pour démarrer le projet le plus rapidement possible, surtout en tenant compte des inévitables délais bureaucratiques.

Mais elle hésite à laisser son père et surtout sa mère sans soutien. Elle se sent déchirée entre le sens du devoir et son envie d'être ailleurs, de s'accomplir dans un projet à sa mesure. Entre jouer le rôle de la fille dévouée, et celui de l'aventurière missionnaire. Éléonore lui répète sans cesse qu'elle n'a pas à choisir, qu'elle est là pour ses parents quand ça compte, que cela ne l'empêche pas de se réaliser aussi professionnellement et amoureusement. Que ses parents n'ont jamais exigé d'elle un tel sacrifice.

Quand elle lui confie ses hésitations, Loïc demeure neutre.

– Tu sais que je ne te retiendrai jamais loin de ta famille. Si tu as besoin de rester plus longtemps, fais-le. Si tu veux quitter le Togo, on en parlera.

– Non… Ton travail est trop important, mon projet d'école aussi. Mais j'ai une boule de culpabilité qui me ronge le ventre.

– Yasmina… Voici ce que je te propose. Tu reviens, tu entames les démarches pour fonder l'école. Et on réévalue la situation tous les mois. Si la santé de ton père décline, on stoppe tout, tu passes autant de temps qu'il le faut à Montréal et je me joins à toi quand je peux. S'il va bien, on continue, et tu iras lui rendre visite plus souvent. Ça te va ?

Yasmina éclate de rire.

– Mina ? Ça va ?

– Oui ! C'est juste que ce que tu me proposes est tellement sensé que je me demande comment j'ai fait pour me prendre la tête comme ça. Je vais attendre que le pire soit passé et j'arrive.

Malik confirme que son déménagement aura lieu le samedi suivant. Il rassure sa sœur du mieux qu'il peut.

– À partir de samedi, je vais être là, Yas. Je vais habiter chez papa et maman les premiers temps. Je veux m'acheter une maison rapidement, mais j'ai l'intention de rester à Outremont, alors je vais pouvoir les voir tous les jours, s'il le faut. Et puis, si ça va pas trop bien, tu peux revenir souvent.

– T'es sûr ? Tu veux pas que je reste un peu plus longtemps ?

– Oui, je suis sûr, et maman aussi.

– OK. Je vais partir trois jours après ton arrivée, question de te donner le temps de défaire tes valises. Mais

s'il y a quelque chose, n'importe quoi, tu m'appelles, OK ?
Je vais revenir. Et ramener Loïc. Il est médecin, après tout.

– Yas, papa en a plein, de médecins. Ils s'occupent bien de lui.

– Je sais, je sais. Mais n'oublie pas de me tenir au courant, OK ?

– Promis.

Jusqu'à son départ, Yasmina redouble donc d'efforts, passant tout son temps à essayer de distraire son père et d'alléger la tâche de sa mère.

Seule la soirée d'anniversaire d'Éléonore vient un peu égayer son séjour. En compagnie d'Émile, d'Allegra et de Sean, elles se rendent au Garde-Manger, comme Yasmina l'avait prévu. La soirée est d'abord un peu maussade : Allegra parle peu et ne boit pas, Sean fait de son mieux mais comprend mal le français, Émile parle beaucoup, mais constamment de lui. Heureusement, Éléonore est d'une humeur joyeuse que rien ne peut assombrir. Quand elle se lève pour aller aux toilettes, après l'entrée, et qu'elle croise Yasmina qui en revient, elle l'intercepte et l'attire au bar.

– Deux *shooters* de tequila, s'il vous plaît.

Yasmina la regarde d'un air admiratif.

– Vraiment ?

– Cale !

Yasmina éclate de rire. Elle perçoit quelques regards désapprobateurs qui émanent de leur table, mais n'en fait pas de cas. Éléonore est très gaie et elles rient beaucoup toutes les deux, n'écoutant pas trop la conversation générale, se contentant de pousser quelques petites blagues qui ne sont comprises que d'elles. Après le plat principal, Allegra annonce qu'elle a mal à la tête et doit rentrer. Elle offre à Éléonore un superbe sac à main Matt and Nat, l'embrasse et les quitte, Sean à sa suite. Après le dessert, Émile demande à Éléonore :

– Ta fille est chez ta belle-mère, ce soir ?

– Oui.

– Tu rentres dormir chez moi ? Je voudrais te donner ton cadeau.

– Maintenant ?

– Il est presque minuit.

– Mais je pensais qu'on allait danser. Yasmina, tu veux ?

– Toujours prête.

– Émile, ça te dérange si on se rejoint demain matin ? J'ai pas souvent la chance de voir Yasmina, et encore moins celle de danser.

– OK, si tu y tiens.

Émile parti, Yasmina a l'impression que la soirée peut enfin vraiment commencer. Elles se lèvent et s'approchent du bar, envahissant l'espace étroit qui sert de piste de danse, entre les tabourets et les tables les plus proches. D'autres fêtards se joignent bientôt à elles et la musique se fait enlevante. Elles dansent pendant près de deux heures, ne s'arrêtant que pour commander des cocktails colorés dont les mélanges ont vite fait de les soûler. En sortant, elles titubent toutes les deux sur le pavé inégal de la rue Saint-Paul. Yasmina, dans ses bottes de cuir à talons hauts, a du mal à naviguer autour des plaques de glace et des bancs de neige. Elle s'accroche au bras d'Éléonore, hilare. Celle-ci s'exclame :

– Ben oui, pis c'est quoi, ces bottes-là, aussi ? On est au mois de janvier, je te ferais remarquer !

– Je sais ! glousse Yasmina en hoquetant. Il n'y a rien à faire, je n'arrive pas à m'habituer !

Elles se rendent de peine et de misère à la rue McGill où elles hèlent un taxi.

Le lendemain matin, Yasmina est réveillée à 6 heures par une Mathilde surexcitée qui saute sur son lit.

– Yaya ! Yaya ! Réveille-toi !

– Mathilde ? grogne Yasmina, où est mamie ?

– Avec papi.

– Ah, OK, dérange-la pas, alors. Et papa ?

– Il arrive après le dodo de l'après-midi.

– Ah oui, c'est vrai, il devait finir de déménager.

– Yaya, j'ai faim !

– OK, Mimi. Tu veux pas venir te coucher avec Yaya, un peu ?

– J'ai faim ! Je veux mon vidéo de Dora et mes céréales.

– OK, OK. Je me lève. Dans deux minutes.

– Yaya, j'ai faim !

– J'arrive, j'arrive.

Yasmina se lève de peine et de misère, la tête lourde. Elle se traîne jusqu'à la cuisine, où elle voit double quand elle ouvre la porte du réfrigérateur. Elle trouve enfin le lait, un bol, une cuillère, puis verse des Rice Krispies dans le bol.

– Non ! Le bol rose de Dora ! dit Mathilde. Mamie me donne toujours le bol rose de Dora pour mes céréales.

Yasmina jette un coup d'œil dans le placard.

– Je le trouve pas, le bol rose, Mimi. Juste pour aujourd'hui, tu peux prendre celui-là, OK ?

– Non ! Je veux mon bol rose !

– OK, réfléchissons.

Yasmina ouvre les portes des autres placards, puis pense au lave-vaisselle. De manière inhabituelle, Jacqueline semble avoir négligé de le faire partir la veille au soir. Elle aime normalement être accueillie chaque matin par une vaisselle propre. Yasmina se dit que ça doit bien être le moindre des changements qui affligent sa mère en ce moment. L'odeur de poisson qui flotte dans le lave-vaisselle lui lève le cœur. Elle referme la porte, prend une respiration, et plonge de nouveau. Elle aperçoit enfin le fameux bol rose, qu'elle ressort rapidement. Il est tout croûté des céréales de la veille.

– Mon bol de Dora! s'exclame Mathilde, heureuse.

Découragée, Yasmina commence à frotter. Elle doit s'y prendre avec ses ongles pour déloger les morceaux les plus coriaces. Pendant ce temps, Mathilde chantonne autour d'elle, petite tornade d'excellente humeur. Yasmina sent une migraine phénoménale la gagner.

Enfin, elle installe Mathilde devant la télé, trouve le bon DVD de Dora, place le bol de céréales devant sa nièce, et s'effondre dans le fauteuil, somnolant vaguement jusqu'à ce que la sonnerie du téléphone retentisse une heure plus tard.

– Allo? répond-elle, la bouche pâteuse.

– Yasmina? Je voulais dire allo à Mathilde.

– Ta fille m'a réveillée à 6 heures ce matin. Je veux mourir.

Éléonore éclate de rire.

– Aucune pitié. Attends de te claquer ça tous les matins pendant cinq ans avant de te plaindre. Passe-moi-la vite, je retourne me coucher après, et Émile vient me réveiller à 11 heures avec un brunch.

– T'es trop cruelle.

– C'est moi la fêtée, tu te souviens? Allez, courage!

Yasmina tend le téléphone à Mathilde, qui parle à sa mère avec sérieux, puis tend le combiné à sa tante en demandant:

– Et maintenant, Yaya, est-ce qu'on peut jouer aux poupées?

Yasmina gémit en se cachant le visage dans un coussin.

Chapitre seize

– Donc, vous essayez depuis…

– Huit mois.

Nerveuse, Allegra replace une mèche de cheveux et regarde la gynécologue d'un air farouche. Sean lui serre la main.

– Ça peut être tout à fait normal. Pour un couple de votre âge, en bonne santé, on recommande d'attendre au moins un an avant de consulter. Le mieux qu'on puisse faire, c'est se détendre et laisser faire la nature.

Allegra sent la rage l'envahir.

– J'ai pas le temps de laisser faire la nature ! Je peux pas attendre un an, je suis déjà en retard !

Devant l'air étonné de la docteure, Sean tente de décrire la situation dans laquelle Allegra est placée pour son film. Il soupire en s'expliquant. Allegra sent ses épaules se raidir en entendant son ton découragé.

– Madame, votre cas est très inhabituel. Je suis vraiment désolée, mais d'un point de vue médical, il n'y a pas grand-chose que je puisse faire.

– Mais… mais… Avez-vous lu mon dossier ?

– Oui.

– Bon ! Vous les avez vues, mes années d'anorexie ? Ça… ça doit être à cause de ça que ça marche pas, non ?

– Pas nécessairement. Vous maintenez un poids santé depuis des années.

– Mais il paraît que ça peut causer des problèmes de fertilité à long terme ! J'ai tout lu, à ce sujet, sur Internet. Il y a des médicaments qu'on donne aux anorexiques pour stimuler l'ovulation.

– Oui, dans les cas où l'ovulation n'est jamais revenue, malgré le retour à un poids normal. Je ne pense pas que ce soit votre cas. Vos menstruations sont régulières depuis des années, vos courbes de température montrent claire-ment que l'ovulation a lieu.

– Mais si c'est pas ça, alors, c'est quoi?

– Le temps, la nature. Le stress, peut-être? ose avancer la gynécologue.

– Le stress? hurle presque Allegra.

– Je vous suggère beaucoup de repos. Revenez me voir dans quatre mois s'il n'y a rien de nouveau.

Allegra sort de la clinique Beaumont en larmes. Sean essaie de placer un bras autour de ses épaules, mais elle le chasse d'un geste agacé.

– Allegra…

– Laisse faire, OK! Laisse-moi tranquille.

– Allegra, c'est ridicule… Tu te mets dans un de ces états… Je ne peux plus te voir comme ça.

– Tu peux plus me voir comme ça? Tu peux plus? Moi, je me vois comment, tu penses? Comme une ostie de cruche stérile! Je me trouvais *cute*, hein, je me trouvais smatte, de m'affamer comme ça? Pourquoi, pour deux, trois pubs et quelques magazines? Et voilà ce que ça donne… Je me hais, Sean, si tu savais comme je me hais…

Sean tente de nouveau de la prendre dans ses bras. Elle se défile encore une fois d'un geste sec.

– Je vais lui dire quoi, à Jean Colombe, hein? Quoi? De m'oublier? Je vais faire quoi? J'ai refusé des beaux rôles, pour faire ça.

– Je sais… Ma belle, tu penses pas que c'est le temps de passer à autre chose? Ça n'a plus aucun sens, cette his-toire. Ça fait huit mois qu'on ne vit plus, qu'on ne parle que de ça. C'est pas une catastrophe, ça prend du temps, c'est tout. T'as entendu ce qu'a dit la docteure. Faut relaxer et attendre que la nature fasse son œuvre. On a besoin de respirer.

– Respirer ? Je ne respire plus, moi !

– Je sais ! Mais Allegra, t'es pas toute seule, là-dedans, hein ? Tu t'en rends compte ?

– Pauvre de toi, ta blonde veut faire l'amour souvent, rétorque-t-elle, l'air mauvais.

– Tu sais bien que c'est pas aussi simple que ça. Quand tu m'as parlé de ton projet de film, j'ai embarqué parce que je trouvais ça drôle. Que c'était une chance de vivre une expérience unique. Mais là, ça commence à être pas mal moins drôle. Je me suis installé à Montréal pour toi, mais tu m'avais promis qu'on bougerait souvent. On ne bouge pas. Ça fait des siècles que je te demande de partir à la mer. Tu dis toujours non, parce que tu es sûre que ça y est. Là, j'en ai marre. On part en vacances, on se repose, et on verra après.

– Sean… Toi aussi, tu jettes l'éponge ?

Paniquée, Allegra s'accroche à son bras.

– Tu peux pas me lâcher, j'ai besoin de toi. On est là-dedans ensemble, OK ? Regarde, je vais trouver une solution. Laisse-moi encore un mois. Je vais aller aux États-Unis, s'il le faut, pour me faire donner les fameuses injections que cette vache-là m'a refusées. Juste un mois, s'il te plaît.

– Un mois, et je prends des billets pour Puerto Escondido.

Le lendemain matin, comme pour la narguer, les menstruations d'Allegra arrivent. Chaque fois, elle est si sûre que ça y est… Elle le veut tellement, ce bébé, elle le sent se former en elle, les crampes de l'implantation, la fatigue, les seins douloureux… Cette idée l'obnubile et, chaque mois, le même cycle se répète. Pendant ses règles, elle est en deuil ; un deuil qui lui semble aussi réel que si elle pleurait un vrai bébé. Puis, quelques jours plus tard, l'espoir renaît de nouveau : une nouvelle fenêtre d'ovulation approche, tout est encore possible ! Elle prend religieusement sa température avant de sauter du lit chaque matin, l'inscrit dans son calepin, note les jours propices à la conception, donne ses ordres à Sean quant à la date et l'heure de la chose, fait l'amour tous les deux jours pendant la bonne semaine (pas tous les jours, elle a lu que ça épuise le sperme dont la mobilité se trouve alors réduite). Une fois l'ovulation passée, Allegra flotte sur un nuage de joie percé de crises d'angoisse. Est-ce que ça y est enfin ? Elle écoute tellement son corps qu'elle en mélange tous les signaux, persuadée d'une chose un jour, de son contraire le lendemain. Est-elle plus fatiguée que d'habitude ? Cette crampe est-elle annonciatrice de menstruations, ou d'une implantation ? Elle en devient folle, mais chaque fois, elle y croit. Elle y croit tant, que chaque mois le même deuil recommence. Encore et encore.

Elle ne pense plus qu'à ça, ne vit plus que pour ça, et voudrait arracher la tête de toutes les oies bien-pensantes qui lui rabâchent d'arrêter d'y penser pour que ça marche. « Moi, j'étais tellement occupée, ce mois-là, avec le travail, les rénovations, j'essayais même pas, et paf, je suis tombée enceinte. » « Plus tu y penses, moins ça va arriver. » « Relaxe. » « Relaxe. » « Relaxe. »

Rien ne la stresse plus que d'entendre quelqu'un lui dire de relaxer. Surtout par une maman qui la dévisage, du haut de sa glorieuse fertilité, deux ou trois enfants accrochés à ses jupes. Elle a envie de toutes les envoyer promener, commence même à les haïr, ces mères, même Éléonore, même Chiara, qui ont le culot en plus de se plaindre de leurs enfants et de leur manque de sommeil! Que pensent-elles, qu'Allegra va changer d'idée, en entendant: «Ah, profites-en pendant que tu peux! Va au cinéma, fais la grasse matinée, ça reviendra plus»? Elle les déteste, et a envie de leur fourrer leur cinéma et leurs grasses matinées au plus profond de leur gosier de mères satisfaites. Elle a l'impression qu'elles lui font l'offrande d'une consolation, qu'elles creusent très loin pour trouver – «Ah, tiens! Les grasses matinées!» – qu'elles lui jettent cette idée comme un bonbon à un miséreux, puis s'en retournent chez elles, heureuses, épanouies, câliner leur bébé et remercier le ciel de ne pas être elle.

Dans ses moments de lucidité (et ils sont de plus en plus rares), Allegra sait bien qu'elle exagère, que ses proches ont son bien-être à cœur, qu'il n'est pas normal d'obséder à ce point. Que théoriquement, elle n'a pas encore de problème de fertilité, que oui, en effet, il faut laisser la vie faire son œuvre. Mais ces beaux arguments ne tiennent jamais longtemps, et très vite c'est toute sa rage qui jaillit à la surface, l'empêchant de voir Mathilde ou Jasper, ou même d'être à peu près tolérable pour Sean. Elle commence à avoir peur qu'il la quitte. Qu'il ne veuille plus de cette vie-là, avec cette fille-là, incapable à cause de son passé fucké de lui offrir le plus élémentaire des cadeaux: un enfant. Elle se hait, comme elle se hait.

Chapitre dix-sept

– Malik ? J'ai un problème.

– Salut, Yasmina, ça va ?

– Oui, oui. J'ai un problème. Avec mon école.

– Quoi ?

– Justement, je sais pas. J'arrive pas à comprendre. J'ai tout. Grâce à toi, j'ai l'argent, grâce à Loïc, j'ai rencontré l'homme qui m'a vendu le terrain, j'ai fait faire les plans par un architecte, j'ai engagé un entrepreneur, j'ai obtenu les autorisations du gouvernement, j'ai même payé les pots-de-vin, en me faisant croire que c'était autre chose. Mais malgré tout ça, ça marche pas. Les parents n'inscrivent pas leurs enfants.

– Leur as-tu demandé pourquoi ?

– Impossible d'avoir une réponse claire. Dans leur culture, ils répondent oui à tout. Après, ils t'en veulent de les avoir mis dans une situation où ils ont dû mentir. C'est très compliqué.

– Trouve un interprète.

– Un interprète ? J'en ai déjà un.

– Pas un interprète linguistique. Un interprète culturel, quelqu'un qui connaît leurs us et coutumes, qui peut t'aider à décoder ce qui se passe. Un genre d'espion.

– Pas bête… Pas bête.

– À ton service !

– Attends ! Toi, à Montréal, ça va ?

– Super bien. Papa va déjà vraiment mieux, tu sais.

– Je sais, maman me tient au courant tous les jours. La radiothérapie, c'est fini ?

– Oui et il prend déjà du mieux.

– Il va retourner travailler, alors ?

– Il dit que non. Tu sais, il a soixante-cinq ans. Sans ça, il n'aurait peut-être jamais pris sa retraite. Là, il profite. Maman est vraiment contente.

– Toi, tu travailles comme un fou ?

– C'est intense, mais rien à côté de New York. Si tu me voyais, depuis que j'ai acheté ma maison. Je passe mes samedis matin chez Rona, mes après-midi à jardiner. J'ai acheté un super barbecue, tu devrais voir les steaks que je mc fais là-dessus.

– Mon frère ! Est-ce possible ? Pas de top-modèles ? Pas de week-ends à Saint- Tropez ?

– Tu peux bien rire. Écoute, chaque chose en son temps. Là, mon temps, c'est d'être un pépère à la maison qui profite de sa fille.

– Tant mieux pour toi. Tant mieux pour toi. T'es content d'être à Outremont ?

– Oui. J'aurais bien pu aller faire mon célibataire dans le Vieux-Montréal, mais ça m'arrange d'être près de chez Éléonore. C'est plus facile avec Mathilde.

– Cool. Bon, je me lance dans mon espionnage. À la prochaine, hein ?

– À bientôt.

Par hasard, Prita, l'employée de l'ONG dédiée aux droits de l'enfance qui a déjà épaulé Yasmina, est de passage à Dapaong dix jours plus tard. Yasmina l'invite à manger chez elle afin de discuter de son projet.

– Explique-moi, Prita, explique-moi.

Prita lui demande de lui décrire toutes les démarches qu'elle a entreprises, elle étudie les plans, le cursus scolaire, les horaires. Elle met tout de suite le doigt sur quelques problèmes.

– Ces filles-là, elles doivent aider aux champs. Il y a des tâches essentielles que les parents ne peuvent faire sans elles.

– Mais l'idée, c'est qu'elles aillent à l'école !

– Il faut être réaliste. Tu veux les éduquer quelques heures par jour, ou pas du tout ?

– Moui, OK. Alors, que dois-je faire ?

– Tu commences à 10 heures pour leur laisser le temps d'aller chercher l'eau et de revenir, le matin. Tu leur donnes une heure le midi pour rentrer manger à la maison et aider avec les petits. Puis tu les libères à 16 heures pour qu'elles puissent aller chercher les bœufs aux champs et aider aux repas.

– Ça va leur faire une vie de fou !

– Crois-moi, ce sera déjà du repos, et elles seront tellement heureuses d'apprendre. Leurs parents aussi, hein, mais ils doivent d'abord assurer la subsistance de toute leur famille.

– OK. Si tu le dis, j'essaie. Quoi d'autre ?

– Eh bien… c'est délicat.

– Vas-y.

– Il y a peut-être un problème avec toi, comme directrice.

– Moi ? Qu'est-ce que j'ai ?

– Ton statut est dur à comprendre. Tu n'es ni une jeune femme chez ses parents ni une femme mariée. Tu vis avec un homme, mais tous savent que tu ne portes pas son nom. Ce n'est pas très respectable, pour eux. Ce sera donc difficile de les convaincre de te confier la destinée morale de leurs filles, tu vois ?

– Tu es sérieuse, là ?

– Yasmina, je ne te juge pas, je sais que c'est différent en Occident, j'ai étudié à Londres. Mais tu me demandes mon avis, alors voilà ce que j'en pense. C'est évident, ça doit te nuire.

– Wow. Je ne sais pas quoi dire.

– C'est à toi de voir. Mais au moins tu sauras à quoi tu as affaire.

Yasmina remercie chaudement Prita et la reconduit, songeuse.

Ce soir-là, quand elle entend la clé de Loïc dans la serrure, elle est tentée un instant de fuir. Elle ne sait pas elle-même ce qu'elle veut, elle sait donc encore moins ce qu'elle veut lui demander. Ce dont elle est sûre, par contre, c'est que son projet d'école doit voir le jour.

– Ça va ? demande Loïc en l'embrassant.

– Oui, oui.

Il la prend dans ses bras, plonge ses yeux bleus dans les siens, et l'observe sans dire un mot. Yasmina se tortille, mal à l'aise.

– Quoi ? demande-t-elle enfin, de mauvaise foi.

– À toi de me le dire. Qu'est-ce qu'il y a ?

– Rien, pourquoi ?

– Tu fais une piètre menteuse. Quelque chose te chicote, je le vois dans tes yeux. Tu n'arrives pas à demeurer tranquille une seconde.

– Tu m'énerves ! Mais tu m'énerves ! dit Yasmina en éclatant de rire.

– J'ai le don d'omniscience, ne l'oublie jamais !

– Juste avec moi. Ça compte pas.

– Bon, tu me racontes ce qui te tracasse ?

Rougissante, Yasmina lui répète les propos de Prita.

– C'est tout ?

– Comment, c'est tout ? L'horaire, ça s'arrange, mais le reste…

– Le reste aussi, Yas, voyons !

Yasmina se fige sur place.

– Qu'est-ce que tu veux dire ?

– Ce n'est qu'un bout de papier, après tout. Et puis, nous deux, on s'aime, c'est pour la vie, qu'est-ce que ça peut bien nous faire de signer ce truc-là ?

– Loïc… t'es sérieux ?

– Ben oui. On se marie, voilà.

– Vraiment ?

– Yasmina… Tu n'as pas envie ?

– Bien sûr que j'ai envie, bien sûr, mais… t'es sérieux ?

– Euh… oui, répond Loïc, quelque peu éberlué de l'ampleur de la réaction de Yasmina.

– On se marie vraiment ?

– Oui.

– Je peux le dire à ma mère ?

– Oui, si tu veux. Yasmina, ça va ? C'est ce que tu voulais ?

– Oui, c'est ce que je voulais. Je savais juste pas à quel point je le voulais avant de l'avoir. *My God*, je me marie ! ! !

Elle saute dans les bras de Loïc et le couvre de baisers, puis se jette sur le téléphone.

Jacqueline est tout aussi heureuse que sa fille. Elle passe vite le combiné à son mari, puis à Malik qui est passé leur rendre visite ce jour-là. Tous se répandent en félicitations, posent des questions au sujet de la cérémonie, du lieu, de la date, des invités. Yasmina s'aperçoit qu'il lui reste encore tout à décider avec Loïc. Elle raccroche donc, voulant savourer ce moment unique en tête-à-tête avec son fiancé. Son fiancé ! Le mot à lui seul la met dans un de ces états. Elle est toute guillerette alors qu'elle sert le potage que Marie-Jeanne a préparé pour le souper. Loïc la regarde s'activer, bourdonnant comme une abeille dans la cuisine, discutant et supputant à voix haute. Il écoute avec amusement ce monologue heureux.

– Il faudrait faire ça vite, n'est-ce pas ? On est déjà en avril, tu crois que ce serait trop tard, pour cet été ? En juillet, peut-être ? Ça laisse pas beaucoup de temps pour tout organiser, prévenir les gens, prendre nos vacances…

– Mina, on n'est pas obligés de faire tout un cinéma…

– Non, non, bien sûr, quelque chose de simple, mais quand même, quelque chose qui nous ressemble… Tant qu'à le faire, aussi bien le faire comme du monde ! Oh mon Dieu, je suis tellement contente !

– D'arriver à débloquer ton projet ?

– Non, enfin, oui, bien sûr, mais aussi… qu'on se marie !

Le lendemain, elle rappelle sa mère qui a déjà mis toute une machine en branle.

– J'ai parlé à ton oncle et à ta tante, ils tiennent absolument à t'offrir les fleurs.

– Tonton Mohammed ? C'est tellement gentil !

– J'ai pensé à des lys Calla, c'est moderne, et puis ça irait parfaitement avec ton teint. As-tu préparé une liste préliminaire d'invités ? Ça nous la prend absolument pour avoir une idée du nombre, on ne peut choisir la salle sans ça.

– Pas encore. Dans ma tête, mais j'ai rien écrit.

– J'ai déjà fait la liste de ma famille, celle de ton père, et nos amis proches à inviter. Je te l'envoie par courriel, si tu veux. Il te restera seulement à ajouter tes amis, ceux de Loïc et sa famille. Tu crois qu'ils se déplaceront tous ?

– Je ne sais pas, il ne leur a pas encore parlé.

– Ah bon ?

– Il veut attendre qu'on ait fixé la date.

– Bon, et le plus important, maintenant : ta robe. Il faut plusieurs essayages. Comment tu vas faire ?

– Je sais pas.

– Tu trouveras rien au Togo. Il te faut une grande ville. Et si tu attends ton arrivée à Montréal, il risque d'être trop tard. Il y aura des ajustements à faire.

– Eh bien… je pourrais l'acheter à Paris ? Y aller pour la choisir, et ensuite repasser par là en route vers Montréal et ramasser ma robe ?

– Excellente idée ! J'irai avec toi la choisir. On devra prendre une robe toute faite, hein, les robes haute couture requièrent cinq ou six essayages à quelques semaines d'intervalle. Mais on trouvera quelque chose de bien.

– De simple.

– Oui, voilà. De simple et de bien.

Yasmina raccroche, ravie. Elle raconte à Loïc les suggestions de sa mère, la générosité de son oncle, le plan d'aller choisir la robe à Paris. Il ne dit rien mais semble dubitatif.

– Loïc ! Qu'est-ce que tu as ?

– Tu trouves pas ça trop ?

– Mais non, je te dis, ma mère a du goût, on va faire quelque chose de très simple. Seulement, pour mon père, c'est quand même quelque chose. Il marie sa fille. Faut les laisser en profiter un peu.

– Je m'étais imaginé l'hôtel de ville avec un dîner au restaurant.

– Ça sera comme ça, avec un peu plus de monde, c'est tout ! Ne t'inquiète pas.

Ce soir-là, Yasmina s'assoit sur un pouf de cuir brun brodé d'or et écoute Loïc chanter, accompagné de sa guitare acoustique. Il doit commencer quelques semaines plus tard à donner un spectacle hebdomadaire pour distraire les patients de l'hôpital, et Yasmina est son premier public pendant le rodage de son numéro. Ben Harper, Bob Dylan, Neil Young, elle se laisse bercer par leurs mots et par la voix envoûtante de Loïc, l'observant à la lueur des chandelles. Elle se sent emplie d'un bonheur si fort qu'il la chatouille jusqu'au bout des doigts et des orteils. Elle le trouve beau quand il chante, la tête courbée vers sa guitare, concentré, intense. Elle se souvient comment il était, quand ils se sont rencontrés, jeune rocker et bête de scène qui faisait frémir toutes les filles. Elle le perçoit différemment aujourd'hui, bien sûr ; il est son copain de longue date, l'homme avec qui elle partage sa vie, il y a donc des jours où elle ne voit de lui que les serviettes mouillées qu'il a oublié de ramasser après sa douche. Mais quand il joue, quand il chante… c'est le Loïc de leurs débuts qui lui revient et elle l'observerait pendant des heures, ensorcelée. Et voilà qu'il va l'épouser !

Il y a tout de même un petit quelque chose qui la chicote. Le lendemain, elle décide d'appeler Éléonore. Elle lui a bien sûr appris la grande nouvelle dès le premier jour, mais il y a un petit détail qu'elle n'a pas osé aborder.

– Alors, la fiancée ! Ça va ? Les plans avancent ?

– Assez. Mon père et ma mère se sont lancés là-dedans, t'as jamais vu ça. Faut dire qu'ils ont pas grand-chose d'autre à faire.

– Ton père va toujours bien ?

– Oui, super bien. La présence de Malik le soulage beaucoup.

– Il est pas le seul.

– Quoi ?

– Je dis qu'il est pas le seul.

– Qu'est-ce que tu veux dire ?

– Voyons, Yas, j'ai été mère presque monoparentale pendant cinq ans ! Imagine, là, j'ai le père de ma fille à cinq coins de rue de chez moi. C'est la chose la plus relax au monde. Dès que je dois travailler un peu tard, que j'ai quelque chose le soir, elle va chez son père. Et vice-versa.

Je te jure, je peux pas croire que la plupart des mères l'ont facile comme ça. Un vrai rêve!

– Et tu t'entends bien avec Malik pour organiser tout ça?

– Bien, oui. Chaleureusement, non. Disons qu'on a plutôt tendance à faire nos plans par courriel, et on dépose Mathilde chez l'un et chez l'autre sans monter. On se voit de loin, au plus on se croise une minute quand elle a besoin d'aide pour monter son sac. Mais ça va. Pas de chicane, pas de conflits d'horaires.

– Wow! Tout un changement, hein?

– Tu sais, ton frère, on dira ce qu'on voudra mais... c'est quelqu'un de fiable.

– On dirait que ça t'arrache la bouche de lui faire un compliment!

– C'est pas ça, mais... bon, peut-être que oui, en fait! rigole Éléonore. Alors, raconte tes plans de mariage!

Yasmina la met au fait des derniers préparatifs.

– Mais, Élé, il y a juste quelque chose qui me chicote.

– Vas-y.

– Bon, on se marie parce que ça arrange nos affaires, mais moi, secrètement, j'ai toujours rêvé de me marier.

– Secrètement? Je ne vois pas ce qu'il y a de secret là-dedans. Yasmina, à six ans, tu faisais des voiles de mariée à tes poupées Barbie avec des Kleenex.

– Toutes les petites filles font ça!

– Euh, moi non. OK, alors tu as toujours rêvé de te marier. Là, tu te maries. Où est le problème?

– C'est vraiment, vraiment honteux.

– Plus honteux que la fois où tu as dû fuir devant Nicolas Sansregret dans un party parce que tu allais lui roter dans la face?

– Oui.

– *My God*, ça doit être grave! Vas-y, crache le morceau.

– C'est que… tu sais, avec tout ce qui nous arrive, ça a été une décision plutôt rationnelle, de se marier. On en a discuté en adultes et on a décidé ensemble que c'était la meilleure chose à faire. À la fois pour régler nos problèmes, mais aussi parce qu'on s'aime, qu'on sait qu'on veut passer notre vie ensemble.

– OK… Je vois toujours pas où est le problème !

– C'est ça, le bout honteux. C'est que moi, Élé, j'avais rêvé de… de la grande demande romantique au sommet de la tour Eiffel, des feux d'artifice, du bouquet de roses et, surtout, de la bague ! Une vraie bague de fiançailles, un diamant sur un anneau en or blanc, s'il voulait la jouer *safe*, ou un rubis sur un anneau doré, s'il voulait être unique, n'importe quelle bague, mais une vraie de vraie, avec mes yeux qui s'écarquillent en la contemplant, mon cœur qui bat à folle allure, Loïc sur un genou, ma tête qui spinne et ma bouche qui bafouille ! Une *vraie* demande en mariage !!

– Yasmina ! Tu vis pas dans un film ou dans un roman, là, tu vis dans la vraie vie.

– Je le savais, que tu allais me dire ça ! C'est pour ça que j'ose rien dire à Loïc. Mais ça veut dire quoi, la vraie vie, merde ! Qu'on n'a plus le droit d'être romantique ? De rêver ?

– Je dis pas ça…

– *Anyway*, ça change rien, je vais me marier, je suis super heureuse, j'ai trouvé l'homme de ma vie, c'est pas tout le monde qui peut en dire autant. Je suis contente, Élé, vraiment. C'est juste un rêve de petite fille que je dois enterrer.

– Parles-en à Loïc, non ?

– Ben non… Ça le mettrait à l'envers, il se sentirait obligé, ce serait forcé, et c'est pas ça le but. Ben non, la vie se déroule pas toujours comme on l'avait imaginée, et c'est correct aussi comme ça. Ça me fait juste du bien d'en avoir parlé, ça me pèse moins.

– Quand tu veux !

Éléonore raccroche avec un sourire en coin. Cette Yasmina, on ne la changera pas. Idéaliste née, elle a trouvé en Afrique la voie dans laquelle déverser son trop-plein d'enthousiasme et de bonne volonté. Par contre, elle est aussi une romantique née, et toutes les bonnes œuvres de la terre n'y changeront rien. Éléonore espère seulement que Loïc saura lire derrière quelques répliques refoulées cette envie d'un grand geste qui lui coûtera peu, mais lui rapportera beaucoup.

De son côté, elle passe une semaine extrêmement occupée. Encore une fois, elle a trouvé un scénario qui la fait rêver par l'entremise de Louise, sa fidèle acolyte. Louise s'était mis en tête de dénicher le prochain projet de sa patronne, elle a donc passé des mois à courir les symposiums de créateurs et les remises de prix des programmes de cinéma dans les universités du Québec, de l'Ontario et de la côte est américaine. Éléonore l'encourageait dans cette démarche, souhaitant découvrir un autre talent émergent, comme cela avait été le cas avec Émile. Pour elle, c'est la plus belle façon de redonner un peu de cette chance inouïe qu'elle a eue de grandir dans une famille très impliquée dans le milieu du spectacle. Les portes étaient grandes ouvertes pour elle, elle le sait, et elle tient à les ouvrir pour les autres.

Un matin, Louise est revenue de Portland, dans le Maine, avec dans ses bagages un scénario farfelu, racontant une histoire d'amour absolument loufoque entre un nain et une trapéziste, dans un cirque aux allures postmodernes. Le tout rappelle un peu *Lost in Translation*, mais en plus bizarroïde : Éléonore voit déjà dans sa tête les monologues étranges du nain fumant une cigarette, suspendu sous le chapiteau, pendant que sa trapéziste tombe à répétition dans le filet, chaque chute soulevant un nuage de poussière qui fait toussoter le nain. De l'humour absurde, mais un message d'espoir très puissant. Le scénario lui plaît tant qu'elle part séance tenante rencontrer son auteur, prenant soin d'écrire à Malik pour lui demander si Mathilde peut passer la nuit chez lui.

De retour du Maine, Éléonore a des étoiles dans les yeux. Voilà son prochain projet. Un film complètement éclaté, à l'opposé des *Années sombres* et de son esthétique classique. Elle prend rendez-vous avec Benjamin Watley, un jeune réalisateur montréalais qui s'est surtout démarqué en signant des vidéoclips fracassants pour un jeune groupe de la scène punk rock du Mile End. Il a aussi réalisé plusieurs courts métrages, dont certains ont gagné des prix importants, et elle est certaine qu'il aura l'œil et la fraîcheur requise pour faire honneur au scénario.

Elle doit tout de même avoir une conversation quelque peu délicate avec Émile. Très délicate, en fait. Soupirant, Éléonore soulève le combiné et compose son numéro. Comme à son habitude quand il travaille, il ne répond pas. Elle lui donne rendez-vous au Petit Byblos pour le repas du midi, demandant simplement qu'il la prévienne s'il ne peut pas y être. Elle soigne particulièrement sa tenue, ce jour-là ; comme si elle souhaitait rappeler à Émile ce qu'il voit en elle, au-delà de ses talents de productrice. Les dernières neiges fondent dans les rues de Montréal qui ruissellent. Éléonore enfile donc des bottes Hunter noires par-dessus son jeans. Elle a choisi un chandail noir à l'encolure évasée ainsi qu'un long collier argent qu'Émile lui a offert pour son anniversaire. Elle se coiffe et se maquille plus que de coutume.

Elle arrive la première. En attendant Émile, elle sirote un thé à la menthe frais et sucré qui est presque aussi savoureux que celui que prépare madame Saadi. Elle se souvient comme elle était fascinée par le rituel du thé, lorsqu'elle passait ses après-midi chez les Saadi, quand elle était adolescente. Les plateaux dorés gravés de symboles, les pâtisseries aux dattes, aux amandes et au miel, tout cela la fait voyager dans le temps, pas si lointain, où elle était encore la bienvenue tous les jours dans la grande cuisine de Jacqueline. Ses rapports avec sa belle-mère demeurent bons, mais tout de même, Éléonore sent clairement qu'elle ne fait plus partie de la famille. Et il y a des jours où cela l'attriste. Elle sait bien que si elle était encore la belle-sœur de Yasmina en plus d'être sa meilleure amie, elle serait impliquée à fond dans les préparatifs du mariage, visitant fleuristes et photographes avec Jacqueline, afin de conseiller la mariée qui ne peut pas tout choisir de loin.

L'arrivée d'Émile la distrait de ces pensées. Oh la la, il a déjà un orage dans les yeux, avant même qu'elle n'ait abordé le sujet délicat qui l'amène. Il l'embrasse distraitement, se sert du thé et se lance. Il parle fort et elle remarque tout de suite qu'on le regarde ; d'abord parce qu'on le reconnaît, mais aussi parce qu'Émile a toujours eu cet effet : il est un homme qu'on regarde. Par moments, Éléonore en est fière, mais aujourd'hui, le regard des autres l'agace. Elle souhaiterait plus d'intimité, et aussi qu'Émile cesse de se donner en spectacle.

– Je frappe un mur, Élé, un vrai de vrai mur.
– OK.
– C'est tout ce que tu trouves à dire ?
– Émile, tu refuses de me parler de ton scénario avant qu'il soit fini. Je vois mal comment je pourrais t'aider.
– Tu pourrais m'encourager, au moins !
Éléonore prend son courage à deux mains.
– Émile, j'ai une nouvelle à t'annoncer.

– T'as donc bien l'air sérieuse ! Vas-y, c'est quoi ?

– J'ai trouvé mon prochain scénario. J'ai signé une entente avec l'auteur et j'entame les négociations avec le réalisateur.

– Quoi ?

Le rugissement d'Émile fait encore tourner les têtes. Du geste, Éléonore le supplie de baisser la voix.

– Tu peux pas me faire ça, Élé ! J'ai quasiment fini !

– C'est toi qui me dis que tu bloques depuis des semaines. Et puis, tu sais, Émile, on n'est pas obligés d'avoir un partenariat exclusif. Tu peux renouveler tes idées avec une autre maison de production.

– Ben oui ! Je vais trouver ça où, moi ? Sais-tu combien de films à gros budget se font chaque année au Québec ? T'es l'une des seules, Élé.

– Je sais, et c'est pour ça que je choisis soigneusement mes projets. Je t'ai donné une chance, je t'ai fait connaître, maintenant c'est au tour d'un autre. Émile, je dis pas, si j'avais lu ton scénario, j'aurais peut-être choisi de l'attendre, mais comme c'est là, je fonce. Tu me présenteras ton projet l'an prochain si tu ne l'as pas vendu ailleurs.

– Ben oui ! Pis en attendant, je fais quoi, moi, je retourne prof de cégep ? Je comptais là-dessus pour cette année !

– Émile, tu sais que je t'ai jamais rien promis. Je vais lire tous les scénarios que tu vas me présenter, les lire avec attention parce que tu as énormément de talent et je suis convaincue que tu vas aller loin. Mais en attendant, j'ai ma croûte à gagner comme tout le monde !

– Ta croûte à gagner… Avec l'argent de ton père…

– Quoi ? Qu'est-ce que tu dis là ?

– Tu l'as eu tout cuit dans le bec, Éléonore Castel. Viens pas me faire pleurer.

– Tout cuit dans le bec ? Arrête avec ça ! T'étais pas là, toi, du temps de l'arrestation de mon père. J'ai fait quoi, tu penses, quand les comptes de la compagnie ont été gelés pendant des mois ? J'ai payé comment les frais d'avocat de mon père, pis plus tard son hypothèque ? À la sueur de mon front, Émile Saint-Germain. T'as vraiment un problème avec mon nom de famille et je tolérerai pas ça. J'ai eu de la chance de naître dans ma famille, oui, mais pas mal de sacrées difficultés aussi ! Pis je passe pas mon temps à m'en vanter ou à brailler sur mon sort. Je suis passée à autre chose ! Si t'es pas capable de faire la même chose, aussi bien le savoir tout de suite.

– Tu sais quoi, Éléonore ? Ah, et puis, laisse faire !

Émile se lève, cognant la table et envoyant valser les verres d'eau. Éléonore saisit sa tasse de thé juste à temps. Ébahie, elle regarde Émile qui quitte le restaurant d'un pas rageur. Elle le voit par la fenêtre qui remonte Laurier vers l'ouest, puis qui disparaît. Elle reste assise, consciente que tous les regards se posent sur elle, s'en voulant d'avoir choisi un lieu public pour parler à Émile. Elle croyait que ça allait le calmer, qu'il se soucierait un peu du qu'en-dira-t-on, mais c'est le contraire qui semble s'être produit : il a préféré se donner en spectacle et le public n'a fait que renforcer son sentiment d'injustice. Éléonore n'ose pas rester. Elle refile dix dollars à la serveuse qui la regarde d'un air gêné et elle prend la fuite à son tour. Où aller ? Elle meurt de faim et a envie de déverser son trop-plein de frustration envers Émile. Elle s'aperçoit qu'elle n'est pas trop loin de chez Allegra. Elle sort son téléphone cellulaire de son sac et l'appelle. Manque de bol, son amie n'est pas chez elle. Éléonore décide donc de repartir vers son bureau et de s'arrêter chez Première Moisson pour y ramasser un sandwich à la dinde qui lui semble un peu sec comparé aux keftas dans une sauce à la coriandre dont elle avait rêvé.

Plus tard, chez elle, elle continue de se sentir irritée. Elle comprend qu'Émile soit blessé. Mais il n'a pas tendance à être très réaliste, quand il s'agit de cinéma. Il semblait convaincu qu'elle allait attendre son prochain scénario, même si ça prenait des années. « On n'est quand même pas Yoko Ono et John Lennon », a-t-elle eu envie de lui dire à maintes reprises. Son numéro d'artiste torturé commence à lui peser.

Mais il demeure qu'il est son chum et qu'il fait des efforts. Il a enfin rencontré Mathilde et est très gentil avec elle. Il ne s'occupe pas d'elle, laissant à Éléonore le soin des repas, du bain et du dodo, mais il aime bien les jeux imaginaires qu'affectionne Mathilde et met ses talents de scénariste au service de la dînette des poupées. Éléonore a été soulagée de constater leur bonne entente, même si elle se demande parfois si elle a bien fait de les présenter l'un à l'autre. Émile ne l'aide pas vraiment avec Mathilde, elle se sent donc toujours mère à temps plein quand elle a sa fille ; et le fait d'avoir intégré son chum à sa vie familiale ajoute une certaine pression qui n'était pas là auparavant. Afin de protéger sa fille, de conserver une certaine constance dans sa vie, Éléonore se sent obligée de tout faire pour que sa relation avec Émile dure, malgré leurs conflits de plus en plus fréquents. Surtout qu'elle se sent encore coupable de n'avoir peut-être pas fait la même chose avec Malik. Son examen de conscience continue, et elle est beaucoup plus prompte à faire des compromis qu'elle ne l'a été par le passé.

Cette attitude la conduit donc à faire les premiers pas pour se réconcilier avec Émile. Après lui avoir donné quelques heures pour se calmer, elle l'appelle et l'invite à aller passer un week-end en amoureux quelque part.

– On travaille trop, tous les deux, tu trouves pas ?

– Je travaillerai jamais assez, répond-il en ronchonnant.

– Il demeure qu'on a besoin de se retrouver, non ?

– T'as raison. On va où ?
– La Nouvelle-Angleterre, ça te dit ?

Deux semaines plus tard, ils passent le week-end dans une auberge de charme du Connecticut. Émile est toujours un peu boudeur, refusant de laisser Éléonore lire son scénario, qu'il prétend maintenant avoir terminé. Par contre, il s'égaie quand Éléonore lui promet de prendre contact avec les gens de Saisons 8, une autre maison de production d'importance, pour leur demander de le rencontrer. Sa bonne humeur retrouvée, il redevient celui qui a séduit Éléonore : drôle, passionné, entier. Ils discutent des heures durant, complices. Émile est à son meilleur, il ébranle Éléonore, la force à remettre ses idées en question et, à travers tout cela, il est affectueux, aimant.

Elle rentre chez elle rassérénée, mais ne pouvant chasser l'impression qu'il ne s'agit que d'un sursis.

Chapitre dix-huit

Les appels de Jean Colombe se font plus fréquents. Ce jour-là, il attrape Allegra alors qu'elle vient d'avoir ses règles. Elle l'informe très brièvement que ce ne sera pas pour ce mois-ci. Deux semaines plus tard, il rappelle. Elle retient l'envie de lui balancer le téléphone à la figure, certaine que sa rage le propulsera de l'autre côté de l'Atlantique. « Si j'étais pas enceinte il y a deux semaines, comment puis-je être enceinte aujourd'hui ? Tu sais pas compter ou quoi ? » voudrait-elle hurler. Elle se maîtrise et répond d'une voix étranglée qu'elle le préviendra dès qu'il y aura du nouveau. Elle compte les jours qui passent, trop découragée ce mois-là pour même faire l'effort d'y croire. Le jour où ses règles arrivent, ponctuelles comme un train suisse, elle pousse à peine un soupir de découragement. Et elle n'est pas surprise quand, quelques instants après sa visite à la salle de bain, le téléphone sonne. *Coudonc, il a une caméra cachée installée ici, celui-là, ce n'est pas possible !*

– Allo ?

– Mademoiselle Montalcini ? Jean Colombe.

– Monsieur Colombe. Encore des mauvaises nouvelles.

– J'en suis réellement désolé, ma chère. Écoutez, c'est assez délicat, mais…

– Vous annulez le projet.

– En fait, non. L'agent de Véronica Battant m'a contacté ; elle est enceinte de deux mois. J'aurais voulu commencer le film dès les débuts, pour avoir plus de temps, mais enfin, voilà, c'est une chance à saisir.

– …
– Mademoiselle ?

Allegra n'y peut rien : elle raccroche sans plus de façons. Écroulée, elle sanglote dans son fauteuil pendant un long moment. Quand elle est vidée de larmes, elle se sent aussi vidée de tout : vidée de vie, vidée d'entrain, vidée d'espoir. Elle sent une spirale noire l'aspirer, l'entraîner vers un bas-fond qu'elle a déjà connu et qu'elle ne souhaite pas visiter de nouveau. Elle est à la croisée des chemins : elle peut sombrer, ou elle peut se secouer. Mais en aura-t-elle la force ? Découragée, elle décide d'appeler à l'aide. Pas Sean, qui est presque autant à la dérive qu'elle. Pas sa mère, qui va s'apitoyer, s'arracher les cheveux et tourner le tout en mélodrame. Pas sa sœur, qui a son bébé gazouillant dans les bras. Pas Éléonore, qui va lui dire que c'est bien fait et qu'elle avait juste à ne pas s'embarquer dans un projet aussi exigeant. Mais il y a quelqu'un d'autre vers qui elle peut se tourner en situation de détresse. Elle envoie un bref courriel. La réponse lui parvient, presque immédiate : « Viens. » N'ayant pas la force d'affronter Sean, elle lui griffonne quelques mots sur une serviette en papier du restaurant chinois du coin et elle se met en route.

Trois heures plus tard, lorsqu'elle dépasse Québec, elle respire enfin. Au détour de la route, le fleuve apparaît, immense, majestueux. Une heure plus tard, elle s'engage dans le chemin de Cap-aux-Oies, admirant les grands arbres qui bordent la route, ornés de bourgeons. Elle baisse la vitre de la voiture. L'odeur du large lui parvient, celle du printemps aussi, du renouveau. Elle a bien fait de fuir la ville. Quand elle approche de chez Claude, elle constate qu'il y a déjà deux voitures dans l'entrée. Elle est déçue ; elle avait besoin de se terrer, pas de faire du social avec les amis de Claude. Mais puisqu'elle y est, elle y va, se disant qu'elle peut toujours repartir vers un *bed and breakfast* si elle en ressent le besoin.

Claude l'accueille sans dire un mot, en la serrant simplement dans ses grands bras. Il ressent beaucoup d'affection pour cette jeune femme, qui est l'amie de sa fille, et celle qui a réussi à le disculper lors de sa poursuite criminelle. Il éprouve également un sentiment de responsabilité envers elle, puisqu'il est celui qui l'a lancée dans la voie de la télévision, de la mode et de la célébrité, alors qu'elle n'avait que seize ans. Avec des résultats plus ou moins heureux. Allegra a connu de grands succès, certes ; elle est exceptionnellement douée et phénoménalement belle. Mais elle semble en payer chèrement le prix, vacillant d'un sommet de calme et de bien-être à un abîme de malheur et de haine d'elle-même. Il croyait vraiment qu'elle avait trouvé sa voie, ces dernières années. Avec le yoga, la méditation, les voyages, une alimentation plus saine, une abstinence d'alcool et de drogues, Allegra avait trouvé un équilibre qui lui seyait. Elle était bien, sereine, et ça se voyait ; ce n'est pas pour rien que c'est à cette étape de sa vie qu'elle a attiré l'attention de Jacques Martel et de Jean Colombe. Mais avec trop de succès est venue trop de pression, et ça a été de nouveau la chute. Il la serre encore plus fort. Avant même qu'elle ne sorte sa valise de la voiture, il lui tend un verre de limonade maison et lui suggère d'aller marcher dans le bois pour délier ses jambes après la route. Allegra accepte. Elle enfile ses bottes de marche et ils s'engagent dans le sentier en silence.

Une heure plus tard, quand ils reviennent vers la maison, ils n'ont toujours pas dit un mot. Mais cette escale en plein air a déjà fait le plus grand bien à Allegra. La neige qui finit de fondre, la nature qui s'éveille, les oiseaux qui pépient, l'air frais qui lui chatouille le visage, tout cela semble la réveiller du mauvais songe qui l'accablait depuis des semaines. Quand Claude lui demande si elle a faim, elle se surprend à répondre oui avec enthousiasme. Elle n'a pas seulement faim, elle est affamée. Affamée de jus frais, de bons légumes croquants, de sandwichs savoureux. De tout ce qui sera bon pour elle et lui redonnera de l'énergie. Lorsqu'ils entrent dans la cuisine, elle découvre avec plaisir que c'est exactement ce qui est au menu : de la limonade maison, une salade de tomates cerises à la menthe et des sandwichs au pain campagnard garni de saumon fumé, de fromage à la crème et de câpres. Elle dévore le tout avec appétit. Claude feuillette le journal, tranquille, la laissant à ses pensées. Puis ils entendent la porte d'entrée qui claque. Allegra lève la tête, inquiète. Claude lui dit :

– C'est Georges qui est ici, avec Janine, mon éditrice. Éléonore t'a parlé de mon projet de livre ?

Allegra n'a pas le temps de répondre qu'ils sont déjà dans la cuisine. Elle se lève et serre la main de Janine, puis reçoit avec étonnement le gros câlin que lui donne Georges.

– Je sais qu'on ne s'est jamais rencontrés, dit-il, mais Claude et Éléonore m'ont tellement parlé de toi que j'ai l'impression de te connaître. Et puis, j'ai vu *Les années sombres*. Du grand art. Bravo.

Éberluée, Allegra ne sait que répondre et se contente de lui sourire. Elle a beau avoir elle aussi beaucoup entendu parler de Georges, c'est autre chose de le rencontrer en personne. Plus grand que nature. C'est un homme à l'allure bourrue de vieux rocker, qui approche de la cinquantaine et qui a beaucoup vécu, mais il est chaleureux, les yeux brillants, le sourire toujours prêt à éclore. Il parle de sa voix de ténor, qui porte sans qu'il ait à hausser le ton. Une carrure de fermier, un charme de jeune premier. Une barbe de trois jours qui le fait paraître un peu dangereux. Toujours vêtu de noir et de son éternel blouson de cuir. Mais une douceur dans les mouvements qui donne tout de suite envie de lui faire confiance.

Janine s'affaire, vidant les sacs d'épicerie avec l'assurance de celle qui se sent chez elle. Elle doit avoir cinquante-cinq ans, est grande et mince, et ses cheveux bruns coupés au carré sont striés de blanc. Elle porte un vieux jeans d'homme et un chandail de laine marron. Malgré cet accoutrement, elle est surprenante d'élégance.

– Bon! s'exclame-t-elle. Je vais aller marcher avec les chiens. On se retrouve tout à l'heure?

Claude acquiesce du regard. Janine ouvre la porte de la galerie. On entend des aboiements et Allegra aperçoit deux golden retrievers qui sautent de joie. Claude semble l'observer aussi, songeur, et Allegra se demande si elle a eu raison de lire quelque chose dans cette connivence silencieuse entre eux; quelque chose comme: «Je sais que tu as besoin de parler à ta protégée. On se retrouve plus tard, mon chéri.» Georges prépare du café pour tout le monde et s'assoit à table. De sa voix tonnante, il entame la conversation sans gêne.

– Alors, Allegra! Mon ami Claude me dit que tu l'as pas facile, ces temps-ci?

Allegra raconte son projet de film avec Jean Colombe, les mois de stress et de deuil, puis la déception finale lorsque le rôle est allé à une autre; déception d'autant plus amère qu'Allegra se blâme pour ce retard à concevoir, qui est selon elle l'héritage de ses années d'anorexie.

– Ouin! résume Georges, avec un rire bon enfant.

– C'est tout ce que tu trouves à dire? demande Allegra avec un sourire qui perce parmi les larmes.

– Tu t'en mets pas qu'un peu sur les épaules, ma belle.

– Je sais…

– Toi, Claude, ô Grand Manitou, tu penses quoi de tout ça ?

– Je pense qu'on lui réglera pas son compte en une conversation. Qu'elle est venue ici se reposer, pas subir des interrogatoires en règle de la part de vieux crooners qui ont passé leur date de péremption.

– Heille, l'ermite ! Je te ferai savoir que j'ai encore du succès, dans le vrai monde. Je te remplis un centre commercial comme personne d'autre.

Les deux vieux amis peuvent se permettre de se taquiner ainsi ; la carrière de Georges continue de connaître énormément de succès. Ses disques se vendent toujours autant, il y a toujours foule lors de ses spectacles, et il entame cette année une nouvelle comédie musicale, reprenant le rôle de Jean Valjean dans *Les misérables* qui avait aidé à le faire connaître en début de carrière. Il profite de quelques semaines de congé avant de commencer la routine exigeante des répétitions et des représentations, toujours heureux de retrouver son vieux mentor et ami chez lui.

Allegra sort et s'installe dans le hamac suspendu à une poutre sur la galerie, où elle se pelotonne avec une couverture épaisse et un livre qu'elle a pigé au hasard dans la bibliothèque de Georges. *L'étranger*, d'Albert Camus. Elle qui n'a jamais lu beaucoup, elle est vite envoûtée par ces mots simples et justes, et voyage avec Meursault et Marie sur les plages algériennes. Ce répit lui fait beaucoup de bien. En fin d'après-midi, Claude lui demande si elle voudrait faire une séance de yoga. Surprise, Allegra accepte avec plaisir. Elle constate vite que Claude s'y est mis sérieusement, depuis son dernier passage à Cap-aux-Oies. Elle respire profondément, sent ses muscles et ses os qui s'étirent, ce qui lui procure un immense bien-être. Elle est dans une bulle, ici ; à l'abri de ses soucis, capable enfin de se détendre et de lâcher prise.

La soirée est tranquille. Après un excellent plat de tagliatelles aux légumes grillés préparé par Janine, ils s'installent au salon. Les nuits sont encore assez fraîches pour qu'on allume un bon feu de foyer. Allegra sirote une tisane à la camomille, se laissant bercer par les accords que joue Georges au piano. Claude lit, Janine tricote. *Une scène de l'ancien temps*, se dit Allegra. Et c'est bien ce qu'il lui semble, ici : que le temps s'est arrêté. Ce répit continue le lendemain matin. Elle a éteint son téléphone cellulaire. Elle sait que Sean ne cherchera pas à la joindre : elle a clairement indiqué avoir besoin de temps pour réfléchir, sur le message qu'elle lui a griffonné à la hâte, et il est toujours respectueux du besoin qu'a chacun de se préserver un espace personnel. C'est une des choses qu'elle aime, chez lui. Il est posé, il prend son temps, il réfléchit. Quand il agit, après mûre réflexion, c'est toujours dans la bonne direction. Pas pour lui, les regrets stériles dont elle s'accable depuis tant d'années. Elle voudrait seulement qu'un peu de ce calme et de cette certitude déteigne sur elle.

Elle repart marcher dans le bois avec Claude, qui est toujours aussi silencieux. Il semble déterminé à attendre qu'elle entame elle-même une discussion au sujet de ses problèmes, et il lui laisse le temps de réfléchir auparavant. Mais jusqu'à présent, Allegra n'y a pas trop réfléchi ; au contraire, elle est contente pour une fois de pouvoir mettre son cerveau sur « pause » et elle ne s'en prive pas. En fin d'avant-midi, elle retrouve son hamac et son bouquin, puis prépare pour tous une salade de thon et de cœurs d'artichauts, avant de faire la sieste et de se joindre encore une fois à Claude pour sa séance de yoga de fin de journée. Après avoir pris sa douche, elle redescend et demande à Claude s'il a une minute.

— Pour toi, ma belle, j'ai toute la soirée.

– Espérons que ça ne prendra pas tant de temps, j'ai faim !

– Oui, pis tu devrais voir la truite au four que prépare Janine, avec tout plein d'herbes fraîches et un filet de jus de citron, un vrai délice !

– Janine, hein ?

– On parle de moi, là, ou on parle de toi ?

Claude rit avec bonhomie.

– De moi, mais tu ne perds rien pour attendre.

– Je t'écoute, ma belle.

– Je pense que je me suis encore laissé tourner la tête.

– Par quoi ?

– Quand j'étais plus jeune, c'était par mes rêves de célébrité, mon désir de plaire à tout prix. Cette fois-ci, c'était différent, et encore plus pernicieux : je me suis fait avoir par mon désir d'être une grande artiste, d'innover, d'entreprendre une démarche artistique intense, du jamais vu.

– C'est pas un défaut, ça, en soi, ma belle.

– Oui, je sais, mais la façon dont je m'y suis prise manquait totalement d'équilibre. De me mettre ce stress-là sur les épaules, de tomber enceinte sur commande, ça n'avait pas d'allure.

– Je suis d'accord.

– Et disons que ça n'a pas été jojo pour mon couple non plus.

– J'imagine.

– Pauvre Sean.

– …

– Bon, et là, qu'est-ce que je fais ?

– Je pense que tu la connais, ta réponse.

– Quoi ?

– Tu as prononcé le mot toi-même, tout à l'heure : équilibre. Il faut que tu retrouves un équilibre dans ta vie, et aussi que tu te trouves des manières pour essayer de ne plus le perdre.

– Claude…

– Oui?

– Est-ce que je peux appeler Sean? Lui demander de venir ici? J'ai besoin de voir Sean.

– Excellente idée, ma belle.

Sean ne perd pas de temps. Il emprunte la voiture de Chiara et il arrive à Cap-aux-Oies quatre heures plus tard. Discrets, Claude, Georges et Janine s'éclipsent tôt, afin de laisser plus d'intimité aux amoureux. Dès qu'il arrive, Sean prend Allegra dans ses bras et la serre longuement. Elle soupire, soulagée d'enfin être capable de se laisser aller. Ces derniers temps, prise qu'elle était dans son angoisse de ne pas pouvoir procréer, elle en était venue à percevoir Sean comme un ennemi, et non comme ce qu'il est, son plus grand allié. L'idée qu'elle a failli le perdre, par sa propre faute, la fait sangloter dans ses bras. Sean sent bien que ce déversement d'émotions est salutaire et signale un début de convalescence plutôt qu'un nouveau malheur. Quand Allegra se calme, ils sortent tous les deux s'asseoir sur la galerie. Ils parlent longtemps, de leurs rêves, de leurs déceptions, de tout ce qui fait qu'ils sont eux et qu'ils s'aiment autant. Allegra ose demander à Sean s'il en a assez, d'elle et de leurs difficultés.

– De nos difficultés, oui. De toi, jamais.

– Qu'est-ce qu'on fait, Sean? J'ai peur.

– Ce foutu film est sorti de nos vies, et c'est tant mieux. C'était devenu une obsession, Allegra. Tu vaux mieux que ça. Tu es une très grande actrice et tu vas trouver un rôle à ta mesure.

– Et notre bébé?

– Notre bébé viendra quand le moment sera le bon.

Pour le moment, je voudrais qu'on parte en vacances, tous les deux. Une semaine à la mer pour se ressourcer, et après tu cherches ton prochain rôle. Mais de vraies vacances, hein ? Pas de téléphone, pas de courriels et surtout, pas de Nathalie.

– OK. Promis. Je suis tellement désolée, Sean… T'es tellement patient, comment tu fais pour être aussi patient ?

– Je ne suis pas patient, je t'aime, c'est pas pareil.

– Je t'aime.

– Tu sais, je m'en veux, moi aussi. J'aurais jamais dû accepter qu'on embarque dans une histoire comme ça. À bien y penser, heureusement que le rôle est allé à une autre. Nous aurais-tu vus avec cette pression-là sur les épaules pendant tout le tournage ?

– C'est ce qu'Éléonore a toujours dit.

– Elle a bien raison et on aurait dû l'écouter.

– Ouais…

– C'est quoi, cette mine basse ? Dans la vie, on apprend de ses erreurs, et on continue d'avancer. C'est pas la fin du monde, ma belle. On a eu une phase difficile, on va s'en remettre.

– Tu penses ?

– Surtout quand je vais être sur ma planche de surf, je vais m'en remettre pas mal vite.

– La plage… le soleil…

– Et tout plein de cours de yoga. Tu vas adorer. On pourrait passer quelques jours dans une petite hutte sur la plage, à Zipolite…

– Tu me fais rêver.

– Tu vois ! La vie continue, le rêve aussi. Tout va nous arriver en temps et lieu, ma belle. Viens ici.

Quand elle invite Sean à monter se coucher, vers minuit, Allegra sait que ce soir-là ils feront réellement l'amour pour la première fois depuis des mois.

Chapitre dix-neuf

Éléonore et Émile sont les premiers arrivés au Local. Ils prennent place au bar. Émile commande une Stella et passe la carte des vins à Éléonore. Elle choisit un verre de pinot gris. Le printemps, tardif cette année, se fait finalement sentir et les baies vitrées du restaurant sont grandes ouvertes sur la terrasse.

– J'espère qu'on est assis dehors, dit Émile.

– Ce n'est pas moi qui ai réservé, c'est Allegra, répond Éléonore. Tiens, les voilà !

Allegra et Sean entrent dans le restaurant, bronzés, enlacés comme des tourtereaux. Éléonore ressent un pincement en les voyant si heureux. N'aura-t-elle pas droit à ça, elle aussi, un jour ? Allegra est rayonnante. Ses cheveux brillent, ses lèvres pulpeuses sont maquillées d'un rose pâle qui s'harmonise parfaitement avec la superbe robe qu'elles ont dénichée ensemble chez Billie, sur Laurier, il y a quelques jours. Une ode au printemps, voilà ce qu'Allegra a dit en l'essayant. Elle avait tout à fait raison, et il y a plus d'un homme qui semble penser la même chose ce soir, alors que tous les regards la suivent jusqu'au bar. Sean, fidèle à lui-même, arbore un look relax, les cheveux châtains trop longs tombant sur le col de son éternelle chemise blanche agencée à son vieux jeans Diesel préféré.

Dès qu'ils sont assis, à l'intérieur, ce qui fait un peu grogner Émile, Allegra se lance.

– Ma fille! Je capote! J'ai reçu une invitation au mariage de Yasmina!

– Ben oui, pourquoi pas?

– Je pensais qu'elle m'aimait pas la face.

– C'est des vieilles histoires, ça, voyons! Elle t'aime bien, et vous êtes de vieilles amies, quand même.

– On est tes vieilles amies à toi.

– Coudonc, tu veux venir ou pas?

– Ha! Ha! Je veux y aller, c'est sûr! Le mariage de Yasmina Saadi, ça va être quelque chose de spectaculaire. Ça dit «*black tie*» sur l'invitation, t'as vu? Qu'est-ce que tu vas mettre, Émile? Sean, lui, refuse de s'habiller en pingouin. Il dit qu'une chemise au col ouvert avec un complet, c'est assez.

Émile prend une gorgée de bière avant de répondre, pendant qu'Éléonore file un coup de pied à Allegra sous la table. Manque de chance, c'est Sean qu'elle attrape et celui-ci s'écrie: «*Ouch! Who just kicked me*[14]?», ajoutant à l'embarras général. Émile retrouve un peu d'aplomb et répond qu'il sera à l'extérieur de la ville ce week-end-là. Allegra hoche la tête, puis change vite de sujet en parlant du dernier film de Pedro Almodovar qu'elle a vu la veille. Une fois que le serveur est venu prendre leur commande, Éléonore s'esquive pour aller aux toilettes. Allegra se joint à elle. Dès qu'elles pénètrent dans la pièce, Allegra s'assure que la porte est bien fermée, puis elle rugit:

– Quoi??? Éléonore Castel, viens pas me dire que tu l'as pas invité?

– Je l'ai pas invité.

– Mais pourquoi?

– Voyons, Allegra, c'est le mariage de la sœur de Malik!

– Pis! C'est fini, entre vous! Qu'est-ce que ça peut faire, s'il te voit avec ton nouveau chum?

---

14. Ouch! Qui m'a donné un coup de pied?

– C'est pas juste pour lui… C'est ses parents aussi. Sa famille élargie. C'est la famille de Mathilde aussi, souviens-toi. J'ai pas envie de leur mettre ma vie personnelle dans la face comme ça. De manière aussi publique.

– Pis lui, tu penses qu'il va se gêner ? Que sa nouvelle nénette sera pas là ?

– Ça, c'est de ses affaires. Mais c'est différent : c'est sa famille à lui, peut-être même qu'ils ont déjà rencontré sa nouvelle blonde.

– Fait que toi, tu vas être plantée là en célibataire toute la soirée ? T'as pas d'orgueil, coudonc ?

– C'est toi qui es pas très zen, coudonc ! Qu'est-ce que tu me disais, hier ? « *Live and let live*[15] », c'est pas ça ?

– Oui, oui, c'est ça, mais je peux quand même pas m'empêcher d'avoir des opinions.

– Ouf ! Ça me rassure ! Allegra est demeurée humaine après tout !

– Niaiseuse !

– Allez, on y retourne ? Si on reste plus longtemps enfermées dans les toilettes, ils vont commencer à se douter qu'on parle d'eux.

– Attends, Élé. Mais ça va, avec Émile, ou pas ?

– Ça va comme ça peut. La chose qui m'énerve vraiment, c'est que je lui ai demandé deux ou trois fois de me dépanner, de rester à la maison avec Mathilde une demi-heure parce que j'avais un rendez-vous, mais monsieur répond toujours qu'il travaille.

– Après tout le temps que ça a pris avant que tu la lui présentes !

– Je sais ! Là, à la limite, c'est correct, parce que Mathilde, c'est pas sa fille, mais est-ce qu'il va me laisser en plan comme ça si jamais on a un enfant ? Pis si je peux pas m'imaginer avoir un enfant avec lui, quel genre d'avenir on a ?

---

15. Vivre et laisser vivre.

– …

– Réponds pas tout de suite !

– Je sais pas quoi te dire.

– Ben, moi non plus. Allez, on y retourne, avant qu'Émile mange mon tartare de saumon…

– Ouin, on voit que la confiance règne, entre vous !

– Arrête !

Le souper se termine tôt, chacun des convives étant épuisé de devoir prétendre que tout va bien pour désamorcer la tension qui s'est indéniablement installée. Malik doit ramener Mathilde chez Éléonore très tôt le lendemain matin, avant un rendez-vous d'affaires. Émile décide donc d'aller passer la nuit chez lui et Éléonore en est soulagée. Le lendemain, dès qu'elle a dit au revoir à Malik, elle installe Mathilde dans le salon avec un DVD de la *Belle au bois dormant* (son préféré, malgré toutes les tentatives de sa mère pour l'intéresser au *Livre de la jungle*). Puis elle saisit le téléphone et appelle Yasmina.

– Salut, miss ! J'ai justement une question à te poser, lance Yasmina dès qu'elle répond. Je veux que ta robe de dame d'honneur *matche* avec celle de Mathilde, mais ma mère m'informe que la robe de bouquetière de Mathilde doit ab-so-lu-ment être rose. Ça te dérange ?

– Euh, non, mais est-ce qu'on pourrait la choisir ensemble ? J'ai pas envie d'un truc *stiff* de la Plaza Saint-Hubert.

– Voyons, tu me connais ! Betsey Johnson, ça te dirait ? On ira dès mon arrivée à Montréal.

– Oh oui ! Elles sont super belles, ses robes. Yas, j'ai quelque chose à te demander, moi aussi.

– Vas-y.

– Trouves-tu ça normal que je n'emmène pas Émile à ton mariage ?

– Ben, c'est comme tu veux. Je comprends que ça puisse te mettre mal à l'aise. Pourquoi ?

– Allegra me trouve folle. Puis-je te poser une question vraiment indiscrète ?

– Je pense que je devine où tu t'en vas avec ça, mais vas-y.

– Tu vas me forcer à le dire, hein ?

– Toujours ! rit Yasmina.

– OK, d'abord, si tu veux mon sang en sacrifice. Est-ce que Malik emmène sa blonde ?

– Je sais pas…

– Yasmina !

– Non, il l'emmène pas.

– Ouf !

– Tu veux pas la voir ?

– C'est surtout Mathilde que je ne veux pas voir dans ses bras. C'est vraiment pas facile, comme situation. D'imaginer une nunuche anonyme qui borde ma fille, le soir.

– Inquiète-toi pas, Malik ne cède ce privilège à personne ! Et puis, elle est correcte, Ruby.

– Tu l'as rencontrée ?

– Ben oui. Quand je suis allée à New York demander à l'ancien boss de Malik d'investir dans la fondation.

– …

– Vas-y, Élé, crache !

– OK. Elle est comment ?

– Comme tu t'imagines. Belle, stylée, gentille. Très new-yorkaise.

– OK, laisse faire, j'aimais mieux pas le savoir !

– C'est toi qui l'as demandé !

– Je sais, je sais. Changeons de sujet. T'as trouvé ton photographe ?

– Oui, en consultant son portfolio sur Internet. Ce sont des photos vraiment naturelles, comme un reportage, presque. Je pense que Loïc va aimer. Pas mon père, par contre, il répète tout le temps qu'il veut des photos de famille « officielles ». Je sais pas c'est supposé vouloir dire quoi, « officielles ». Ça doit dater de son jeune temps au Maroc, quand un photographe passait par son village une fois par année tirer le portrait à toute la parenté. Il a des photos de groupe, tout le monde raide comme un poteau.

– Laisse-le faire…

– Je sais. Mais moi, je veux surtout des photos croquées sur le vif, des éclats de rire, ce genre de choses-là !

– Si ton photographe est bon, il saura faire les deux.

– Oui, oui ! C'est organisé. Faudra juste que je convainque Loïc de poser… Tu sais, je pense qu'en France les mariages sont différents de chez nous. Loïc était surpris que je veuille tout le truc, la robe blanche, les demoiselles d'honneur. Il dit que ça va avoir l'air d'un film américain, notre affaire.

– Ça le dérange ?

– Honnêtement, je sais même plus. Il semble si peu intéressé que j'ai arrêté de lui en parler. Je fais les plans avec mes parents, et tant pis pour lui.

– Yasmina, c'est quand même son mariage aussi, hein, attention !

– Je sais, mais lui, il répète tout le temps que c'est juste un bout de papier. Bon, ben alors, s'il s'en fout, qu'il me laisse organiser le party comme j'en ai envie !

– Si tu le dis…

Les semaines passent. Yasmina est débordée, menant de front les préparatifs de son mariage et ceux visant à ouvrir l'École de maman Jacqueline d'ici décembre. Six mois de travail encore, et elle espère que ses démarches deviendront plus aisées une fois son mariage célébré. Les deux projets se fusionnent donc quelque peu dans sa tête, et elle accorde à chacun la même énergie. Le matin, elle révise la liste des invités et des placements de table, l'après-midi, elle visite son chantier et discute avec le contremaître. Maintenant que Prita lui a ouvert les yeux, elle voit partout la gêne des gens lorsqu'ils l'appellent «mademoiselle Saadi». De toute évidence, ils seront très soulagés de pouvoir l'appeler «madame Le Goff» d'ici quelques semaines.

Elle doit se rendre à Montréal trois semaines avant la date du mariage, afin de voir aux derniers préparatifs. Superviser la création des bouquets de fleurs, rencontrer le photographe, réviser la liste de chansons que jouera l'orchestre, rencontrer le célébrant, faire une dégustation avec le traiteur pour choisir le dessert, ses journées seront bien remplies. Mais elle aura un réel plaisir à faire cela en compagnie de sa mère, ou d'Éléonore quand elle pourra se libérer. Son nouveau projet de film semble l'absorber beaucoup. Yasmina reconnaît bien là Éléonore: passion-née, entière, ne se donnant pas à moitié. Elle a tellement hâte de passer une partie de l'été à Montréal, pour profiter de sa grande amie, de son frère, de sa nièce, de ses parents et surtout, pour faire découvrir à Loïc les charmes de sa ville natale, qu'il n'a jamais visitée.

Celui-ci est très enthousiaste à l'idée de découvrir Montréal: il fait des recherches sur Internet et pose sans cesse des questions à Yasmina au sujet des tam-tams du mont Royal, du Festival de jazz, de la scène musicale du Mile End. Sur ce dernier point, Yasmina s'avoue ignorante, ayant passé trop de temps à l'extérieur de Montréal pour connaître Arcade Fire et les autres groupes émergents qui contribuent à positionner Montréal comme plaque tour-nante d'une nouvelle industrie *indie rock*. Mais elle lui raconte avec plaisir ses souvenirs d'adolescence aux tam-tams, cette délicieuse impression de flirter un peu avec l'illégalité, fumant un joint avant d'aller danser au rythme des morceaux de musique spontanés qui font vibrer la montagne tous les dimanches.

Quelques jours avant son départ, elle lui demande tout de même de s'asseoir avec elle pour réviser les plans du mariage, afin de le mettre au parfum de ce qui se prépare, et surtout lui demander son avis au sujet des décisions qui doivent encore être prises, et elles sont nombreuses. Qui seront leurs témoins ? Qui, du côté de Loïc, fera une lecture pendant la cérémonie ? Qui souhaite-t-il voir assis avec eux à la table d'honneur ? Que pense-t-il de la musique pour la cérémonie ? A-t-il préparé la liste des chansons qu'il veut que le groupe joue pendant la réception ? Et ça continue longtemps. Elle étale devant elle les budgets, les contrats avec divers fournisseurs, l'ordre de service de la journée. Loïc est ébahi. Il découvre l'ampleur qu'a prise l'organisation du mariage, pendant ces semaines où il s'en est désintéressé, et il pose des questions sur tout. «Combien d'invités, tu dis ? Les centres de table, ils ne peuvent pas coûter si cher ? Le gâteau de mariage ? On n'a pas déjà un dessert, dans ce menu hors de prix ? Tout ça pour un lys à ma boutonnière ? Une seule fleur ? Voyons, Yasmina !»

Celle-ci commence à en avoir marre et elle perd patience.

– Écoute, Loïc, ça fait trois mois que je travaille comme une folle là-dessus. T'as pas idée du nombre de détails à organiser, de fax et de courriels que j'ai envoyés. Sans parler du temps que mes parents ont passé à visiter tous les fournisseurs pour m'envoyer des photos des choix de nappes, de chaises, d'assiettes de service, de chandelles, et j'en passe, des tonnes ! C'est énorme, organiser un truc pareil.

– Je comprends que ce soit exigeant et je te remercie d'avoir préparé tout ça. Mais on n'avait pas dit... qu'on voulait quelque chose de simple ?

– De simple, de simple, faut quand même que ça ait de l'allure! C'est pas toi qui t'es claqué tout le travail, c'est mon père qui invite, alors je vois pas en quoi ça te dérange autant. Ça va être super beau, je te le promets.

– Mais tu imagines ce qu'on pourrait accomplir avec ce pognon, c'est indécent, Yasmina, c'est... Les mots me manquent.

– Mais c'est culturel, pour mon père, tu peux comprendre ça aussi? Il marie sa seule fille, c'est important, ça, pour lui.

– On ne peut pas tout justifier au nom de la culture. Les femmes voilées aussi, ça fait partie de sa culture. Je ne te vois pas accourir pour porter le hidjab.

– Mélange pas tout!

– Je n'arrive pas à accepter un tel gaspillage en mon nom, c'est tout. Tout ce fric, gaspillé en rubans de dentelles, on pourrait nourrir un village entier, avec!

– C'est une fausse logique, Loïc. L'iPod que tu viens de t'acheter aussi, il pourrait nourrir une famille. De quel droit c'est toi qui décides ce qui a moralement le droit d'être dépensé, et ce qui doit aller à la charité?

– L'iPod, c'est pour la musique, pour l'art, c'est ma passion, quand même! Et puis, je fais découvrir tous les grands guitaristes aux gamins du village, ça les fait rêver.

– Mais je ne m'en prends pas à ton iPod! Je veux juste que tu comprennes... Chacun fait ce qu'il peut. Nous, on pourrait bien dormir dans une hutte en terre battue, et donner tout notre salaire! Mais non, on vit en expats, confortablement, dans le même quartier que tous les étrangers qui sont payés par les pétrolières et les grandes firmes américaines!

– Notre effort, on le met tous les jours dans notre travail.

– Je le sais! Et mon père, tu ne peux pas dire qu'il n'a pas aidé, quand même. Mon école, elle serait où, sans lui? Juste un rêve au fond de ma tête.

– Je sais, je sais. Ton père est extrêmement généreux.

– Bon! Il en fait déjà plus que la grande majorité des gens. Passé ça, la manière dont il dépense le reste de son argent, ça le regarde! S'il a envie de bien recevoir ses amis et sa famille pour le mariage de sa seule fille, c'est de ses affaires!

– Non, Yasmina, parce qu'à partir du moment où il s'agit de *mon* mariage, ça devient mes affaires aussi. Je ne peux pas mettre mon nom sur un carton d'invitation qui coûte autant qu'une caisse de pénicilline, je ne peux tout simplement pas. C'est notre mariage, il faut que ça nous ressemble.

– Que ça nous ressemble, que ça nous ressemble, que ça ressemble à quoi? À nos choix professionnels?

– À nos valeurs.

– Encore le grand mot! Écoute, tout n'est pas tout noir ou tout blanc, dans la vie. Je suis qui je suis, je suis la fille d'un Marocain aux valeurs familiales très fortes, là tu me demandes de renier cette partie de mon héritage! Tu m'as choisie pour qui je suis, ben, assume!

– Toi, quand tu t'échauffes, la Québécoise ressort en toi.

– Viens pas changer de sujet!

– Je pense qu'au contraire il vaudrait mieux qu'on change de sujet. Je ne veux plus en parler, pour moi c'est clair. Je ne jouerai pas au clown devant trois cents personnes que je n'ai jamais vues de ma vie, et je n'accepte pas de me marier dans le cadre d'une extravagance qui coûte plus cher que le budget annuel de ma mission. Un point, c'est tout. Toi aussi, tu dois m'accepter comme je suis.

Yasmina sort en claquant la porte. Elle se réfugie chez son amie Juliette, qui lui sert tout de suite un verre de vin rouge sud-africain et appelle leur copine Clara à la rescousse. À elles deux, elles réussissent un peu à remonter le moral de Yasmina, à la convaincre que Loïc cédera, que c'était simplement une réaction de surprise, mais qu'il s'y fera. Elle rentre chez elle un peu rassérénée, pour y trouver un Loïc d'humeur égale, mais tout aussi déterminé. Son message est clair. Il aime Yasmina, il veut l'épouser, mais suggère de le faire à l'hôtel de ville, à Montréal si elle y tient, avec leurs parents, et leurs grands amis. Point. Quinze personnes tout au plus. Puis la cérémonie sera suivie d'un dîner dans un grand restaurant, et les deux mariés pourront profiter de leur séjour à Montréal. Yasmina hurle, crie, se démène, mais elle n'arrive pas à le faire plier.

– Tu te rends compte, de quoi je vais avoir l'air, moi, devant ma famille, les amis de mes parents! Un mariage annulé, moins d'un mois avant! C'est la honte totale, Loïc, tu peux pas me faire ça!

– J'annule pas le mariage, j'annule leur invitation, à eux. C'est pas pareil. On se marie quand même, mais différemment. Voilà.

– Mais qu'est-ce que tu crois, Loïc? Même un mariage à l'hôtel de ville, ça s'organise pas en trois jours! Il faut réserver la date, faire la publication des bans, il y a une tonne de détails dont je me suis chargée et dont t'as même pas idée!

– Bon, alors on se reprendra dans quelques mois. Un mariage d'automne, ça peut être très bien aussi.

– Mais tes parents? Ils ont déjà acheté leurs billets d'avion, qui sont sûrement pas remboursables. C'est gros, pour eux, ce voyage, c'est la première fois qu'ils quittent l'Europe!

– Mes parents comprendront. Je paierai leurs billets, et quand on fera le mariage civil, ils viendront à ce moment-là, ou on ira leur rendre visite après, voilà. S'ils veulent voyager, je ferai un voyage avec eux, mais ça m'étonnerait. Ils venaient vraiment pour me faire plaisir, pas pour jouer aux touristes.

– Et puis il y a pas juste eux ! Nos amis, ma famille, il y a plein de gens qui ont acheté leurs billets d'avion, qui ont pris leurs vacances pour pouvoir assister à notre mariage. Ma mère a même déjà commencé à recevoir des cadeaux de noce ! Je vais avoir l'air de quoi, moi ? Je peux pas croire que tu me fais ça.

– Que je te fais quoi ? Yasmina, je t'ai dit dès le début ce que je voulais. C'est toi qui as choisi d'ignorer mes souhaits et qui as monté tout un cirque avec tes parents. Ne me blâme pas pour tes erreurs !

– Alors, il faut que tout soit fait à ta façon, c'est ça ?

– Non ! En fait, non, on peut faire le tout comme tu veux, mais Yasmina, on ne peut pas dépenser un pognon pareil, faire un spectacle pareil, je ne peux pas. S'il te plaît.

– Tu ne peux pas me faire un coup pareil et me garder à tes côtés, tu ne peux pas. Loïc ! ! !

Et ils tournent en rond, aucun des deux ne cédant un pouce de terrain. Yasmina rage, pleure, supplie, se fâche enfin, tentant de lui montrer l'ampleur du mal qu'il lui fait en la forçant à annuler la grande fête prévue pour leur mariage. Elle ne comprend pas qu'il ne comprenne pas, et c'est la même chose pour lui. Elle n'en respire plus, et ne dort pas de la nuit, le suppliant de céder, puis l'engueulant du même souffle. Le lendemain, Yasmina doit déjà prendre la route vers Lomé, d'où part son vol pour Paris. Loïc doit l'accompagner pour le trajet jusqu'à la capitale, parce qu'il ne voulait pas laisser sa sécurité au bon vouloir du chauffeur. Il en a profité pour planifier quelques rendez-vous administratifs à Lomé, où il restera deux jours avant de rentrer à Dapaong travailler encore deux semaines avant de se rendre à Montréal. Avant de quitter la maison, Yasmina s'enferme dans sa chambre et appelle Éléonore, en larmes. Celle-ci peine d'abord à comprendre ce que lui dit son amie.

– Yasmina ? Ça va ? Qu'est-ce qui se passe ?

– C'est fini, Élé… Il veut pas, il veut pas, il veut pas…

– Il veut pas quoi ?

– Il veut pas se marier comme ça, il veut pas que mon père dépense autant d'argent, il dit que je ne l'ai pas écouté, que j'ai fait juste à ma tête…

– Mais là ! Il aurait pas pu te le dire avant ?

– Il dit qu'il me l'a dit, qu'il a fait juste ça, qu'il s'est époumoné à me répéter que ça ne lui ressemblait pas, ce cirque-là… Et que je l'ai ignoré.

– Est-ce que c'est vrai ?

– Un peu… mais crisse, c'est quoi, son problème, aussi ? Un mariage, c'est une affaire de filles, non ? Lui, il dit qu'il veut plus qu'un rôle de figurant en habit noir sur le dessus d'un gâteau.

– Il veut quoi, qu'on l'acclame en dansant ?

Éléonore s'échauffe, prenant instinctivement le parti de son amie.

– Je sais pas, Élé, je sais pas ce qu'il veut…

– Fait que là, qu'est-ce qui se passe ?

– Il se passe que j'arrive à Montréal après-demain, comme prévu. Tu sais, je suis supposée passer chercher ma robe à Paris, là, je fais quoi ?

– Mais lui, il dit quoi ? Que c'est fini entre vous ?

– Non ! Il comprend pas ma réaction. Il veut juste annuler le mariage, mais que tout continue comme avant. On se marierait à l'hôtel de ville, juste pour mon projet. Il pense que je vais prendre une claque en pleine face sans réagir, dire : « OK, d'abord, on continue comme avant… », me foutre de la peine et de l'humiliation qu'il m'inflige, pis continuer à repriser ses chaussettes.

– Tu répares ses bas ?

– Mais non, c'est une façon de parler. Il me fait chier ! Quel con, quel con, quel con. Tout ça pour une histoire de fleurs !

Tout ça pour une histoire de fleurs. C'est aussi ce que se répète Loïc le lendemain, quand vient le temps de déposer Yasmina à l'aéroport de Lomé. Il tente jusqu'à la dernière minute de la faire plier, il la supplie, quémande du regard, du geste, un pardon qui ne vient pas. Un signe qu'elle est quand même prête à faire sa vie avec lui, envers et contre tout. Il ne doute pas de l'engagement de Yasmina, là n'est pas la question, mais... dernièrement il a commencé à trouver qu'elle semblait plus attachée à ses paquets de dragées emballées dans le tulle qu'à lui. Il demeure dans le bâtiment central de l'aéroport, sous la chaleur accablante que quelques ventilateurs dérisoires n'arrivent pas à dissiper, jusqu'à son départ. Il la voit, à travers la vitre, marcher vers l'avion. Même dans le flot des passagers, elle se démarque. Elle retient d'un geste vif son chapeau de paille qui menaçait de partir au vent, repousse une boucle de cheveux derrière son oreille pendant qu'elle monte à bord, et ces gestes sont si profondément, si intimement elle, qu'il se demande tout à coup s'il n'est pas en train de commettre la plus grosse erreur de sa vie. Il sent que s'il la laisse partir, elle ne reviendra peut-être pas. Il serre les poings, ne sentant pas les gouttes de sueur qui coulent sur son front, et regarde l'avion fixement, souhaitant avec une férocité dont il ne se croyait pas capable que la porte s'ouvre de nouveau, juste un peu, pour en laisser sortir une Yasmina éplorée qui se précipiterait dans ses bras. Il n'a jamais voulu quelque chose avec une telle intensité et se sent presque capable de mentalement tordre le métal de cette porte de tôle qui demeure résolument fermée. Les hélices commencent à tourner, l'avion s'élance sur la piste et finalement s'envole. Loïc en ressent un coup au fond du ventre : il se rend compte qu'il n'avait jamais réellement cru à son départ. Il avait feint de l'accepter, mais cela était demeuré très théorique dans son esprit, jamais il n'avait réellement pris conscience de la possibilité que sa vie continue sans elle. Sans elle...

Pendant que Loïc part à la recherche du verre de whisky le plus proche, Yasmina pose sa tête contre l'appuie-tête de son siège et s'astreint à respirer. Juste cela. Une respiration, une à la fois. Inspirer, expirer, gonfler les poumons, vider le ventre. Si elle est capable de continuer à respirer, ça va bien aller. Elle va survivre. Juste respirer, rien de plus. Surtout, ne pas réfléchir, pas encore. C'est de toutes ses forces qu'elle a dû réfréner son envie de se retourner, en montant dans l'avion, pour voir si Loïc était encore là. Elle s'est obligée à regarder droit devant, certaine que si elle l'apercevait, sa résolution flancherait. Qu'elle repartirait en courant, prête à lui promettre n'importe quoi.

Le vol qui l'amène à Ouagadougou est court. Elle appréhende les trois heures qu'elle doit passer à l'aéroport en attendant son prochain vol, craignant que l'oisiveté ne cède la place à la panique qu'elle sent sur le point de l'envahir. Elle achète Le Monde, qu'elle déniche dans un fouillis de journaux semblant venir des quatre coins de la planète, mais tous datant d'il y a au moins une semaine, et elle se force à en lire chaque article, même ceux qui l'ennuient profondément, au sujet des grèves, ou de la situation économique en France. Elle réussit ainsi à passer le temps et se présente en avance pour son prochain vol. Encore une escale, très courte celle-là, à l'aéroport Charles-de-Gaulle, et elle sera dans un vol en direction de Montréal. Dès qu'elle est accueillie par l'agente de bord d'Air Canada, elle menace d'éclater en sanglots. L'accent québécois de la dame d'un certain âge est si réconfortant qu'elle se sent déjà chez elle. Entourée, enveloppée. Elle prend place près du hublot et se plonge avec reconnaissance dans le magazine En Route, éblouie par les images de vitrines et de boutiques de Halifax, la ville vedette du numéro de juillet, qui lui semblent d'un luxe inouï après les privations de Dapaong.

À Montréal, sa mère l'attend à l'aéroport. La scène lui semble identique à celle qui l'a accueillie, il y a plusieurs mois, mais cette fois-ci, c'est elle qui est porteuse de mauvaises nouvelles. Elle a prévenu brièvement sa mère avant de partir de Dapaong, mais elle n'a pas eu la force d'entrer dans les détails. Elle ne l'a toujours pas, ce que sa mère respecte.

– Alors, c'est ça qui est ça. Il faut tout annuler.

– Tu es sûre, ma chérie ? Il veut quand même t'épouser, non ?

– Oui, mais pas comme ça. Et moi, je ne me relève pas de cette humiliation qu'il m'impose. Je vais avoir l'air de quoi ?

– Ça, ne t'inquiète pas, je m'en occupe. Mais, Yasmina, est-ce ce qui t'importe le plus ? Ce que les gens vont dire ?

– Non ! Ce qui m'importe, c'est son manque de respect envers moi, envers toi et papa, envers nos familles. Ça se fait pas, un point, c'est tout ! Qu'il choisisse de me blesser comme ça, je ne comprends pas.

À la maison, Jamel et Malik l'attendent impatiemment. Yasmina leur répète ce qu'elle a dit à sa mère, d'une voix monotone, sans éclat. Elle semble vidée, ce qui inquiète beaucoup sa mère. Puis elle dit :

– Je monte dans ma chambre, j'ai besoin de me reposer, OK ?

Jacqueline acquiesce. C'est donc elle qui encaisse le choc de la réaction de ses deux hommes, qui veulent étriper Loïc.

– Non, mais, pour qui il se prend, celui-là ? Je vais aller lui dire ma façon de penser, moi, tonne Malik.

– Tu le lui diras de ma part aussi, renchérit Jamel. Mais qu'est-ce que c'est que ces histoires ? On aura tout vu.

– Mais c'est qui, cet hurluberlu ?

– Bon, calmons-nous, dit Jacqueline, il y a quand même plus urgent que de prendre le premier vol pour le Togo. Il y a Yasmina à consoler, les fournisseurs à contacter et les invités à décommander.

Pendant que Malik et Jamel continuent de grogner, Jacqueline prépare sa liste de démarches à entreprendre. Bien entendu, tous les dépôts déjà payés seront perdus, et il y aura peut-être aussi certaines pénalités à payer, notamment au traiteur, qui ne permet pas les annulations moins de trente jours avant l'événement. La liste de tâches à accomplir s'allonge. Jacqueline commence à penser qu'il serait peut-être mieux que Yasmina s'absente, au cours des prochains jours. Ainsi, elle pourrait faire tous les appels requis sans que la pauvre petite ait à entendre les explications boiteuses et les condoléances maladroites que ces conversations impliqueront.

Tandis que Yasmina se repose en haut, Jacqueline appelle donc Éléonore et lui demande si elle peut inventer une activité qui tiendrait Yasmina occupée pendant les deux prochains jours. Éléonore accepte, raccroche et rappelle tout de suite Yasmina pour l'inviter à aller passer deux jours avec Mathilde et elle chez son père, à Cap-aux-Oies.
– Élé, je sais pas si j'ai la force…
– Viens, ma belle, ça va te faire du bien. Mimi a tout plein de projets pour toi. Elle est folle de bricolage, ces temps-ci, elle fait des colliers, des couronnes de princesse… Elle veut jouer avec sa tante Yaya. S'il te plaît.
– OK d'abord. Si c'est pour faire plaisir à Mathilde.

Le lendemain matin, Éléonore passe chercher Yasmina de bonne heure. Celle-ci a mauvaise mine, ayant peu dormi. Heureusement, elle est tout de suite distraite par le babillage de Mathilde, qui exige que sa tante admire ses tresses, son bracelet tissé et sa nouvelle poupée. Et ses nouvelles sandales rouges. Yasmina est vite emportée par le tourbillon des préoccupations enfantines et elles se mettent en route toutes les trois dans la bonne humeur.

Jacqueline soupire en les regardant partir, espérant que la compagnie de sa nièce et de sa meilleure amie saura appliquer un baume sur le cœur blessé de sa fille. Elle se prépare un café, puis s'installe à la table de la cuisine, son carnet d'adresses à ses côtés. Elle s'apprête à soulever le combiné quand la sonnerie du téléphone retentit. Elle répond. Elle raccroche quelques instants plus tard, songeuse.

Chapitre vingt

– Louise! Peux-tu appeler Jérôme de ma part, lui demander si on peut se rencontrer à 10 heures?

– Pas de problème.

De retour au bureau après son bref séjour à Cap-aux-Oies, Éléonore est débordée de travail. Ce n'était vraiment pas le moment idéal pour s'absenter, en pleine négociation de contrat avec son nouveau réalisateur. Jérôme a tenu le fort du mieux qu'il a pu, demandant des précisions sur des points de forme afin de retarder la réponse qu'ils ont à donner sur le fond. Maintenant, il est temps de trancher, mais Éléonore s'assure toujours de le faire sur des bases solides. Elle ne laisse pas l'enthousiasme qu'elle peut avoir pour un projet influencer ses décisions d'affaires. En cela, elle est très différente de son père. Claude avait plutôt tendance à se laisser mener par son instinct, ce qui lui a permis des coups brillants, mais l'a aussi amené à prendre de mauvaises décisions coûteuses. Éléonore, qui a repris l'entreprise familiale alors que celle-ci éprouvait de graves difficultés, a toujours préféré assurer ses arrières et refuse de s'engager dans un projet, si tentant soit-il, sans être convaincue qu'elle y trouvera son compte sur les plans professionnel et financier. Cela fait d'elle une redoutable femme d'affaires, au jugement sûr.

– Éléonore! dit Louise sur un ton urgent qui attire tout de suite l'attention de sa patronne.

– Qu'est-ce qu'il y a?

– C'est la secrétaire de Hugh Jackson en ligne. Elle veut organiser un rendez-vous téléphonique entre lui et toi, à 10 heures.

– Hugh Jackson ? Le vrai ?

– Il faut croire. Qu'est-ce que je dis ?

– Dis oui, bien sûr ! Et reporte Jérôme.

À 10 heures tapantes, Éléonore prend le téléphone, hautement intriguée. Hugh Jackson est un réalisateur britannique d'importance, qui a une impressionnante feuille de route en matière de succès commerciaux. Certains de ses films sont de facture plutôt hollywoodienne, d'autres sont plus près du cinéma indépendant, mais quelle que soit la formule qu'il adopte, il obtient toujours un succès fou au box-office. Il semble avoir le don de prendre le pouls du public comme celui des cinéphiles avertis, et sait d'instinct ce qui plaira. Éléonore ne peut s'imaginer ce qu'un homme de cette envergure peut lui vouloir.

La réponse est bien simple : Allegra. En l'absence d'un agent d'artiste officiel, c'est le nom de Castel Communications que celle-ci a toujours inscrit sur ses feuilles professionnelles. C'est donc là le seul endroit où on peut la joindre. Quand Éléonore raccroche, le cœur battant, elle ressaisit le combiné et appelle immédiatement son amie.

– Allegra ! Devine ! J'ai eu un appel de Hugh Jackson, et…

– Hugh Jackson ! l'interrompt Allegra. Qu'est-ce qu'il voulait ?

– Savoir si tu parles anglais.

– Quoi ? Moi ?

– C'est pour le rôle principal de son prochain film qui sera tourné, je te le donne en mille… en Australie.

– En Australie ! C'est trop parfait !

– Il veut te rencontrer pour évaluer ton niveau d'anglais. Un genre d'audition.

– Une audition ? Éléonore, même Jean Colombe ne m'a pas demandé de passer d'audition.

– Allegra Montalcini ! C'est un méga *big deal*, le gars veut juste t'entendre parler anglais, n'en fais pas tout un plat, voyons !

– Ouin. T'as bien raison. Alors, qu'est-ce qui se passe ?

– Il se passe qu'on part à Londres toutes les deux, demain.

– Demain ?

– Oui. Ça m'arrange pas, j'avais des plans avec Yasmina, mais je reporterai.

– Comment elle va ?

– Pas pire. Tu connais mon père… Il n'a pas son pareil pour requinquer quelqu'un. Je pense vraiment qu'il a trouvé un bon filon, avec ses livres. Il a la *touch*, c'est sûr.

– Parlant de ton père et de ses livres, est-ce que Janine était là ?

– Son éditrice ? Non, pourquoi ?

– Je te raconterai ça dans l'avion.

Quand elle raccroche, Éléonore voit qu'elle a manqué l'appel de Jacqueline Saadi. Elle se dit que ça devait être au sujet de Mathilde, de son spectacle de ballet qui approche et elle se promet de la rappeler. Puis elle écrit à Malik, l'informant de son voyage et vérifiant s'il peut se charger de Mathilde pendant trois jours. « Bien sûr, aucun problème. » La réponse lui parvient, presque instantanée. Éléonore sourit. Puis elle se prépare à accueillir Jérôme, décidée à boucler cette histoire de contrat aujourd'hui, afin de pouvoir partir la tête libre.

En s'endormant ce soir-là, elle se fait la réflexion qu'elle a oublié de rappeler madame Saadi. Le lendemain, la journée est tout aussi occupée: les choses de Mathilde à préparer, une rencontre d'urgence avec le réalisateur Benjamin Watley au sujet du film, des dossiers à traiter au bureau. Éléonore est à la course quand elle part vers l'aéroport, détestant cette impression d'être en retard et d'avoir oublié quelque chose. Allegra l'accueille, radieuse, puis l'entraîne vers la librairie Virgin pour y faire le plein de magazines à feuilleter pendant le vol. En présence de son amie, Éléonore se détend. Dans sa précipitation, elle ne s'était pas arrêtée à songer qu'il sera des plus agréables de passer quelques jours à Londres avec Allegra. Sans enfant, sans obligations professionnelles autres que celle de soutenir son amie. Elle se promet même d'en profiter pour faire les magasins. En juillet, les soldes sont spectaculaires en Europe, Yasmina le lui a toujours dit. Dommage de devoir laisser Yasmina se morfondre à Montréal. Yasmina! Voilà ce qui chicotait tant Éléonore: elle a encore oublié de rappeler madame Saadi.

Les trois jours qu'elles passent à Londres sont fantastiques. Éléonore, toujours passionnée d'architecture et de design, a choisi l'hôtel St Martins Lane, près de Covent Garden. Décoré par l'illustre Philippe Starck, l'endroit l'impressionne dès qu'elle y entre. Elle s'engage dans les immenses portes tournantes illuminées de jaune et découvre le hall aux influences modernes et baroques à la fois, avec ses imposantes colonnes blanches et ses chaises longues antiques. Allegra s'extasie surtout en découvrant le Light Bar et elle est au comble de la joie lorsqu'elle apprend que Hugh Jackson viendra manger avec elles le soir même dans le spectaculaire restaurant de l'hôtel, Asia de Cuba.

Elles n'ont pas le temps de faire les boutiques, à peine celui de faire une sieste qui leur est nécessaire, prendre leur douche et se préparer. Cela ne gêne pas Allegra outre mesure; elle a appris avec les années qu'il vaut mieux pour elle se présenter devant un cinéaste dans un attirail simple, sans artifices. C'était la même chose du temps où elle était mannequin à New York et courait les castings: on voulait la voir à nu, comme une toile vierge sur laquelle le créateur peut dessiner sa vision. Ce soir-là, elle revêt donc un jeans noir *skinny*, une camisole noire et un collier doré. Seule note de fantaisie, des escarpins rouge vif.

À 20 heures, elles descendent au Light Bar. Elles n'attendent que quelques minutes avant que Hugh Jackson se présente. Le réalisateur n'a pas le physique de l'emploi: il est timide, réservé, ressemble plus à un premier de classe destiné à devenir informaticien qu'à un cinéaste de renom. Il les surprend en commandant de l'eau minérale, plutôt que l'éternelle bouteille de Cristal qui semble accompagner tous les rendez-vous hollywoodiens. Allegra et Éléonore lui emboîtent le pas avec gratitude.

Dès qu'ils s'assoient à leur table du restaurant Asia de Cuba, Hugh saute dans le vif du sujet. Il s'apprête à réaliser un film d'action, dont l'héroïne féminine est un mélange de la femme Nikita et de Lara Croft. «Moins dur que Luc Besson, plus artistique qu'Angelina, leur explique-t-il. Avec une petite touche noire à la *Pulp Fiction*.» Allegra est tout de suite séduite, tant par le projet que par l'humilité et la gentillesse du cinéaste.

– Par contre, le tournage commence dans trois semaines. Êtes-vous libre?

– Dans trois semaines? Déjà?

– Je serai honnête: une autre actrice devait jouer le rôle et elle s'est cassé une côte dans un stupide accident de ski au Chili. Acceptez-vous de la remplacer?

Allegra ne peut s'empêcher de sourire : Véronica Ballant a profité de son malheur à elle pour prendre sa place dans le film de Jean Colombe, voilà que c'est à son tour de profiter du malheur d'une autre pour jouer sous la direction de Hugh Jackson. Il y a là une certaine justice poétique qui ne lui échappe pas.

– Avec plaisir.

Puis il s'adresse à Éléonore :

– Mon directeur de production vous contactera d'ici un jour ou deux pour le contrat.

Il leur serre la main et les quitte de bonne heure, pressé de retrouver sa femme à la maison.

Éléonore éclate de rire.

– Il n'est vraiment, mais vraiment pas comme je l'avais imaginé.

– Je sais.

– Ma fille, tu fais le prochain film de Hugh Jackson ! Est-ce que tu sais ce que ça veut dire ? C'est ta porte d'entrée à Hollywood, c'est *major* ! On rit plus, là.

– Je sais.

– C'est tout ce que tu trouves à dire ?

– Je sais !

Le lendemain, les filles profitent de Londres. Elles déambulent dans les rues de Notting Hill, se promènent à Soho et vont faire les magasins sur Oxford Street, dévalisant la boutique Top Shop et s'amusant comme des folles à acheter à bas prix des vêtements excentriques qu'Éléonore n'est pas sûre d'oser porter à Montréal. Mais l'enthousiasme d'Allegra est contagieux. Elles sortent souper au célèbre River Café. Allegra déguste un spaghetti au homard de Cornouailles tandis qu'Éléonore, intriguée, commande un risotto à la pêche blanche et au *prosecco* qui ne la décevra pas.

Mais surtout, elles parlent. Et parlent, et parlent, et parlent, sans s'arrêter. De tout et de rien, de l'essentiel comme du plus merveilleusement accessoire. Elles rient beaucoup, oubliant leurs soucis quotidiens pour retrouver la légèreté de leur jeunesse.

Le jour suivant, Éléonore reçoit l'appel du directeur de production du film. Celui-ci envoie une offre de contrat par télécopieur à leur hôtel. En la lisant, Éléonore éclate de rire. Les conditions sont si généreuses, comparativement aux ententes québécoises, qu'elle devra se forcer à trouver au moins un point à contester. Allegra lui suggère simplement de tout accepter tel quel : elle gagnera en six mois de tournage plus qu'au cours des cinq années précédentes réunies. Elle est si heureuse qu'elle en rit.

– C'est pas si simple. Si on accepte tout, ils vont avoir l'impression de t'en avoir trop offert. C'est psychologique, tu sais. Il faut que tu fasses au moins une requête supplémentaire.

– Bon, OK, d'abord. Qu'ils prennent en charge les déplacements de Sean. Il va m'accompagner partout.

– T'es sûre ? Tu sais que c'est intense, les tournages. Tu n'auras pas beaucoup de temps pour lui.

– Sean, c'est un être foncièrement indépendant. Il est heureux partout. Et puis, c'est mon roc, Éléonore, je ne me passerai plus de lui.

– OK. Une dernière chose. Il y a une clause, ici, qui dit que tu dois te maintenir en forme physiquement et que tu ne peux rien faire qui pourrait limiter ta capacité à participer à des scènes d'action. Tu sais ce que ça veut dire, hein ?

– Je sais lire, Éléonore Castel.

– C'est correct ?

– Oui.

En rentrant à Montréal, Allegra se précipite chez elle pour fêter la grande nouvelle avec Sean : ça y est, c'est fait et signé, elle a son prochain film. Elle déborde de joie. Ils planifient tous les deux avec enthousiasme leur séjour en Australie.

Allegra s'empresse d'inviter sa mère et sa sœur à souper, afin de les mettre au courant.

– Hugh Jackson ? s'exclame Chiara. Mais j'adore ses films !

– C'est lesquels, donc ? demande Nicole.

– Maman ! Toujours à côté de la plaque, répond Chiara, bourrue, mais elle s'empresse néanmoins de mettre sa mère à jour tandis qu'Emmanuel et Benoit servent bière et vin à la ronde. Sean, pendant ce temps, met la dernière touche au rosbif qu'il a préparé.

– Alors, continue Allegra, ça veut dire que je pars dans trois semaines.

– Que tu pars ? Tu pars où ?

– Vous ne le croirez pas, mais... le tournage a lieu en Australie.

– En Australie !

– Maman, arrête de répéter tout ce que je dis ! s'impatiente Allegra, incapable malgré ses bonnes résolutions de s'empêcher de rabrouer sa mère.

– Désolée, dit Nicole, blessée.

Allegra préfère tout expliquer d'un coup, plutôt que de se soumettre au jeu des questions et réponses. Elle déballe donc le tout, sans interruption. Hugh Jackson s'apprête à faire un film d'action un peu noir, mais très comique ; l'actrice qu'il avait pressentie pour le rôle principal s'est cassé une côte ; il a vu et aimé *Les années sombres* et a tout de suite pensé à elle. Le rôle d'Allegra est très physique ; elle commencera dès le lendemain un programme intense de musculation, d'arts martiaux et de conditionnement physique. Le tournage aura lieu en Australie, à Sydney et dans la petite ville de Cairns, dans le nord tropical, près de la Grande Barrière de corail. Il durera près de cinq mois. Ensuite, Sean et elle prévoient prendre un long congé et voyager à travers l'Australie, visiter l'Outback, Byron Bay, Melbourne. Ils veulent profiter de l'été austral et manquer un hiver montréalais. Ils seront donc absents au bas mot pendant huit mois.

La famille d'Allegra est ébahie; Chiara ose dire tout haut ce que tous pensent tout bas :
– Et ton projet de bébé ?
Allegra soupire.
– Chiara, mon projet de bébé me gâchait la vie. Là, maintenant, il n'en est pas question : je vais me soumettre à un entrainement hyper exigeant, à des scènes de bataille violentes. À un moment donné, ils vont même me suspendre sous une grue avec des câbles. Et j'en passe. Non, j'en ai parlé avec Sean, et notre décision est claire. Je recommence la pilule, et on verra après Noël.
Nicole serre la main de sa fille avec compassion.

De retour chez elle, Éléonore regarde avec attendrissement une Mathilde tellement pressée d'ouvrir son cadeau qu'elle n'arrive pas à en défaire l'emballage. La petite s'exclame en découvrant un ensemble de vêtements pour poupée, qu'elle s'empresse d'apporter dans sa chambre pour les essayer à sa Lulu.

Éléonore termine de vider le sac de sa fille, surprise de trouver une note manuscrite. Elle frémit en apercevant l'écriture autrefois si familière de Malik. Depuis qu'ils sont séparés, ils ne se sont écrit que par courriel. Mais elle se rappelle soudain que Malik avait l'habitude de lui écrire souvent, des petites notes qu'elle trouvait dans ses affaires après son départ. En souriant, elle lit celle-ci, qui dit simplement: «N'oublie pas d'appeler ma mère.» Madame Saadi! Zut, elle avait encore oublié. Elle se demande ce qu'il peut bien y avoir de si urgent. Elle compose néanmoins tout de suite son numéro.

Quand elle raccroche, quelques minutes plus tard, elle a un énorme, énorme sourire étampé dans le visage.

Chapitre vingt-et-un

– Tu peux me passer un croissant ?

Yasmina rompt un morceau de croissant et le trempe dans son bol de café au lait. Sa mère s'avance, servant une omelette espagnole aux pommes de terre, accompagnée d'une salade de fruits tropicaux et d'un pichet de jus d'orange fraîchement pressé. Éléonore s'installe à ses côtés et se sert une chocolatine. Yasmina sourit ; depuis son arrivée à Montréal, il y a trois semaines, et l'immense déception qu'elle a vécue, sa mère et son amie sont aux petits soins pour elle, faisant tout pour la chouchouter et la distraire. Mais là, ce matin, vraiment, elles se sont surpassées. Les journaux sont posés sur la table, l'air sent bon le café frais, Éléonore est même passée à la Gascogne pour y ramasser les viennoiseries préférées de son amie. Elles font honneur à ce déjeuner somptueux en discutant tranquillement.

Vers 10 heures, madame Saadi se rend près de la porte d'entrée, puis revient en tendant une enveloppe à sa fille. Une enveloppe couleur crème, adressée à elle. Yasmina se demande qui peut bien lui écrire chez ses parents. Elle l'ouvre et en sort un carton d'invitation rigide, gravé d'or. Elle le lit.

« Vous êtes invitée au mariage de Yasmina Saadi et de Loïc Le Goff, qui aura lieu le 29 juillet 2007 à 16 heures, dans le Jardin de l'hôtel Ritz-Carlton. Une réception suivra. »

Elle lève les yeux vers sa mère.

– C'est une mauvaise blague ?

– Regarde la date, ma belle, dit Jacqueline doucement.

Yasmina baisse de nouveau les yeux vers le carton.

– C'est la date d'aujourd'hui ?

Le cœur battant, elle relève les yeux, et voit sa mère et Éléonore qui ont toutes les deux le visage illuminé par un grand sourire. L'idée fait lentement son chemin en elle. Elle tremble et elle a le ventre dévoré de papillons quand elle demande :

– On se marie ? Aujourd'hui ?

– Si tu veux.

– Loïc est ici ? À Montréal ?

– À moins que tu veuilles l'épouser par télépathie, oui, répond Éléonore. Mais pose pas trop de questions, Yasmina. Laisse-toi emporter.

– Juste une : et ma robe ?

– Ton oncle et ta tante l'ont rapportée de Paris.

– Ils sont ici ? Tonton Mohammed et tata Soraya ?

– Alors, tu viens ? On a une journée occupée, toutes les deux.

Yasmina s'habille à la hâte. Devant la porte, une limousine les attend. Éléonore et Yasmina montent à bord. La limousine s'engage sur Côte-Sainte-Catherine, vers l'est. Elle bifurque à gauche sur la rue Laurier et se gare devant l'Institut Lise Watier. Yasmina et Éléonore sont accueillies avec gentillesse. Chacune est guidée vers sa salle de soins, où elle sera exfoliée en douceur et épilée. Ensuite, elles s'arrêtent chez Leméac pour y manger une salade légère, Yasmina ayant l'estomac trop noué pour avaler autre chose. Éléonore éclate de rire.

– C'est pour ça qu'on t'a bourrée ce matin !

Après le repas, elles se rendent chez Lio Fratelli, là où l'on reçoit les plus belles manucures et pédicures de

Montréal. Elles sont assises côte à côte, discutant gaiement pendant qu'on leur applique toutes les deux un vernis à ongles d'un rose nacré qui a été choisi d'avance pour elles.

– Ça me fait penser, Élé! Et toi, ta robe? Que vas-tu mettre? On n'est jamais allées magasiner!

– Ne t'en fais pas, relaxe, profite.

– Vous êtes vraiment cachottières, hein, ma mère et toi? Je trouvais que mon père avait l'air louche, tiens. Il m'évitait depuis quelques jours. Pas un aussi bon menteur que vous. J'en reviens pas! Vous ne m'avez rien dit!

– Tu nous en veux?

– Sincèrement… non. Je m'amuse trop!

Elles vont ensuite chez Orbite, où elles sont toutes les deux coiffées et maquillées. Cette journée de fin juillet est ensoleillée, mais ni trop humide ni trop chaude. Le coiffeur ne juge donc pas nécessaire de relever les cheveux de Yasmina en chignon. Il y place seulement un mince serre-tête agrémenté de brillants et de broderies dorées. Son maquillage est léger, appliqué avec goût: elle n'a pas l'air maquillée, elle est simplement belle et radieuse. Éléonore a aussi les cheveux qui tombent sur les épaules et sa coiffeuse lui a fait quelques boucles. Le tout donne à sa coiffure une allure légère et romantique.

La limousine vient de nouveau les chercher et les dépose devant le Ritz. Il est 15 heures. Jacqueline les y accueille, déjà vêtue d'un élégant tailleur crème. Elle les mène vers l'ascenseur puis vers une suite opulente qui a été réservée pour elles. Là, Yasmina trouve sa robe, accrochée sur un cintre et suspendue en hauteur afin qu'on ne risque pas de la froisser. Elle a envie de pleurer en la voyant, mais prend une bonne respiration pour retenir ses larmes et ne pas faire couler son mascara. Elle enfile les sous-vêtements de dentelle qu'elle avait achetés pour l'occasion et se glisse dans sa robe. Sa mère soulève ses cheveux pendant qu'Éléonore fait remonter la glissière. Puis elles contemplent toutes les trois dans le miroir cette image d'une Yasmina resplendissante, vêtue d'une robe fluide d'un blanc cassé. La robe est classique et rappelle celle que portait Carolyn Bessette-Kennedy le jour de son mariage ; seule la très longue traîne trahit le goût de Yasmina pour la romance.

Éléonore enfile à son tour une robe d'un rose très léger, qui fait ressortir le rouge de ses pommettes et l'éclat de ses yeux bleus. Enfin, elles sont prêtes. Elles descendent, accompagnées par un photographe qui saisit leurs mouvements sur le vif. Yasmina a l'impression de flotter plutôt que de marcher. À la porte du Jardin, son père l'attend, sérieux et grave. Il lui tend le bras.
– On y va, ma fille ?
– On y va, papa.
Éléonore entre devant eux, ouvrant le cortège pendant que Jacqueline se glisse discrètement à sa place.

Quand c'est au tour de Yasmina, les violons entament la *Marche nuptiale*, de Richard Wagner. Elle s'avance avec son père puis ralentit imperceptiblement le pas, soufflée par le spectacle qu'elle a sous les yeux. Le Jardin est en pleine floraison. Les tables, disposées en demi-cercles, sont remplies de tous les visages qu'elle connaît et qu'elle aime : elle y voit sa famille, ses amis, les parents de Loïc, Fabien et Amélie, et même Juliette et Clara qui lui font un grand signe de la main. Droit devant, elle voit Mathilde, qui fait tournoyer sa robe de princesse avec fierté ; Malik qui lui tient la main, droit et beau dans son smoking ; puis Loïc, Loïc qui l'attend, le regard brûlant, debout devant tous, prêt à déclarer son amour. Les yeux de Yasmina s'embuent de larmes, mais elle continue d'avancer.

Quand elle est enfin devant Loïc, enfin avec lui, à le regarder, à presque pouvoir le toucher, l'assistance s'estompe et elle ne voudrait que lui prendre la main et lui parler. Mais le célébrant commence son discours, accueillant les invités. Loïc lui coupe rapidement la parole. Il s'adresse à l'assemblée.

– Si vous me permettez, avant de commencer, il y a quelque chose que je dois absolument faire.

Il se tourne vers Yasmina, prend ses deux mains entre les siennes et s'agenouille devant elle. Il la regarde droit dans les yeux.

– Yasmina. Tu es plus que la femme de ma vie, tu es ma vie. Acceptes-tu de m'épouser ?

Il lui tend une petite boîte de velours bleu, où est placée une bague superbe qui scintille sous le soleil de juillet. Un rubis serti de diamants, sur un jonc d'or. Yasmina répond oui. Loïc se relève, s'avance pour l'embrasser, mais il est interrompu par le toussotement du célébrant.

– Pardon, nous n'en sommes pas encore là. Vous me permettez de continuer ?

Yasmina et Loïc acquiescent. Jamais cérémonie ne leur a paru aussi longue. Yasmina n'écoute plus, elle ne fait que regarder Loïc, ne lâchant pas sa main. En ce qui la concerne, son oui a déjà été prononcé. Elle attend tout de même celui de Loïc, qui résonne, clair et fort, dans le Jardin, suscitant les applaudissements de la foule. Le moment où ils sont invités à s'embrasser arrive enfin. Ils ne s'en privent pas. Ils perçoivent à peine les applaudisse-ments, les déclics de l'appareil photo, Mathilde qui tire sur la robe de sa tante Yaya, voulant l'embrasser. Puis tous les invités se pressent, les félicitent, complimentent la mariée sur sa robe et sa beauté.

Le maître d'hôtel parcourt la foule, guidant discrète-ment les invités vers la Cour des Palmiers, où sera servi le champagne. Yasmina et Loïc, de leur côté, s'installent à une petite table du Jardin, à l'abri du soleil. Là, ils parlent et se contemplent, se tenant toujours la main, laissant les semaines de distance s'évanouir.

La fête est grandiose. Dans le somptueux Salon Ovale, les tables débordent de lys Calla, de roses et de chandelles. Les invités envahissent la piste de danse, où les succès de l'heure succèdent aux morceaux enlevants de musique marocaine traditionnelle. On entend les femmes qui font des youyous, les jeunes qui s'exclament de joie, les parents des mariés qui se saluent chaleureusement. Malik tient Mathilde dans ses bras et la fait valser à travers la piste de danse. Éléonore les observe en riant. Enfin, on invite tout le monde à prendre place pour annoncer l'arrivée des mariés. Éléonore est assise à la table d'honneur, avec Malik, Mathilde, les parents de Yasmina et ceux de Loïc.

Yasmina et Loïc entrent dans la salle sous les applaudissements nourris de la foule. Ils s'élancent tout de suite sur la piste pour y danser pour la première fois en tant que mari et femme. Le maître de cérémonie invite la famille des mariés à se joindre à eux. Jacqueline et Jamel se lèvent, suivis de monsieur et madame Le Goff. Malik se retourne vers Éléonore et lui tend la main en silence. Elle hésite, puis voit Allegra qui vient s'asseoir à côté de Mathilde. Elle adresse un sourire reconnaissant à son amie et se lève pour suivre Malik. Il l'enlace. Elle pose les mains sur ses épaules. Elle avait oublié comme il est grand.

What the world needs now… Is love, sweet love… It's the only thing, that there's just too little of…

Ils se laissent guider quelques instants par la musique, avant d'être interrompus par le maître de cérémonie, qui annonce le premier service. Le cœur d'Éléonore bat très fort.

La soirée se déroule comme dans un rêve. Le repas est sublime, le vin et le champagne coulent à flots. Yasmina sourit à tous, mais n'a d'yeux que pour Loïc, dont elle ne lâche pas la main une seule fois. Elle a le plaisir de présenter Éléonore à ses amies de Paris et de Dapaong: Amélie, Juliette et Clara. Amélie les fait rire en racontant la façon dont Loïc et Yasmina se sont rencontrés, tandis que Loïc rougit en l'entendant le décrire comme un rocker, un don Juan sans scrupules. Quand on le voit ce soir-là, follement épris, cette description semble risiblement éloignée de la réalité. Fabien fait le bouffon, invitant toutes les filles à danser à tour de rôle.

Durant le traditionnel discours du père de la mariée, Jamel fait rire l'assemblée en racontant des anecdotes mignonnes et cocasses au sujet de la jeunesse de Yasmina. Il remercie en même temps Éléonore, la larme à l'œil, d'avoir toujours été là pour sa fille, depuis sa tendre enfance. Éléonore sent sa gorge se serrer. Quand c'est au tour des mariés de parler, Loïc remercie tous ceux qui sont venus de loin. Yasmina a des sanglots dans la voix quand elle parle à son tour. Elle remercie ses parents, son frère, Éléonore, et surtout Loïc, qui lui a offert une si belle preuve d'amour. Elle invite les gens à contribuer à la fondation de l'École de maman Jacqueline, en lieu et place de cadeaux de mariage. Elle reçoit les applaudissements de l'assemblée.

Puis on danse, on danse et on danse. Éléonore danse avec Allegra et Sean, elle danse avec Mathilde, elle danse avec les mariés. Elle ne danse plus avec Malik, mais elle est toujours consciente de sa présence, de près ou de loin. C'est la première fois qu'ils se voient vraiment, depuis leur séparation, hormis leurs rencontres à la sauvette dans un escalier ou près d'une voiture stationnée en double file. Dieu qu'elle le trouve beau. Elle en tremble parfois, lorsqu'il s'approche.

On déguste le gâteau de mariage, on discute et on s'amuse, et surtout, on danse encore et toujours. Vers 11 heures, quand Jacqueline voit Mathilde recroquevillée dans un fauteuil, elle annonce qu'elle l'emmène à la maison se coucher. Éléonore proteste : elle refuse que Jacqueline manque la fin de la fête, elle dit qu'elle rentrera avec sa fille. Mais Jacqueline insiste, lui confiant avec un clin d'œil que c'est le seul moyen qu'elle ait trouvé pour ramener Jamel de bonne heure à la maison. Il a encore besoin de se reposer. Éléonore accepte donc avec reconnaissance, embrasse une Mathilde à moitié endormie, puis cède la place à Malik qui veut aussi dire bonne nuit à sa princesse. Mathilde marmonne qu'elle veut dormir dans sa robe, et sa grand-mère cède à toutes ses requêtes en la prenant dans ses bras.

Éléonore et Malik la regardent s'éloigner. Ils se retournent et se sourient, de ce sourire unique que partagent les parents épris de leur enfant, un sourire empreint d'amour et d'émerveillement à la fois, mais aussi de reconnaissance envers l'autre, qui a contribué à créer un être aussi incroyablement unique.
– Tu veux prendre un verre ? demande Malik.
Éléonore hoche la tête.

Il saisit une bouteille de champagne, deux coupes, et la guide vers le Jardin, qui n'est éclairé qu'à la lueur de quelques chandelles et du croissant de lune au-dessus de leurs têtes. On entend les échos de la fête qui bat son plein à l'intérieur, mais la nuit est étrangement silencieuse. Éléonore accepte une coupe de champagne, dont elle boit une gorgée. Malik la regarde dans la pénombre. Ils sont curieusement bien, tous les deux ensemble, en silence. Puis ils prennent la parole en même temps, s'interrompant et éclatant de rire.

– Toi d'abord, dit Éléonore.
– OK. Élé…
– Quoi ?
– Tu me manques.
C'est dit, sans artifices.
– Toi aussi, avoue Éléonore dans un souffle, en regardant partout sauf dans ses yeux.
– Qu'est-ce qui n'a pas marché, entre nous, tu penses ?
– J'ai plein de théories, mais…
– Moi aussi, j'ai des tonnes de théories.
– Vas-y, ça m'intéresserait d'entendre ça, lance Éléonore avec une étincelle dans les yeux.

Et ils parlent, et parlent, et parlent. D'eux, de leur relation, de leurs débuts. Ils se questionnent et supputent. Aurait-ce été plus facile s'ils avaient eu le temps d'être un couple avant d'avoir un bébé ? S'ils s'étaient fait confiance plus rapidement ? Si elle avait été moins sur ses gardes, s'il avait été plus patient ? Si elle avait accepté de lui faire une place, s'il avait moins poussé ? Si elle avait été plus flexible, s'il avait été plus conciliant ?

Près d'une heure plus tard, ils n'ont toujours pas de réponse, mais ils ont une lueur qui brille dans les yeux. Ils se sont rapprochés dans la pénombre, parlant à voix basse. Une mèche de cheveux tombe sur le visage d'Éléonore. Malik la replace doucement, effleurant sa joue. Éléonore frissonne. Ils ne disent plus rien, se regardent. Enfin, Éléonore doit demander :
– Et Ruby ?
– C'est fini avec elle. Enfin, je lui dirai que c'est fini. Et Émile ?
– La même chose.
– Et nous ?
– Une chose à la fois, hein ? dit Éléonore avec le sourire.

À ce moment-là, ils entendent un mouvement dans la salle, puis la voix du maître de cérémonie qui annonce au micro qu'il est minuit, l'heure du lancer du bouquet.

– On y va ? demande Malik.

– J'ai promis à Mathilde de tout faire pour l'attraper, avoue Éléonore en riant.

Elle est sur la piste de danse, entourée de femmes et de filles de tous âges. Allegra se glisse jusqu'à elle. Yasmina se retourne, les voit toutes les deux et leur adresse un immense clin d'œil. Allegra dit, joueuse :

– Tu penses qu'il est pour toi, celui-là, Éléonore Castel ? T'es mieux de te tasser de mon chemin.

– On va voir ce qu'on va voir, rétorque Éléonore.

Et elles s'élancent toutes les deux vers le bouquet qui fend les airs vers elles.

Épilogue

Le quotidien de Lomé, 15 janvier 2008

Dapaong – C'est en présence des plus hautes autorités locales et régionales, dont le préfet et le sous-préfet, qu'aura lieu ce matin à Dapaong l'inauguration officielle de l'École de maman Jacqueline. À cette occasion, Dapaong revêtira ses atours de fête. Les cases et maisons de la localité ont fait leur grande toilette et tout est fin prêt pour ce grand jour. Dès son ouverture, une cinquantaine de fillettes seront inscrites à l'École de maman Jacqueline. Yasmina Le Goff, la directrice de l'établissement, salue le dévouement de son équipe et l'esprit de collaboration des autorités locales.

Cinérama, 30 avril 2008

Kill Me Now, le dernier film du réalisateur britannique Hugh Jackson, a fracassé des records au box-office ce week-end, rapportant 32 millions de livres à l'ouverture. Les critiques ont souligné la performance magistrale d'Allegra Montalcini, l'actrice italo-canadienne qui avait été primée à Venise en 2006. Montalcini a réalisé plusieurs de ses propres cascades dans le film, se cassant même une jambe lors du tournage de la scène finale, où on la voit sauter d'un édifice en flammes. Après une convalescence à Byron Bay, en Australie, elle est de retour à Montréal, où elle commence le tournage du prochain long métrage du réalisateur canadien Will Huntley.

VIP Magazine, 8 juin 2008

Allegra: *Is That A Baby Bump?*

La Chronique, 23 septembre 2008

Montréal. La rentrée littéraire est enrichie cette année du deuxième opus de Claude Castel, *J'ai pour mon dire que...,* qui suit le livre à succès *Un fil à la fois.* Janine Lévesque, des Éditions du Pellette-Nuages, prévoit qu'encore une fois le livre trônera en tête des palmarès. « Nous sommes honorés de travailler avec Claude, dit-elle. C'est une personne aussi belle que ses écrits. » L'ancien producteur et imprésario vit à Cap-aux-Oies.

VIP Magazine, 15 novembre 2008

Exclusif : les premiers clichés de bébé Ella, dans les bras d'Allegra et de Sean.

Partout, magazine de communication interne de Médecins sans frontières, 2 décembre 2008

MSF annonce avec plaisir la nomination de Loïc Le Goff au poste de directeur de mission dans la région du lac Tana, en Éthiopie. Accompagné de son épouse, monsieur Le Goff entrera en fonction le 1er janvier 2009.

La Chronique, 25 février 2009

Bouncing On a Trampoline, le film du réalisateur montréalais Benjamin Watley, produit par l'équipe qui nous a offert *Les années sombres,* a été sélectionné pour le festival de cinéma Sundance, en Utah. La productrice Éléonore Castel annonce que la première canadienne aura lieu à Montréal la semaine suivante.

Le journal d'Outremont, 20 avril 2009

La production locale de *Casse-Noisettes* a eu lieu ce samedi, à l'amphithéâtre de l'école Lajoie. On note la performance remarquable de Mathilde Saadi-Castel, sept ans, qui s'est relevée avec aplomb après sa chute et a continué de danser sans son tutu.

La Chronique, 8 août 2009

Ces femmes d'exception

Découvrez dans ce dossier, Julie Payette, première femme astronaute au Canada, Rachel Rufer, première danseuse aux Grands Ballets canadiens, et Yasmina Saadi, fondatrice du réseau des Écoles de maman Jacqueline, implantées en milieu rural dans onze pays d'Afrique.

Magazine Le Regard, 23 septembre 2009

Où sont-ils aujourd'hui ?

Découvrez ce qu'il est advenu de Félix Lacroix et d'Émile Saint-Germain.

La Chronique, 15 novembre 2009, cahier des sports

Après le congédiement-choc de l'équipe d'entraî-
neurs adjoints du Canadien de Montréal, on apprend ce matin que Mike Delaney, ancien capitaine
des Glorieux, soutiendra l'entraîneur-chef pour le
reste de la saison. Delaney n'était pas à son domicile
quand notre journaliste l'a appelé, mais sa conjointe,
Charlie Castel, nous assure qu'il « capote et fera
honneur au rôle ». On le lui souhaite. *Welcome back*,
Mike.

La Chronique, 1ᵉʳ avril 2010

À Montréal, le 28 mars 2010 est né Maxime
Saadi-Castel, mesurant 52 cm et pesant 3,54
kilos. La maman, le papa, la grande sœur et le
bébé se portent bien.

Remerciements

MERCI à…

Maymuchka Lauriston, qui m'a tenu la main au cours de l'écriture de ce roman, lisant chaque chapitre au fur et à mesure que je les pondais; qui m'a raconté son expérience africaine; et sans qui *Éléonore 1* ne serait peut-être resté que deux chapitres au fond de mon tiroir.

Sophie Bérubé, qui m'a encore une fois lue, qui a trouvé mon titre, et qui m'a si bien conseillée: «Tourne pas les coins ronds, fille»; sans qui *Éléonore 1* n'aurait peut-être pas été publié, puisqu'elle l'a corrigé et recorrigé, et m'a présentée à mon éditrice.

Ingrid Remazeilles, éditrice extraordinaire, qui a l'œil, on ne le dira jamais assez; pour son enthousiasme et pour m'avoir encouragée à pousser plus loin la psychologie des personnages quand ils en avaient besoin; et pour sa patience!

La grande famille des éditions Goélette: Emilie Bourdages, Alain Delorme, Marjolaine Pageau, Judith Landry, Geneviève Rouleau, Patricia Juste, Élaine Parisien, pour leur soutien et leur professionnalisme; aux amis auteurs, qui m'inspirent et me conseillent, tant dans les salons du livre que sur Facebook: Martin Michaud, Corinne de Vailly, Marie-Julie Gagnon, Elie Hanson, Sandra Doyon, Catherine McKenzie, pour ne nommer que ceux-là.

Ma grande famille à moi : celle de la Nouvelle-Zélande qui nous a accueillis et fait vivre des vacances de rêve pendant l'écriture de ce roman ; celle de Montréal, qui nous soutient le reste de l'année ; ma mère qui a beaucoup gardé et m'a permis le bonheur d'écrire au Café Citrus de Sainte-Adèle ; mon père qui m'a ravitaillée en couscous et en loubia.

Alexis Durand-Brault, qui a gentiment répondu à mes questions au sujet des plateaux de tournage québécois.

Lydia Diliddo, qui a mis à profit ses connaissances médicales pour diagnostiquer le père de Yasmina.

André-Michel Essoungou qui a joué à merveille le rôle de journaliste africain.

Mes deux enfants, Samuel et Leila, qui me font rire, qui m'inspirent, qui illuminent ma vie de leur présence chaque jour.

My husband Sheridan. Thank you for bringing so much joy and laughter into our lives.

Et MERCI, merci du fond du cœur à tous ceux et celles qui me lisent, qui viennent me voir dans les salons du livre, qui m'écrivent si généreusement leurs commentaires sur Facebook, qui me soutiennent et m'encouragent. Vous transformez le plaisir d'écrire en réel bonheur. Merci.

www.facebook.com/NadiaLakhdariKing

L'utilisation de 5597 lb de SILVA ÉDITION 106M plutôt
que du papier vierge aide l'environnement des façons
suivantes :
Arbres sauvés : 48
Réduit la quantité d'eau utilisée de 175 281 L
Réduit les gaz à effet de serre de 6 902 kg
Réduit la production de déchets solides de 2 655 kg
Réduit le smog de 20 kg
Réduit l'énergie utilisée de 78 GJ

C'est l'équivalent de :
Eau : 501 jours de consommation d'eau des ménages
Énergie : 360 859 ampoules 60 W/h

RECYCLÉ
Papier fait à partir
de matériaux recyclés
FSC® C103567

Marquis imprimeur inc.

Québec, Canada
2011

100%   BIO GAZ   PERMANENT